BASIC ITALIAN

HOLT, RINEHART AND WINSTON
New York   Toronto   London

Charles Speroni

UNIVERSITY OF CALIFORNIA, LOS ANGELES

Carlo L. Golino

UNIVERSITY OF MASSACHUSETTS, BOSTON

BASIC ITALIAN

FOURTH EDITION

VISITIAMO

Illustration Credits: See page 471.
Library of Congress Cataloging in Publication Data

Speroni, Charles, 1911–
  Basic Italian.

  Includes index.
  1. Italian language—Grammar—1950– I. Golino,
Carlo Luigi, 1913– joint author. II. Title.
PC1112.S6 1977   458'.2'421   76-54982
ISBN 0-03-089955-9
Basic Italian, Fourth Edition,
by Charles Speroni and Carlo L. Golino
Copyright © 1977, 1972, 1965, 1958
by Holt, Rinehart and Winston
All Rights Reserved

Printed in the United States of America

9 0 1 2 032 9 8 7 6 5 4

L'ITALIA!

Veduta di Firenze dall'alto di Piazza della Signoria

Gruppo di giovani a Venezia

Vetrina di un grande negozio

Giovani che leggono il giornale il giorno
delle elezioni

Statua equestre dell'imperatore
Marco Aurelio

Un angolo del Foro Romano

Turisti davanti ai frammenti della statua
dell'Imperatore Costantino a Roma

Interno del Colosseo

Guardia Svizzera a Città del Vaticano

Canale a
Venezia

Piazza San Marco a Venezia

Veduta di Portofino

Apparecchio telefonico moderno

Studente universitario a Bologna

Un angolo di Capri

Una spiaggia lungo la costa amalfitana

Entrata di una villa ad Anacapri nell'isola di Capri

TABLE OF CONTENTS

PREFACE TO THE FOURTH EDITION   xxii

INSTRUCTIONS TO THE STUDENT   xxv

INTRODUCTORY LESSON ON PRONUNCIATION   xxvii

1. Studenti   2
I. Gender.   II. Plural of nouns.   III. The definite article. IV. Use of the definite article.

2. Studiamo l'italiano   10
I. Conjugation of verbs.   II. Present indicative of the first conjugation.   III. Present indicative of the second conjugation. IV. Subject pronouns.   V. Forms of address.   VI. Interrogative sentences.

3. A scuola   20
I. Present indicative of the third conjugation.   II. Negation. III. Possession.   IV. Definite article with titles.

4. Una lettera   28
I. The indefinite article.   II. Omission of the indefinite article. III. The adjective.   IV. The adjective **buono.**   V. Forms of the article.

RIPETIZIONE 1   38

L'Italia   41

5. Un'idea eccellente   44
I. Contractions.   II. The partitive.   III. The adjective **bello.** IV. Present indicative: **avere, essere.**

6. A Firenze   54
I. Direct object pronouns.   II. The future tense.   III. Future indicative: **avere, essere.**

7. Un ricevimento   64
I. Idiomatic use of the future. II. Present indicative: **dare, fare, stare.** III. Future indicative: **dare, fare, stare.**

8. Una telefonata   74
I. Possessive adjectives and pronouns. II. Some interrogative adjectives and pronouns.

RIPETIZIONE 2   82

Le città italiane   85

9. Alla banca   88
I. Cardinal numerals from 0 to 100. II. The partitive (continued). III. Negatives (continued).

10. Una colazione   98
I. The past participle. II. The present perfect tense. II. Present perfect: **avere, essere.** IV. Adverbs of time. V. Idiomatic use of "**come . . .!**"

11. Veduta di Firenze   108
I. Demonstrative adjectives. II. Demonstrative pronouns. III. Adverbs of place. IV. Idiomatic construction with the possessive adjectives. V. Present indicative: **andare, venire.**

12. Nel ristorante   116
I. Reflexive pronouns. II. Reflexive verbs. III. Feminine nouns and adjectives ending in **-ca** and **-ga.** IV. Present indicative: **sedersi.**

RIPETIZIONE 3   124

La cucina italiana   127

13. Andiamo al cinema?   130
I. Personal pronouns: indirect object. II. The past absolute tense. III. Past absolute: **avere, essere.** IV. The verb **piacere.**

14. A un bar   140
I. Relative pronouns. II. The interrogative pronoun "**di chi?**" III. Time of day. IV. Present indicative: **dovere.**

15. Barbara è partita   150
I. Special uses of the definite article. II. The preposition **a** with names of cities. III. Special use of the present tense. IV. Present indicative: **potere, volere, uscire.** V. The preposition **a** with infinitives.

16. Una lettera da Venezia   160
I. The past descriptive tense. II. Past descriptive: **avere, essere.**
III. Uses of the past descriptive. IV. The past tenses compared.
V. Adverbs and their formation.

RIPETIZIONE 4   170

Economia e industria   173

17. Carta da lettere e libri   176
I. Plural of nouns and adjectives in **-co.** II. Plural of nouns and
adjectives in **-go.** III. Plural of nouns and adjectives in **-cia** and
-gia. IV. Orthographic changes in verbs.

18. Agli Uffizi   184
I. The disjunctive pronouns. II. Ordinal numerals (through
tenth). III. Days of the week.

19. Ben tornata!   194
I. Plural of nouns and adjectives (continued). II. Position of
subject in emphatic statements. III. Special use of the conjunctive pronoun. IV. Past absolute and future of **vedere.**

20. Una corsa a Pisa   202
I. The imperative. II. The imperative: **avere, essere.** III. The
negative imperative. IV. Some irregular imperatives.

RIPETIZIONE 5   211

La vita cittadina   214

21. La vigilia di Natale   216
I. Irregular imperatives (continued). II. Conjunctive pronouns
with the imperative. III. Comparison.

22. Alla posta   226
I. The conjunctive pronoun **ne.** II. Double object of verbs.

23. Buon anno!   234
I. Cardinal numerals (continued). II. Use of cardinal numerals.
III. Dates. IV. The months of the year. V. The seasons of the
year. VI. Present indicative: **sapere.**

24. La chiesa di Santa Croce   242
I. The past perfect tense. II. Adverbs of place: **ci** and **vi.**
III. Age. IV. Present indicative: **dire.**

RIPETIZIONE 6   252

Le feste italiane   255

25. Lezione di geografia   258
I. The relative superlative. II. The future perfect tense. III. Future perfect: **avere, essere.** IV. Conjunctive pronouns and the infinitive.

26. Lo sport   266
I. The conditional tense. II. Conditional: **avere, essere.** III. The conditional perfect tense.

27. Carnevale   274
I. The reflexive used in a general sense. II. The passive voice. III. The weather. IV. Past descriptive: **fare, dire.**

28. Pasqua   284
I. Irregular comparison. II. Irregular adjectives: **grande, santo.** III. Past absolute: **venire, volere.**

RIPETIZIONE 7   293

Le arti figurative   296

29. Alla spiaggia   298
I. The gerund. II. The past gerund. III. Uses of the gerund. IV. Idiomatic present and past. V. Special use of reflexive pronouns. VI. Past absolute: **dire, fare.**

30. Cena d'addio   308
I. The present subjunctive. II. Uses of the subjunctive.

31. Viaggio in autobus   318
I. The verb **fare** with a dependent infinitive. II. Position of conjunctive pronouns (continued). III. The absolute superlative. IV. Future: **andare, dovere, potere, sapere.**

32. Un giro per Roma   328
I. Uses of the subjunctive (continued). II. Suffixes and their uses. III. Ordinal numerals. IV. Substitutes for certain ordinal numerals. V. Present subjunctive: **fare, andare.**

RIPETIZIONE 8   337

Il cinema italiano   340

33. A Napoli   342
I. The subjunctive in principal clauses. II. Special use of the past participle. III. The semi-auxiliary verb with a dependent infinitive. IV. Special meanings of **dovere** and **potere.** V. Nouns with an irregular plural. VI. Future: **venire, volere.** VII. Conditional: **venire, volere.**

34. Opera all'aperto   352

I. The imperfect subjunctive.   II. Imperfect subjunctive: **avere, essere.**   III. The past perfect subjunctive.   IV. Uses of the sub-junctive (continued).

35. La Cappella Sistina   360

I. Certain uses of the prepositions **a** and **di.**   II. The infinitive as a noun.   III. Present subjunctive: **dare, venire, dire.**

36. Arrivederci   368

I. Imperfect subjunctive: **fare, dare, dire.**   II. Sequence of tenses with the subjunctive.   III. The preposition **da.**

RIPETIZIONE 9   377

L'opera italiana   380

ENGLISH EQUIVALENTS   383

APPENDICES   419

AUXILIARY VERBS   420

REGULAR VERBS   423

IRREGULAR VERBS   427

VOCABULARIES   443

    Italian–English   444

    English–Italian   454

GETTING AROUND IN ITALIAN   463

INDEX   469

PREFACE TO THE FOURTH EDITION

The principles that guided us when we first wrote *Basic Italian* remain unchanged: *Basic Italian*, as the title implies, is a basic text and, as such, it is meant to acquaint the student with the essentials of Italian grammar. Experience indicates that in elementary courses a "complete", reference-type grammar is a disadvantage both for the teacher and the student. In our opinion, during the first year the student should learn a basic vocabulary and become familiar with the essential constructions and patterns of the language. Only after these have been properly assimilated can the student go on to the finer points of literary style and syntax.

Before undertaking a revision of the very successful third edition, the publishers circulated a lengthy and comprehensive questionnaire among many teachers who had been using *Basic Italian* for several years. Needless to say, we received many suggestions aimed at improving the reading selections, the grammatical explanations of the more complex rules, certain drill exercises, etc., and, in addition, we were urged to include more cultural material. We have done our very best to incorporate as many of the suggestions as we felt consistent with the goals of our book, and we take this opportunity to express our deep gratitude to all respondents.

In this new edition we have made many significant changes and, we believe, all for the better. We will call attention to them below as we offer our previous suggestions for the use of this text and an explanation of its purposes and aims.

1. **Pronunciation:** In the introductory lesson on pronunciation the number of words illustrating all aspects of pronunciation has been doubled. Further, an extensive drill on pronunciation has been added. A list of terms referring to punctuation has also been added.

2. **General Approach:** In our grammatical explanations we have attempted to strike a medium between technical terminology and an informal approach. In this connection, it should be noted that we have increased the number of lessons from 35 to 36 in order to improve the presentation and facilitate the learning of certain grammatical points.

3. The **Instructions to the Student** have been shifted and now appear before the introductory lesson on pronunciation. Italian terminology has been added in connection with lesson vocabularies and headings of grammatical sections.

4. **Grammar:** We have moved to earlier lessons certain grammatical explanations, we have combined a few others, and we have sharpened and expanded others. This will be found to be the case in particular after lesson twenty, in line with the suggestions of the respondents to the questionnaire referred to above. Wherever deemed necessary, the number of examples illustrating a certain grammatical rule has been increased. Also, all irregular verbs appearing in the lesson vocabularies are now fully conjugated at the end of the book.

5. **Readings:** We have kept true to our original principle of providing passages in good, present-day Italian. Several dialogues, but in particular several prose introductions to the dialogues, have been expanded in order to provide more cultural information. Several new idioms have been used in the conversations.

6. **Cultural Readings:** After each Review Lesson we have added a reading selection on Italy and certain facets of her culture, for a total of nine readings accompanied by pertinent illustrations.

7. **Vocabulary and Idiomatic Expressions:** The vocabularies that accompany the thirty-six lessons have been changed wherever necessary to reflect the changes in the reading selections. All the words of these "active vocabularies" appear also in the end vocabularies. On the other hand, the vocabularies that appear only in the cultural readings have not been included in the end vocabularies.

8. **Exercises:** Nearly all the exercises in the A and B parts have been completely restructured, and new exercises have been added in many lessons. Beginning with *Ripetizione* (Re-

view Lesson) 5 a new section has been added to drill the more common idiomatic phrases.

9. **Conversations:** The number of questions in the *Conversazione* section has been increased. We strongly recommend that full use be made of this section since a degree of oral facility is essential to a feeling of confidence in learning a new language. These question-answer exercises may be used immediately after the reading selection by those teachers who wish to emphasize the conversational approach.

10. **Travel Vocabulary:** Immediately following the end vocabularies we have again included the section "Getting Around in Italian," containing the basic words and phrases most frequently used in everyday Italian. In a parallel column we provide the English translation of these elements.

Although this edition incorporates many changes, we have made a special point to retain the advantages of the previous editions of *Basic Italian.* We feel confident that the numerous changes and additions which distinguish this edition from the previous ones will be welcome to teachers and to students alike: to teachers, since we have sought and taken their advice; to students, who will find the readings more interesting and the new exercises more challenging.

C.S.

C.L.G.

INSTRUCTIONS TO THE STUDENT

1. In the lesson vocabularies the definite article is given with the Italian noun.

2. A preposition in parentheses after a verb indicates that the verb requires that preposition before an infinitive.

3. Italian words are generally stressed on the next-to-the-last syllable (amico). No marking is used to show the stressed syllable in such words.

4. As an aid to the student, an inferior dot has been used to indicate stress in words other than those mentioned in paragraph 3 (rạpido, rispọndere). No inferior dots have been used in the titles of the lessons, the reading selections and the picture captions.

5. A final vowel that bears a written accent is always stressed. Although some publishing houses use the grave accent on a (università), open e (è) and o (però), and the acute accent on i (cosí), u (virtú), and closed e (perché), in this grammar we have opted to follow the more common practice of using the acute accent on closed e and the grave accent on open e and on the other vowels.

6. Since there is no uniformity in the pronunciation of the vowels e and o and of the consonants s and z, we have avoided the use of the diacritical marks in the text. However, to provide the student with a guide to the accepted Tuscan pronunciation, we have used diacritical marks in the lesson vocabularies, in the appendices, and in the end vocabularies as follows: open e's and o's (which, incidentally, are always stressed) are indicated by an inferior hook (bẹllo, mẹdico, automọbile), and voiced s's and z's are underlined (fraṣe, ẓero, aẓẓurro).

7. In the lesson vocabularies a double dagger (††) after an infinitive means that when the stress falls on the stem of the verb, the stressed vowel is open: **portare** (††), **pọrto, pọrti, pọrta,** etc.

8. The vocabularies that accompany the cultural reading selections that follow each review lesson do not give words that can be found in the end vocabulary. Also, since the "new" words in these selections are not part of the active vocabulary of the lessons, they are not included in the end vocabularies.

ABBREVIATIONS

adj.	adjective	*inf.*	infinitive
adv.	adverb	*intrans.*	intransitive
ecc.	eccetera	*m.*	masculine
etc.	et cetera	*m.pl.*	masculine plural
f.	feminine	*p.p.*	past participle
f.pl.	feminine plural	*trans.*	transitive

(isc) after an infinitive indicates that the verb is conjugated like **capire.**

INTRODUCTORY LESSON ON PRONUNCIATION

Sounds must be heard rather than explained. It is essential, therefore, that the student listen very carefully to the pronunciation of the teacher and that he imitate him to the best of his ability.

The Italian alphabet contains twenty-one letters:

LETTERS	NAMES OF THE LETTERS
a	a
b	bi
c	ci
d	di
e	ẹ
f	ẹffe
g	gi
h	acca
i	i
l	ẹlle
m	ẹmme
n	ẹnne
o	ǫ
p	pi
q	cu
r	ẹrre
s	ẹsse
t	ti
u	u
v	vu
z	zẹta

The following five letters, which are found in foreign words, are called:

j	i lungo
k	cappa
x	ics
y	ipsilon
w	dọppio vu

A. Vocali (Vowels)

Italian vowels are short, clear-cut, and are never drawn out or slurred as they often are in English. The "glide" with which English vowels frequently end should be avoided.

The approximate English equivalents are as follows:

a is like *a* in English *ah!*

    casa *house* **ama** *loves* **lana** *wool* **sala** *hall* **fama** *fame*
    rana *frog* **banana** *banana* **cava** *quarry*

e sometimes is like *e* in English *they* (without the final *i* glide).

    e *and* **me** *me* **vede** *sees* **sete** *thirst* **rete** *net* **beve** *drinks*
    fede *faith* **rena** *sand* **mele** *apples*

e sometimes is like *e* in English *met*. (This is called the "open" **e** and, as an aid to the student, it is printed **ẹ** in the appendices and vocabularies. *See* INSTRUCTIONS TO THE STUDENT *on page xxv*.)

    ẹ *is* **bẹne** *well* **sẹdia** *chair* **vẹnto** *wind* **gẹsto** *gesture*
    lẹsto *quick* **fẹsta** *festival* **tẹnda** *awning* **prẹsto** *soon*

i is like *i* in *machine*.

    libri *books* **vini** *wines* **tini** *vats* **bimbi** *children*
    pini *pines* **vịmini** *rushes* **lịvidi** *bruises* **birilli** *ninepins*

o sometimes is like *o* in English *oh!*

    o *or* **nome** *name* **posto** *place* **volo** *flight* **dono** *gift*
    solo *alone* **mosto** *grape juice* **tondo** *round* **mondo** *world*

o sometimes is like *o* in *or*. (This is called the "open" **o** and, as an aid to the student, it is printed **ọ** in the appendices and vocabularies. *See* INSTRUCTIONS TO THE STUDENT *on page xxv*.)

    mọda *fashion* **nọ** *no* **pọsta** *mail* **cọsa** *thing* **rọsa** *rose*
    tọga *toga* **ọro** *gold* **brọdo** *broth* **trọno** *throne*

u is like *u* in *rule*.

    luna *moon* **uno** *one* **busta** *envelope* **usọ** *use* **gusto** *taste*
    fungo *mushroom* **lungo** *long* **mulo** *mule* **tubo** *tube*

B. Consonanti (Consonants)

The consonants not listed below (**b, f, m, n, v**) are pronounced as in English.

c   before **a, o,** and **u,** like English *k.*

     casa *house*   **con** *with*   **cubo** *cube*   **capo** *head*   **cane** *dog*
     cotone *cotton*   **Colosseo** *Colosseum*   **cupola** *dome*
     cuna *cradle*

c   before **e** and **i,** like English *ch* (*chest*).

     cena *supper*   **cibo** *food*   **noce** *walnut*   **cervo** *deer*
     cesta *basket*   **cinema** *movies*   **cipolla** *onion*   **voce** *voice*

ch   (found only before **e** or **i**) like English *k.*

     che *that*   **buchi** *holes*   **lumache** *snails*   **perché** *because*
     poche *few*   **chiave** *key*   **chimica** *chemistry*   **chiuso** *closed*

ci   before **a, o, u,** like English *ch* (*chest*).

     ciuco *donkey*   **ciotola** *bowl*   **ciabatta** *slipper*   **bacio** *kiss*
     ciao *so long*   **marcio** *rotten*   **marcia** *march*   **ciurma** *crew*

d   somewhat more explosive than in English, with the tongue near the tip of the upper teeth but with no aspiration.

     di *of*   **dadi** *dice*   **dove** *where*   **denaro** *money*
     moda *fashion*   **mondano** *worldly*   **dama** *checkers*
     donna *woman*   **duro** *hard*

g   before **a, o** and **u,** as in English *go.*

     vago *vague*   **diga** *dike*   **gufo** *owl*   **lago** *lake*   **gala** *gala*
     gusto *taste*   **gola** *throat*   **valanga** *avalanche*

g   before **e** and **i,** like English *g* in *gem.*

     gelo *ice*   **gita** *outing*   **gente** *people*   **Gina** *Jean*
     gesso *chalk*   **giro** *turn*   **angelo** *angel*   **ragione** *reason*
     pagina *page*

gh   (found only before **e** or **i**) like English *go.*

     laghi *lakes*   **fughe** *fugues*   **maghi** *magicians*
     leghe *leagues*   **rughe** *wrinkles*   **ghiro** *dormouse*

gli   approximately like *-ll-* in *million.**

     egli *he*   **figli** *sons*   **mogli** *wives*   **fogli** *sheets of paper*
     vaglia *money order*   **meglio** *better*   **famiglia** *family*
     aglio *garlic*   **giglio** *lily*

gn   approximately like *-ny-* in *canyon.*

     legno *wood*   **bagno** *bath*   **lavagna** *blackboard*
     sogno *dream*   **signorina** *young lady*   **insegnante** *teacher*
     ragno *spider*

---

* In a few words, however, **gl** followed by **i** is pronounced as in English: **negligente** *negligent,* **glicerina** *glicerine.*

h   is silent.

> **hǫ** *I have*   **ha** *he has*   **hanno** *they have*   **harem** *harem*
> **hotęl** *hotel*

l   as in English, but sharper and farther forward in the mouth.

> **lana** *wool*   **luce** *light*   **volo** *flight*   **ala** *wing*
> **ęlica** *propeller*   **pila** *battery*   **luna** *moon*   **scuǫla** *school*

p   as in English, but without the aspiration that sometimes accompanies this sound in English.

> **pane** *bread*   **pepe** *pepper*   **pipa** *pipe*   **popone** *melon*
> **puro** *pure*   **papạvero** *poppy*   **pena** *pain*   **Pisa** *Pisa*
> **ponte** *bridge*

qu   always pronounced like the English *qu* in *quest.*

> **questo** *this*   **quale** *which*   **Pạsqua** *Easter*
> **quanto** *how much*   **quinto** *fifth*   **quadro** *picture*
> **equivalęnte** *equivalent*

r   different from the English *r*. It is pronounced with one flip of the tongue against the gums of the upper teeth.

> **caro** *dear*   **ora** *now*   **bere** *to drink*   **Roma** *Rome*
> **arte** *art*   **pǫrta** *door*   **ira** *anger*   **orolǫgio** *watch*

s   sometimes like the *s* in *house.*

> **peso** *weight*   **Pisa** *Pisa*   **casa** *house*   **cǫsa** *thing*
> **pǫsta** *mail*   **pasta** *dough*   **pista** *track*   **tęsta** *head*
> **fęsta** *festival*

s   sometimes (always when before **b, d, g, l, m, n, r** and **v**) like the *s* in *rose*. (As an aid to the student, it is underlined in the appendices and vocabularies. *See* INSTRUCTIONS TO THE STUDENT *on page xxv.*)

> **rǫṣa** *rose*   **fraṣe** *phrase*   **ṣbagli** *mistakes*   **ṣnęllo** *slender*
> **teṣǫro** *treasure*   **riṣo** *laughter*   **dǫṣe** *dose*   **fuṣo** *melted*

sc   before **a, o,** and **u,** like *sk* in *ask.*

> **ascoltare** *to listen*   **pęsca** *peach*   **toscano** *Tuscan*
> **lisca** *fishbone*   **scuǫla** *school*   **tasca** *pocket*
> **pascolare** *to graze*

sc   before **e** or **i,** like English *sh* in *fish.*

> **finisce** *finishes*   **sci** *ski*   **pesce** *fish*   **scęna** *scene*
> **sciǫcco** *silly*   **męscere** *to pour*   **scirǫcco** *sirocco*

sch occurs only before **e** or **i,** and is pronounced like English *sk.*

> **pęsche** *peaches*   **dischi** *disks*   **mosche** *flies*
> **tasche** *pockets*   **fischio** *whistle*   **lische** *fishbones*

t   approximately like the English, but no escaping of breath accompanies it in Italian.

> **contęnto** *glad*   **tanto** *much*   **arte** *art*   **turista** *tourist*
> **torta** *cake*   **telęfono** *telephone*

z   sometimes voiceless, like *ts* in *bets*.

> **zio** *uncle*   **forza** *force*   **grazie** *thanks*   **vizio** *vice*
> **sazio** *satiated*   **calza** *stocking*   **grazioso** *pretty*

z   sometimes voiced, like *ds* in *beds*. (As an aid to the student, it is underlined in the appendices and vocabularies. *See* INSTRUCTIONS TO THE STUDENT *on page xxv.*)

> **zero** *zero*   **romanzo** *novel*   **pranzo** *dinner*   **zelo** *zeal*
> **zanzara** *mosquito*   **zebra** *zebra*   **zingaro** *gipsy*

NOTE: When **ci, gi** and **sci** are followed by **a, o** or **u**, unless the accent falls on the **i**, the **i** is not pronounced. The letter **i** merely indicates that **c, g** and **sc** are pronounced respectively like English *ch, g* (as in *gem*) and *sh*.

> **mancia** *tip*   **giallo** *yellow*   **scialle** *shawl*   **scienza** *science*
> **liscio** *smooth*   **lasciare** *to leave*   **giornale** *newspaper*   **camicia** *shirt*

C.   Consonanti doppie (Double Consonants)

In Italian all consonants except **h** can be doubled. They are pronounced much more forcefully than single consonants. With double **f, l, m, n, r, s** and **v**, the sound is prolonged; with double **b, c, d, g, p** and **t**, the stop is stronger than for a single consonant. Double **z** is pronounced almost the same as single **z**. Double **s** is always unvoiced.

> **babbo** *dad*   **bocca** *mouth*   **leggo** *I read*   **poppa** *stern*
> **letto** *bed*   **evviva** *hurrah*   **mamma** *mama*   **bello** *beautiful*
> **buffo** *comical*   **anno** *year*   **carrozza** *carriage*   **gonna** *skirt*
> **sasso** *rock*   **basso** *short*   **ferro** *iron*   **farfalla** *butterfly*

D.   Accento tonico (Stress)

Usually Italian words are stressed on the next-to-the-last syllable.

> **amico** *friend*   **parlare** *to speak*   **signorina** *Miss*

Many words are stressed on the last syllable. These words always have a written accent over the last vowel.

> **città** *city*   **università** *university*   **Perù** *Peru*   **però** *however*

Some words stress the third syllable from the last (and a few the fourth from the last). (As an aid to the student, in this book such words appear with a dot under the stressed vowel.)

> **utile** *useful*   **isola** *isle*   **timido** *timid*   **abitano** *they live*

It is useful to remember that open **e** and **o** occur only in stressed syllables.

> **automọbile** *automobile*   **telẹfono** *telephone*   **nọbile** *noble*

NOTE: The written accent is used with a few monosyllables in order to distinguish them from others which have the same spelling but a different meaning.

ẹ *is*		**e** *and*	
sì *yes*		**si** *oneself*	
dà *gives*		**da** *from*	
sé *himself*		**se** *if*	
là *there*		**la** *the*	
né *nor*		**ne** *some*	

E.   Apọstrofo (Apostrophe)

The apostrophe is generally used to indicate the dropping of the final vowel.

> **l'amico** instead of **lo amico** (*the friend*)
> **l'automọbile** instead of **la automobile** (*the automobile*)
> **un'università** instead of **una università** (*a university*)
> **d'Itạlia** instead of **di Itạlia** (*of Italy*)
> **dov'ẹ** instead of **dove ẹ** (*where is*)

F.   Sillabazione (Syllabication)

Italian words are divided into syllables as follows:

1. A single consonant goes with the following vowel.
   > **ca-sa** *house*   **po-ṣi-ti-vo** *positive*

2. Double consonants are divided.
   > **bab-bo** *dad*   **bẹl-lo** *beautiful*   **ros-so** *red*

3. Two consonants, the first of which is **l, m, n** or **r,** are divided.
   > **al-bẹr-go** *hotel*   **con-tẹn-to** *contented*

4. Otherwise, a combination of two consonants belongs to the following syllable.
   > **ba-sta** *enough*   **pa-dre** *father*   **so-pra** *above*
   > **fị-glio** *son*   **ba-gno** *bath*

5. The first of three consonants, except **s,** goes with the preceding syllable.
   > **sẹm-pre** *always*   **mem-bro** *member*   **fel-tro** *felt*
   > BUT
   > **fi-nẹ-stra** *window*   **mi-nẹ-stra** *soup*   **pẹ-sche** *peaches*

6. Combinations of unstressed **i** or **u** with a vowel are not divided.

nuo-vo *new*   **con-tie-ne** *contains*   **mie-le** *honey*

G. Maiuscole (Capitals)

Many words that are capitalized in English are not capitalized in Italian. These include: the days of the week, the months of the year, proper adjectives (except when used as plural nouns), and the titles Mr., Miss, etc.

He is arriving on *Sunday*.   Arriva **domenica**.
Mr. Neri is *Italian*.   Il signor Neri è **italiano**.

BUT

Americans are industrious. **Gli Americani** sono industriosi.

Italians do not use the capital with the pronoun **io** (I) but usually capitalize the pronoun **Lei** (*you*, singular), and **Loro** (*you*, plural).

H. Segni d'interpunzione (Punctuation Marks)

,	virgola
.	punto
;	punto e virgola
:	due punti
. . .	puntini
!	punto esclamativo
?	punto interrogativo
-	trattino
—	lineetta
« »	virgolette
( )	parentesi
[ ]	parentesi quadra
*	asterisco
´	accento acuto
`	accento grave
'	apostrofo

ESERCIZI DI PRONUNCIA
(PRONUNCIATION EXERCISES)

A. *Consonanti e la vocale* **a**

banana fama rana cava carta gala pala sala
casa lampada patata banca alta tanta vanga
malata salata cantata fanfara fata campana avara
fava pasta basta

B. *La vocale* **e** *chiusa* (closed **e**)

refe rete beve fede vele neve candele bestie
temere pere vendette mene rene tenere vedere
mele prevedere verde spegnere ridere sedere
benedire

C. *La vocale* **e** *aperta* (open **e**)

gesto lesto festa tenda merlo bene erba perla
gente greca parente tenente perdere rendere
vento medico treno sedia merito tendine
flebile enfasi

D. *La vocale* **i**

libri vini diti bimbi pini vimini lividi birilli
lini simili vicini tini violini mulini finiti banditi
fili minimi mirtilli bisbigli infimi intimi

E. *La vocale* **o** *chiusa* (close **o**)

nome volo posto dono solo mosto tondo
coda dolore dove sole solo rovo colore tondo
sordo tonfo pronto colmo bollo moneta
cotone

F. *La vocale* **o** *aperta* (open **o**)

modo posta rosa oro brodo porta toga rotolo
roba coro sodo noto forte morte olio donna
flora no ostia morbido nobile mobile

G. *La vocale* **u**

gusto fungo lungo mulo busta uso luna futuro
ululato fulmine punto buco unico laguna nuca
frugale futuro burbero culmine profugo unto
umile

H. *Le consonanti* **s** *e* **z** *sorde* (unvoiced **s** and **z**)

sole sandalo pista seme suono casa cosa Pasqua
signore pestare posta mese peso senza seno
Siena Salerno Siracusa zio alzare grazie ozioso
vizio nazione lezione zappa frizione zitto

I. *Le consonanti* **s** *e* **z** *sonore* (voiced **s** and **z**)
frase esame museo sbadiglio musica rosa sbaglio
uso tesoro visitare dose vaso base basalto
zenzero bronzo garza romanzo zero zeta
donzella zabaione zaino zanzara zotico azzurro
mezzo gazza

J. *Consonanti semplici e consonanti doppie* (single and double consonants)
pala palla rete rette pipa Pippa casa cassa
fiero ferro cadi caddi lego leggo sete sette
baca bacca nono nonno tufo tuffo rupe ruppe
belo bello ufo buffo brama mamma mano
manna caro carro tutti frutti

K. **gn** e **gli**
legno pugna Bologna giugno ogni stagno
magnolia ognuno sogno montagna insegnante
ingegnere ragno signore castagna figlio egli
famiglia battaglia meglio luglio foglio aglio
bottiglia quaglia foglia maglia soglia striglia
Cagliari

L. *Le altre consonanti* (the other consonants)
capo cane cotone Colosseo cupola cuna calore
corto cucchiaio aceto cece noce cenere cibo
cipolla bacio cielo caccia cucciolo cervo cinema
cena cesta voce buchi poche chimica chiave
perché che anche chilo chi chiodo occhio
chiesa chiuso vecchio ciao ciuco ciotola camicia
provincia ciurma cioè denaro madama donna
moda nudo noto nido dove dote adesso dentro
dadi diga gusto vago doga gola lungo legare
droga drago fango Gina gente gelo genere
sfinge Genova gita leggio Correggio Giulio
gentile ingegno lampada lampone tela tarantella
harem ahimè hanno pepe Giuseppe pasto pesto
papa papà pappa prugna pretendere quinto
quercia quasi quoziente antiquario acqua
acquedotto quadro quartetto Roma ruzzare
irrorare arrabbiarsi ferro errore guerra caro bere
irto erto arido ruota resto presto prima pesca

toscano scandalo scarpa pascolare scopo scatola
pesce sciare liscio scena scivolare scimmia
fasciare scirocco pesche lische tasche dischi
mosche scheletro fiaschi freschi schiacciare
schioccare chiacchiere fischio tentennare turista
torta torto titubare tirchio tanto contento distinto
affitto scoiattolo tremolio caffellatte

M. *Alcune parole analoghe* (A few cognates)
magnolia volume idea radio contento morale
generale imitatore economico geniale manifesto
potente musica arte danza televisione immortale
geografia filosofia sociologia dramma poeta attore
telegramma dottore editto aeroplano pilota
dirigibile aeroporto America ammirare antipodi
arrivare artificiale artista aspirina angelo autobus
azzurro banca ballo bravo busto caffè cardinale
cattedrale centro cerimonia cioccolato tragedia
commedia divino dizionario eccetera esclamazione
Europa Asia Africa Australia Atlantico Pacifico
Indiano frutta gentile grotta impermeabile lista
magnifico medioevale minore opera paradiso
presente programma rispondere sigaretta tabacco

N. *Alcune parole difficili* (A few difficult words)
pizzicheria salsamenteria palliduccio portabagagli
cortometraggio parrucchiere sciaguattare afrodisiaco
imperturbabile falciatura irroratrice sagacemente
radicchio indistruttibile infradicito sgusciatura
apparecchiare incessantemente sgattaiolarsela
inginocchiarsi sciocchezze fantasticherie
cianfrusaglie accendisigaro sciogliligua schiaccianoci
attaccabottoni autotrasporto attaccaticcio
spregiudicatezza sprezzatura impigliarsi spauracchio
precipitevolissimevolmente

BASIC ITALIAN

1

STUDENTI

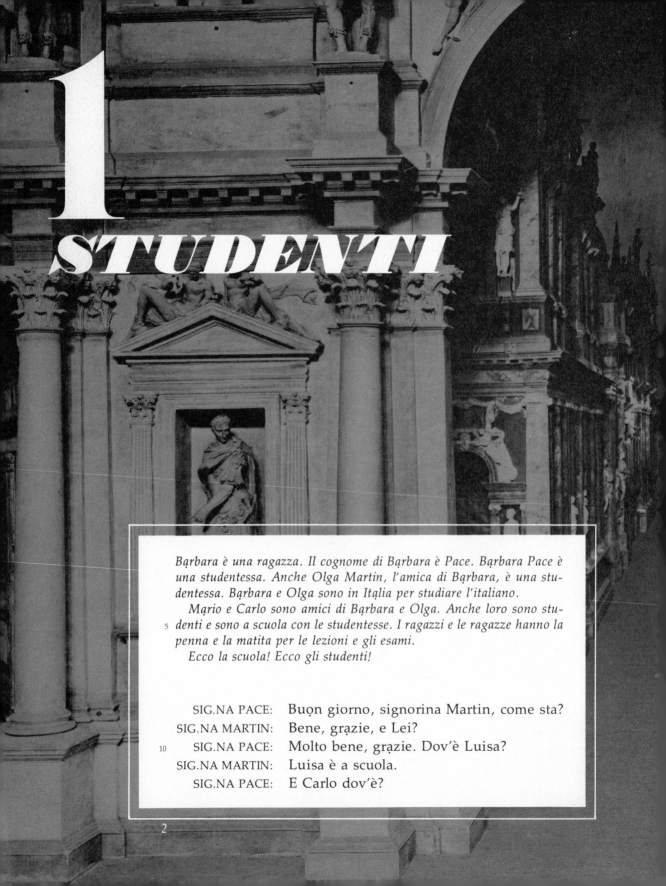

Barbara è una ragazza. Il cognome di Barbara è Pace. Barbara Pace è una studentessa. Anche Olga Martin, l'amica di Barbara, è una studentessa. Barbara e Olga sono in Italia per studiare l'italiano.

Mario e Carlo sono amici di Barbara e Olga. Anche loro sono stu-
5 *denti e sono a scuola con le studentesse. I ragazzi e le ragazze hanno la penna e la matita per le lezioni e gli esami.*

Ecco la scuola! Ecco gli studenti!

SIG.NA PACE:	Buon giorno, signorina Martin, come sta?
SIG.NA MARTIN:	Bene, grazie, e Lei?
10 SIG.NA PACE:	Molto bene, grazie. Dov'è Luisa?
SIG.NA MARTIN:	Luisa è a scuola.
SIG.NA PACE:	E Carlo dov'è?

SIG.NA MARTIN:	Carlo è a casa con lo zio.
SIG.NA PACE:	Mario dov'è?
SIG.NA MARTIN:	Ecco Mario.
SIG.NA PACE:	Arrivederla, signorina.
5 SIG.NA MARTIN:	Arrivederla.
MARIO:	Buon giorno, signorina Pace.
SIG.NA PACE:	Buon giorno, Mario.
MARIO:	Come sta, signorina?
SIG.NA PACE:	Bene, grazie, e Lei?
10 MARIO:	Molto bene, grazie. Dov'è Carlo?
SIG.NA PACE:	Carlo è a casa con lo zio.
MARIO:	Ecco il professore, Arrivederla, signorina.
SIG.NA PACE:	Buon giorno.

Vocabolario
(VOCABULARY)

NOUNS

l' **amica**   friend (girl)
l' **amico**   friend (boy)
   Carlo   Charles
la **casa**   house, home
il **cognome**   surname
l' **esame** *m.*   examination
l' **Italia**   Italy
l' **italiano**   Italian, the Italian
      language
la **lezione**   lesson, class
   Luisa   Louise
   Mario   *masculine proper name*
la **matita**   pencil
la **penna**   pen
il **professore**   professor, teacher
la **ragazza**   girl
il **ragazzo**   boy
la **scuola**   school
la **signorina**   miss, young lady
lo **studente**   student (boy)
la **studentessa**   student (girl)
lo **zio**   uncle

PRONOUNS

Lei   you
loro   they

VERBS

è   is
hanno   they have

sono   they are
studiare   to study

OTHERS

a   at, to
anche   also, too
bene   well
con   with
di   of
dove   where; **dov 'è?**   where is?
e   and
ecco   here is, here are; there is,
   there are
in   in
molto   very
per   for, in order to

IDIOMS

arrivederla (or **arrivederci,**
   which is familiar, however)
   good-bye
buon giorno   good morning;
   good day
buona sera   good evening;
   good afternoon
come sta?   how are you?
   (*singular*)
grazie   thank you, thanks

L'Università di Venezia

GRAMMATICA
(GRAMMAR)

I. Genere (Gender)

All nouns are either masculine or feminine in gender. A singular noun that ends in **-o** is generally masculine.

libro	*book*	ragazzo	*boy*
zio	*uncle*	inchiostro	*ink*
giorno	*day*	quaderno	*notebook*
corso	*course*	maestro	*teacher*

A singular noun that ends in **-a** is generally feminine.

casa	*house*	scuola	*school*
zia	*aunt*	lettura	*reading*
penna	*pen*	ragazza	*girl*

Some nouns that end in **-e** in the singular are masculine, while others are feminine. The gender of nouns that end in **-e** must be memorized on the first occurrence.

professore *m.*	*professor*	automobile *f.*	*automobile*
nome *m.*	*name*	estate *f.*	*summer*
esame *m.*	*examination*	lezione *f.*	*lesson*
caffè *m.*	*coffee*	arte *f.*	*art*

II. Plurale dei nomi (Plural of Nouns)

To form the plural change the final **-o** or **-e** of the singular to **-i**, and final **-a** to **-e**.

libro, libri	*book, books*
casa, case	*house, houses*
professore, professori	*professor, professors*
ragazzo, ragazzi	*boy, boys*
scuola, scuole	*school, schools*
automobile, automobili	*automobile, automobiles*

III. L'articolo determinativo (The Definite Article)

MASCHILE (MASCULINE)

THE NOUN BEGINS WITH		THE SINGULAR DEFINITE ARTICLE IS	THE PLURAL DEFINITE ARTICLE IS
1. a vowel		l'	gli
2. z, or s plus a consonant		lo	gli
3. any other consonants		il	i

(1)	l'anno	*the* year	gli anni	*the* years
	l'errore	*the* error	gli errori	*the* errors
(2)	lo zio	*the* uncle	gli zii	*the* uncles
	lo stato	*the* state	gli stati	*the* states
(3)	il libro	*the* book	i libri	*the* books
	il maestro	*the* teacher	i maestri	*the* teachers
	il saluto	*the* greeting	i saluti	*the* greetings

FEMMINILE (FEMININE)

THE NOUN BEGINS WITH		THE SINGULAR DEFINITE ARTICLE IS	THE PLURAL DEFINITE ARTICLE IS
1. a vowel		l'	le
2. a consonant		la	le

(1)	l'automobile	*the* automobile	le automobili	*the* automobiles
	l'erba	*the* grass	le erbe	*the* grasses
(2)	la casa	*the* house	le case	*the* houses
	la frase	*the* phrase	le frasi	*the* phrases

NOTE 1: **le** may become **l'** before a noun beginning with **e: le entrate** (*entrances*) may become **l'entrate**.

NOTE 2: **gli** may become **gl'** before a noun beginning with **i: gli inverni** (*winters*) may become **gl'inverni**.

IV. Uso dell'articolo determinativo (Use of the Definite Article)

The definite article is repeated before each noun.

I ragazzi e **le** ragazze.   *The* boys and girls.

A. *Imparate le forme dell'articolo determinativo. Ripetete gli esempi seguenti cambiando le parole indicate.* (Learn the forms of the definite article. Repeat the following examples changing the words that are indicated.)

a. Il *professore* è in Italia.
    1. ragazzo   2. presidente   3. maestro   4. signore (*gentleman*)

b. Dov'è lo *zio?*
    1. zero   2. studente   3. stato   4. zucchero (*sugar*)

c. Ecco l'*esame.*
    1. ombrello (*umbrella*)   2. amico   3. inchiostro (*ink*)
    4. Italiano

d. La *casa* è in America.
    1. scuola   2. ragazza   3. signorina   4. matita

e. Ecco l'*entrata.*
    1. erba (*grass*) 2. automobile 3. isola (*island*) 4. Italia

f. I *professori* hanno la penna.
    1. ragazzi 2. presidenti 3. signori 4. maestri

g. Dove sono gli *zii?*
    1. studenti 2. stati 3. zaini (*knapsacks*) 4. zeri

h. Ecco gli *esami.*
    1. ombrelli 2. amici 3. esercizi   4. Italiani

i. Le *case* sono in California.
    1. scuole 2. ragazze 3. signorine 4. automobili

j. Ecco le *automobili.*
    1. entrate 2. uscite (*exits*) 3. isole 4. olive

B. FORME DELL'ARTICOLO DETERMINATIVO (Forms of the definite article).

(a) *Mettete l'articolo davanti ai seguenti nomi maschili singolari.* (Put the definite article before the following masculine singular nouns.)

1. ragazzo. 2. signore 3. zero 4. presidente 5. studente 6. zucchero 7. maestro 8. stato 9. ombrello 10. italiano

(b) *Ripetete gli stessi nomi di (a) al plurale con l'articolo determinativo.* (Repeat the same nouns of (a) in the plural with the definite article.)

C. FORME DELL'ARTICOLO DETERMINATIVO

(a) *Mettete l'articolo determinativo davanti ai seguenti nomi femminili singolari.* (Put the definite article before the following feminine singular nouns.)

1. matita 2. signorina 2. erba 4. scuola 5. Italia 6. ragazza 7. automobile 8. penna 9. oliva 10. entrata

(b) *Ripetete gli stessi nomi di (a) al plurale con l'articolo determinativo.* (Repeat the same nouns of (a) in the plural with the definite article.)

D. GENERE E NUMERO DEI NOMI (Gender and number of nouns).

(a) *Ripetete l'esempio cambiando il singolare al plurale.* (Repeat the example changing the singular to the plural.)

ESEMPIO 1: *Il professore* è in Italia. — I professori sono in Italia.

1. il ragazzo 2. lo studente 3. l'Italiano
4. il maestro

ESEMPIO 2: *La casa* è in California. — Le case sono in California.

1. la scuola 2. l'automobile 3. la classe 4. la ragazza

(b) *Ripetete l'esempio cambiando il plurale al singolare.*(Repeat the example changing the plural to the singular.)

ESĘMPIO 1: *I ragazzi* sono in Itạlia. — Il ragazzo è in Itạlia.

1. professori 2. studenti 3. maestri 4. Italiani

ESĘMPIO 2: *Le scuole* sono in Califọrnia. — La scuola è in Califọrnia.

1. le case 2. le automọbili 3. le ragazze 4. le classi

E. *Traducete in italiano* (Translate into Italian):

1. The professor is in Italy. 2. Where are the boys and girls? 3. Here are the boys and girls. 4. Good morning, Miss Jones, how are you? 5. Fine, thank you, and you? 6. Very well, thanks. 7. Where is the school? 8. Here is the school. 9. For the examinations the girls and boys have a pen and a pencil. 10. The boys are students. 11. Good morning, Charles, where is Louise? 12. Louise is in Italy. 13. Charles is at home. 14. Where are the professors? 15. Here are the professors!

DA IMPARARE A MEMỌRIA
(TO BE MEMORIZED)

Arrivederla, signorina!
Buọn giorno, signorina!
Buona sera, Luisa!
  (Good evening, Louise!)
Come sta?

Come sta, signorina?
Grạzie.
Bene, grạzie.
Bene, grạzie, e Lei?

CONVERSAZIONE
(CONVERSATION)

Rispondete alle seguenti domande. (Answer the following questions.)

1. Buọn giorno, signorina, come sta? 2. E Lei come sta? 3. Dov'è Carlo? 4. Dov'è la scuola? 5. Dov'è il professore? 6. Dove sono Carlo e Luisa? 7. Dove sono i professori? 8. Dov'è la ragazza? 9. Dov'è lo zio? 10. Dove sono i ragazzi?

2
STUDIAMO L'ITALIANO

L'Università per Stranieri di Firenze. Gli studenti arrivano per la lezione di conversazione. Carlo arriva e incontra Luisa. I due studenti parlano in italiano:

CARLO:	Ciao, Luisa.
5 LUISA:	Ciao, Carlo.
CARLO:	Che cosa studi a scuola?
LUISA:	Studio l'italiano. Ecco il libro.
CARLO:	Quando studi?
LUISA:	Studio ogni giorno.
10 CARLO:	Leggi e scrivi ogni giorno?
LUISA:	Sì, leggo e scrivo ogni giorno perché desidero imparare.
CARLO:	Legge ogni giorno il professore?
LUISA:	Sì, legge ad alta voce. Anch'io[1] leggo ad alta voce
15	in classe.

Il professore arriva e la lezione d'italiano incomincia.[2]

---

[1] Before an **i** or an **e**, **anche** may drop the final **e**, in which case an apostrophe is needed.
[2] **Incominciare** and **cominciare** *to begin* are used interchangeably.

IL PROFESSORE:	Buon giorno, signorina. Come sta Lei?
LUISA:	Bene, grazie, e Lei?
IL PROFESSORE:	Molto bene, grazie. — E Loro come stanno?
GLI STUDENTI:	Bene, grazie.
5 IL PROFESSORE:	Scriviamo noi ora?
GLI STUDENTI:	No, ora parliamo.
IL PROFESSORE:	Lei parla, Luisa?
LUISA:	Sì. Io ascolto le domande e rispondo.
IL PROFESSORE:	Anche Lei ascolta, Carlo?
10 CARLO:	Sì, anch'io ascolto le domande e rispondo.
IL PROFESSORE:	Ascoltano gli studenti?
CARLO:	Sì, gli studenti ascoltano le domande e rispondono.
IL PROFESSORE:	Perché ascoltano gli studenti?
15 LUISA:	Perché desiderano imparare.
IL PROFESSORE:	Perché ascoltano Loro?
GLI STUDENTI:	Perché desideriamo imparare.

Mentre il professore parla, gli studenti ascoltano o scrivono. Poi il professore ripete le domande e gli studenti rispondono insieme.

20 *Gli studenti studiano insieme l'italiano e parlano. Leggono ogni giorno e per imparare bene ascoltano quando il professore parla o legge.*

Vocabolario

NOUNS

la **classe** class, classroom
la **conversazione** conversation;
la **lezione di conversazione**
    conversation class
la **domanda** question
    Firenze *f.* Florence
il **giorno** day
la **lezione d'italiano**
    Italian lesson, Italian class
lo **straniero** foreigner
l' **università** university

ADJECTIVES

ogni every, each (*invariable*)

VERBS

arrivare to arrive
ascoltare to listen, to listen to (*the
    preposition "to" is not translated*)
desiderare to desire, wish
domandare to ask; **domandare a**
    to ask (of) (*a person*)
imparare to learn
incominciare to begin

incontrare to meet
leggere to read
parlare to speak, to talk
rispondere to answer, reply
scrivere to write
siamo we are

OTHERS

che? che cosa? cosa? what?
ciao! hello! *also* good-bye
    (*colloquial*)
due two
insieme together
mentre while
o or
ora now
perché why, because
poi afterwards, then
quando when
sì yes

IDIOMS

ad alta voce aloud
come stanno? how are you? (*polite
    plural*)

Firenze

GRAMMATICA

I. Coniugazione dei verbi (Conjugation of Verbs)

Italian verbs fall into three conjugations according to the ending of the infinitive: (1) **-are,** (2) **-ere,** (3) **-ire.** The stem of regular verbs is obtained by dropping the infinitive ending:

parlare	parl-
ripetere	ripet-
capire	cap-

Verbs are conjugated in the various persons, numbers and tenses by adding the inflectional ending to the stem.

II. Presente indicativo della prima coniugazione (Present Indicative of the First Conjugation)

parlare *to speak*

SINGOLARE (SINGULAR)	**parl-o** italiano	I speak, am speaking, do speak Italian.
	parl-i italiano	you (*familiar*) speak, are speaking, do speak Italian
	parl-a italiano	he, she, it speaks, is speaking, does speak Italian you (*polite*) speak, are speaking, do speak Italian

PLURALE (PLURAL)	**parl-iamo** italiano	we speak, are speaking, do speak Italian
	parl-ate italiano	you (*familiar*) speak, are speaking, do speak Italian
	parl-ano italiano	they speak, are speaking, do speak Italian you (*polite*) speak, are speaking do speak Italian

NOTE 1. It is important to note that the Italian present tense is translated by three tenses in English.

NOTE 2. To alleviate the bleakness of conjugations the various forms are given in a context.

NOTE 3. Verbs like **cominciare** and **studiare,** whose stems end in **-i,** have only one **i** in the second person singular and first person plural: **cominci, studi, cominciamo, studiamo.**

III. Presente indicativo della seconda coniugazione (Present Indicative of the Second Conjugation)

ripẹtere *to repeat*

SINGOLARE (SINGULAR)	**ripet-o** la domanda	I repeat, am repeating, do repeat the question
	ripet-i la domanda	you (*familiar*) repeat, are repeating, do repeat the question
	ripet-e la domanda	he, she, it repeats, is re- peating, does repeat the question you (*polite*) repeat, are repeating, do repeat the question

PLURALE (PLURAL)	**ripet-iamo** la domanda	we repeat, are repeating, do repeat the question
	ripet-ete la domanda	you (*familiar*) repeat, are repeating, do repeat the question
	ripet-ono la domanda	they repeat, are repeating, do repeat the question you (*polite*) repeat, are repeating, do repeat the question

IV. Pronomi personali in funzione di soggetto (Subject Pronouns)

SINGOLARE (SINGULAR)		PLURALE (PLURAL)	
io	I	**noi**	we
tu	you (*familiar*)	**voi**	you (*familiar*)
lui (egli) (esso)	he	**loro (essi)**	they (*m.*)
		loro (esse)	they (*f.*)
lei (ella) (essa)	she	**Loro**	you (*polite*)
Lei	you (*polite*)		

In modern Italian *he, she,* and *they* are usually expressed by **lui, lei** and **loro** respectively in the spoken language, whereas the forms **egli, ella, esso, essa, essi,** and **esse,** although at times used in speech (especially cultured speech), are nearly always used in the written language. **Esso, essa, essi,** and **esse** are used also when referring to animals and inanimate objects.

Since the personal endings of verb forms indicate person and number of a tense, the subject pronouns may be omitted in Italian except when necessary for clearness or when emphasis or contrast is desired. In the case of *it* and *they* referring to things, they are almost never used in Italian and these English pronouns need not be translated.

V. Forme di cortesia (Forms of Address)

Tu, and its plural form **voi,** are used in addressing members of the family, children, animals and close friends; in all other cases **Lei** and its plural **Loro** are used. **Lei** and **Loro** are normally capitalized. Note that **Lei** and **Loro** always take, respectively, the third person singular and the third person plural of the verb.

Ascolti, zio?	*Are you listening,* uncle?
Ascolti, Luisa?	*Are you listening,* Louise?
Ascoltate, ragazzi?	*Are you listening,* boys?
Ascolta Lei, signorina Pace?	*Are you listening,* Miss Pace?
Ascoltano Loro, signorine?	*Are you listing,* young ladies?

VI. Frasi interrogative (Interrogative Sentences)

An Italian question may be formed: (1) by placing the subject after the verb; (2) by putting it at the end of the sentence if the question is not long; (3) by using the declarative word order and inflecting the voice. When a question begins with an interrogative word (except for **perché**), however, the declarative word order is not possible.

Parla **Carlo** italiano?	
Parla italiano **Carlo?**	Does *Charles* speak Italian?
Carlo parla italiano?	
Dove abita **Maria?**	Where does *Mary* live?
Quando arriva il **professore?**	When does the *professor* arrive?
Studia con Giovanni **Maria?**	Does *Mary* study with John?

NOTE: The verb *to do* when used as an auxiliary is not translated in Italian.

Palazzo Pitti, Firenze

ESERCIZI **A.** *Studiate il presente indicativo di* **parlare** *e* **ripetere.** *Ripetete gli esempi seguenti, sostituendo le parole indicate.* (Study the present indicative of **parlare** and **ripetere.** Repeat the following examples, substituting the words indicated.)

a. Ascolto *il professore.*
   1. Carlo   2. il ragazzo   3. il maestro   4. la musica (*music*)

b. Leggi *la lezione.*
   1. il giornale (*newspaper*)   2. il libro   3. i giornali   4. la rivista (*magazine*)

c. *Maria* impara l'italiano.
   1. lui   2. Lei   3. Luisa   4. lei

d. Scriviamo *la lettera* (*letter*).
   1. il libro   2. le lezioni   3. la poesia (*poem*)   4. i compiti (*homework*)

e. Arrivate *a scuola.*
   1. a Firenze   2. con Maria   3. con il professore   4. insieme

f. Parlano italiano *Loro?*
   1. essi   2. Carlo e Luisa   3. loro   4. gli studenti

g. *Mario incomincia* la lezione.
   1. la signorina   2. gli studenti   3. loro   4. il ragazzo   5. Lei   6. Loro

h. *Voi ascoltate* Luisa.
   1. lui   2. noi   3. tu   4. essi   5. Lei   6. io

i. *Lo straniero risponde* ad alta voce.
   1. gli studenti   2. noi   3. lei   4. voi   5. io   6. Loro

B. *Inserite la forma corretta del pronome.* (Insert the correct form of the subject pronoun.)

ESEMPIO: Carlo legge e _____ ascoltiamo.
Carlo legge e noi ascoltiamo.

1. _____ ascoltate le domande.   2. _____ rispondi.   3. _____ incontriamo i ragazzi.   4. Io leggo e _____ scrive.   5. Perché studio _____?   6. Perché risponde _____?   7. Quando arrivi _____?   8. Che cosa desiderano _____.   9. Quando incominciate _____?   10. Cosa imparano _____?

C. L'INTERROGATIVO (The interrogative).

Domandate in italiano se (Ask in Italian whether):

1. Maria ascolta le domande. 2. Noi rispondiamo.
3. Loro rispondono ad alta voce. 4. Carlo e Luisa arrivano
insieme. 5. Firenze è in Italia. 6. Anche lui parla italiano. 7. Maria risponde in italiano. 8. Tu studi con
Carlo.

D. *Sostituite all'infinito dei verbi la forma corretta del presente indi-cativo.* (Replace the infinitive of the verbs with the correct form of the present indicative.)

1. Gli studenti *ascoltare* il professore. 2. Poi il professore
ripetere le domande. 3. La signorina e Carlo *ascoltare* e
scrivere. 4. Gli studenti *incominciare* la lezione. 5. *Leggere*
tu ad alta voce? 6. Lui *studiare* perché *desiderare* imparare.
7. «Buon giorno,» *rispondere* la ragazza. 8. Che *studiare*
voi? 9. Quando il professore *arrivare* gli studenti *ascoltare*. 10. Io *incontrare* Luisa ogni giorno. 11. Signorina,
perché *parlare?* 12. Signorine, perché *rispondere* Loro?
13. Noi *rispondere* in italiano. 14. Quando *arrivare* a
scuola Luisa? 15. Le ragazze *incontrare* i ragazzi.

E. *Traducete in italiano:*

1. When does Louise arrive? 2. She arrives when Charles
arrives; they arrive together. 3. Louise and Charles read.
4. In order to learn Italian they speak together. 5. I also
speak in order to learn. 6. When the professor arrives
they begin the lesson. 7. He reads and we listen. 8.
Then we read aloud and he listens. 9. Does Louise listen
also? 10. What are you listening to, Miss Nadi? 11. I
am listening to the boys. 12. What do they ask? 13. They
ask, "How are you?" 14. What do you answer? 15. I
answer, "Very well, thank you."

**DA IMPARARE
A MEMORIA**
Ciao, Luisa!
Come stanno?
Leggo ad alta voce.

CONVERSAZIONE *Rispondete alle seguenti domande:*

1. Come stanno Loro? 2. Studia Lei le lezioni d'italiano?
3. Che cosa[3] domanda Carlo? 4. Che[3] risponde Luisa?
5. Perché legge ogni giorno Luisa? 6. Dove studia la lezione?
7. Cosa[3] domanda il professore? 8. Che cosa risponde la signorina? 9. Perché studia Lei? 10. Quando leggono gli studenti?

[3] **Che?, Che cosa?, Cosa?** can be used interchangeably to translate *what*.

3

A SCUOLA

Giorgio e Mario sono amici. Ogni giorno, Giorgio e Mario prendono il tram insieme per andare a scuola. Vanno a scuola insieme ogni giorno. Oggi arrivano a scuola presto, e aspettano il professore d'italiano.

	MARIO:	Ecco il professor Bianchi.
5	GIORGIO:	Dov'è?
	MARIO:	È il signore con Luisa.
	GIORGIO:	È vero che il professor Bianchi arriva sempre presto a scuola?
	MARIO:	Sì. Arriva sempre presto.
10	GIORGIO:	Luisa dice che il professor Bianchi insegna bene. È vero?
	MARIO:	Sì, sì,[1] insegna molto bene.
	GIORGIO:	Che cosa insegna? Non ricordo. Insegna il francese?
15	MARIO:	No, no, insegna l'inglese.
	GIORGIO:	È vero che parla ad alta voce?
	MARIO:	Sì, parla sempre[2] ad alta voce in classe.
	GIORGIO:	Perché?

---

[1] **Sì** and **no** are sometimes repeated for emphasis.
[2] Adverbs of time like **sempre,** *always,* and **spesso,** *often,* usually follow the verbs they modify.

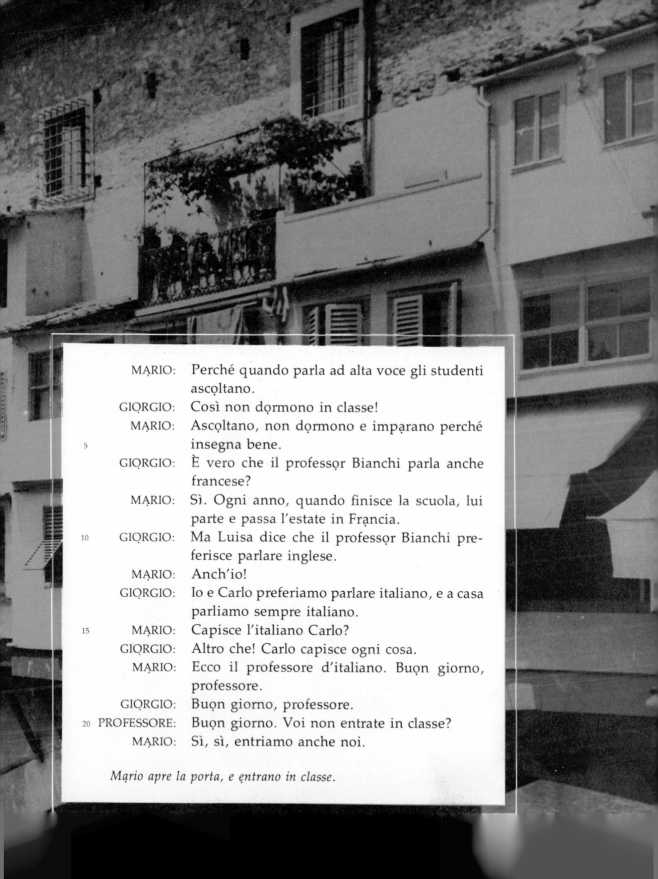

MARIO:	Perché quando parla ad alta voce gli studenti ascoltano.
GIORGIO:	Così non dormono in classe!
MARIO:	Ascoltano, non dormono e imparano perché insegna bene.
GIORGIO:	È vero che il professor Bianchi parla anche francese?
MARIO:	Sì. Ogni anno, quando finisce la scuola, lui parte e passa l'estate in Francia.
GIORGIO:	Ma Luisa dice che il professor Bianchi preferisce parlare inglese.
MARIO:	Anch'io!
GIORGIO:	Io e Carlo preferiamo parlare italiano, e a casa parliamo sempre italiano.
MARIO:	Capisce l'italiano Carlo?
GIORGIO:	Altro che! Carlo capisce ogni cosa.
MARIO:	Ecco il professore d'italiano. Buon giorno, professore.
GIORGIO:	Buon giorno, professore.
PROFESSORE:	Buon giorno. Voi non entrate in classe?
MARIO:	Sì, sì, entriamo anche noi.

Mario apre la porta, e entrano in classe.

Vocabolario

NOUNS

l' **anno**   year
la **cosa**   thing
l' **estate**   summer
il **francese**   French; the French language
la **Francia**   France
Giorgio   George
l' **inglese** *m.*   English, the English language
la **porta**   door
il **signore**   Mr., sir, gentleman
il **tram**   (*invariable*) streetcar

VERBS

aprire   to open
aspettare††   to wait, wait for (*the preposition* for *is not translated*)
capire (isc)   to understand
dice   says, tells
dormire   to sleep
entrare   to enter; **entrare in classe** to enter the class, to come (go) into the classroom
finire (isc)   to finish
insegnare   to teach
partire   to leave, depart
passare   to pass; to spend (*time*)
preferire (isc)   to prefer
prendere   to take, to get
ricordare††   to remember, recall
vanno[3]   they go

OTHERS

altro che!   I should say so!
che   that
così   thus, so
ma   but
no   no
non   not
oggi   today
presto   soon, early
sempre   always

IDIOMS

a casa   at home
è vero che?   is it true that?
ogni cosa   everything

---

[3] **vanno** is the third person plural of the irregular verb **andare** (Lesson 11, V).

Porta del Paradiso (Ghiberti)

GRAMMATICA

I. Presente indicativo della terza coniugazione
(Present Indicative of the Third Conjugation)

Verbs ending in **-ire** fall into two groups: those conjugated like **dormire**, *to sleep*, and those conjugated like **capire**, *to understand*. Note that the endings for both groups are identical, but that the verbs conjugated like **capire** insert **-isc-** between the stem and the ending of all forms of the singular and the third person plural. A verb which follows the model of **capire** will be indicated in the vocabulary thus: **preferire (isc),** *to prefer*. Verbs conjugated like **dormire** will not be marked.

dormire *to sleep*

	Dormo a casa.	*I sleep at home.*
SINGOLARE	**dorm-o**	I sleep, am sleeping, do
	dorm-i	sleep, *etc.*
	dorm-e	
PLURALE	**dorm-iamo**	
	dorm-ite	
	dọrm-ono	

capire *to understand*

	Capisco la domanda.	*I understand the question.*
SINGOLARE	**cap-isc-o**	I understand, am under-
	cap-isc-i	standing, do under-
	cap-isc-e	stand, *etc.*
PLURALE	**cap-iamo**	
	cap-ite	
	cap-ịsc-ono	

II. Negazione (Negation)

A sentence is made negative by placing **non**, *not*, before the verb.

Io capisco.	I understand.
Io **non** capisco.	I do *not* understand.

III. Possesso (Possession)

Possession is expressed by the preposition **di,** *of*, which may become **d'** before a vowel.

il maestro **di** Carlo	Charles' teacher
il libro **d'**Anna	Ann's book

IV. L'articolo determinativo con i titoli (Definite Article with Titles)

The definite article is required before a title, except in direct address.

Il signor Bianchi parla italiano.	*Mr. Bianchi* speaks Italian.
Il professor Corso parla francese.	*Professor Corso* speaks French.

BUT

Buon giorno, signor **Bianchi.**	Good morning, *Mr. Bianchi.*
Come sta, **professor Corso?**	How are you, *professor Corso?*

NOTE 1: Titles ending in **-ore** (masculine singular) drop the final **-e** before a proper noun.

NOTE 2: **Signori** means both *gentlemen* and *ladies and gentlemen*. **Buon giorno, signori.** *Good morning, gentlemen* or *good morning, ladies and gentlemen.*

ESERCIZI A. *Studiate il presente indicativo di dormire e capire.* (Study the present indicative of *dormire* and *capire*.)

(1) *Ripetete gli esempi seguenti cambiando le parole indicate.*

a. *Io dormo* sempre bene.
   1. Giovanni 2. noi 3. loro 4. voi 5. tu

b. *Noi finiamo* la lezione.
 1. essi 2. Lei 3. tu 4. voi 5. io
c. Oggi *Maria parte* per Roma.
 1. io 2. loro 3. tu 4. voi 5. noi
d. *Preferite voi* studiare a casa?
 1. essi 2. tu 3. Lei 4. Loro 5. noi

(2) *Cambiate al plurale i verbi delle frasi seguenti.* (Change the verbs to the plural in the following sentences.)

ESẸMPIO: (io) apro la porta.
 (noi) apriamo la porta.

a. 1. (tu) apri il libro. 2. (lui) apre il giornale (*newspaper*). 3. (io) apro la rivista (*magazine*). 4. (Lei) apre il dizionạrio (*dictionary*).
b. 1. (io) parto da casa. 2. (lei) parte oggi. 3. (tu) parti da Firenze. 4. (lui) parte ogni estate.
c. 1. (io) finisco l'esame. 2. (Lei) finisce la lezione. 3. (tu) finisci l'esame. 4. (lui) finisce la lezione.
d. 1. (tu) prendi il tram. 2. (Lei) prende la lẹttera. 3. (io) prendo la matita. 4. (lui) prende il giornale.

B. *Sostituite all'infinito dei verbi la forma corretta del presente indicativo.* (Replace the infinitive of the verbs with the correct form of the present indicative.)

1. Lo studente *aprire* la porta a Luisa. 2. Il professore non *capire* Mạrio. 3. La lezione *finire*. 4. I ragazzi *finire* il libro. 5. La signorina Nadi non *dormire* in classe. 6. Io *preferire* parlare italiano a casa. 7. Il maestro *insegnare* la lezione. 8. Noi *aspettare* lo zio di Maria. 9. I ragazzi *partire* presto. 10. Lei *prẹndere* il tram ogni giorno. 11. Maria *ascoltare* le domande e *rispọndere*. 12. Ragazzi, perché non *studiare* (voi)? 13. Il signọr Rossi *studiare* perché *desiderare* imparare. 14. Anche Maria *ripẹtere* la lezione. 15. Signorina, perché non *lẹggere*?

C. LE FORME NEGATIVE, POSSESSIVE, INTERROGATIVE.

(a) *Cambiate le frasi seguenti alla forma negativa.* (Change the following sentences to the negative form.)

ESẸMPIO: Carlo è a casa.
Carlo non è a casa.

1. Noi arriviamo presto a scuola. 2. Egli insegna il francese. 3. Mạrio parla ad alta voce. 4. Voi dormite in classe. 5. Essi preferịscono parlare inglese.

(b) *Date la forma possessiva.* (Give the possessive form.)

ESẸMPIO: Luisa ＿＿＿ libro.   Il libro di Luisa.

1. Classe ＿＿＿ porta. 2. Carlo ＿＿＿ classe. 3. Giọrgio ＿＿＿ casa. 4. Mạrio ＿＿＿ università 5. Luisa ＿＿＿ domanda.

(c) *Cambiate le frasi seguenti dalla forma interrogativa diretta alla forma interrogativa indiretta.* (Change the following sentences from direct to indirect questions.)

ESẸMPIO: Parla italiano, signọr Bianchi?
È vero che parla italiano il signọr Bianchi?

1. Parla ad alta voce, Professore? 2. Preferisce studiare il francese, signora Jones? 3. Lei dorme in classe, signọr Belli? 4. Legge ogni lezione, signorina Rossi? 5. Professọr Bianchi, parla francese Lei?

D. *Traducete in italiano:*

1. Is it true that Mario understands Italian well? 2. Yes, because at home they always speak Italian. 3. Mario's uncle spends every summer in Italy. 4. The professor of French also leaves every summer; he spends every summer in France or in Italy. 5. Here is Miss Croce. 6. Good morning, Miss Croce, how are you? 7. Miss Croce does not reply because she does not remember the boys. 8. When Miss Marini arrives, she remembers the boys and says, "Good morning." 9. Mario opens the door for Miss Marini and she says, "Thank you." 10. But the boys do

not enter; they are waiting for the professor. 11. Charles opens the door and enters. 12. "What are you reading?" asks Mario. 13. I am finishing the lesson for today. 14. But here is the streetcar! And here is Professor Sandri. "Good morning, professor." 15. "Good morning," replies Professor Sandri.

DA IMPARARE
A MEMORIA

A casa parlano sempre italiano.
Oggi Carlo è a casa, non è a scuola.
È vero che Lei capisce il francese?

CONVERSAZIONE

Rispondete alle seguenti domande:

1. Che cosa sono Giorgio e Mario? 2. Che cosa prendono Giorgio e Mario ogni giorno? 3. Dove vanno insieme? 4. Che cosa insegna il signor Bianchi? 5. Gli studenti dormono in classe? 6. Quando parte il professor Bianchi? 7. Dove passa Lei l'estate? 8. Preferisce Lei parlare italiano o francese? 9. Capisce ogni cosa Lei quando il professore parla? 10. Che cosa dice il professore d'italiano quando arriva? 11. Che cosa domanda il professore a Mario e a Giorgio? 12. Che cosa apre Mario?

4 UNA LETTERA

L'Università per Stranieri. Oggi tutti gli studenti sono presenti. I ragazzi sono presenti e anche le ragazze sono presenti. Quando arriva il professore vẹdono che porta un ạbito nero, una camịcia bianca e una cravatta verde.

5 *Luisa dice a Carlo:* Il professore oggi porta un ạbito nuovo. È bello, non è vero?

CARLO:	Sì, è un ạbito molto bello. È bella anche la cravatta verde.
LUISA:	Tu preferisci una cravatta verde?
CARLO:	No, preferisco non portare cravatta.[1]
LUISA:	Ma oggi vedo che porti una cravatta... una cravatta verde.
CARLO:	È vero, ma oggi è un'eccezione.
PROFESSORE:	Silẹnzio! Silẹnzio, Carlo e Luisa. Desịdero lẹggere una lunga lẹttera di una signorina di Milano.
GIOVANNI:	Di una signorina di Milano, professore?

10 ... 15 ...

---

[1] The Italian equivalent of the indefinite article **a** is not needed in this sentence.

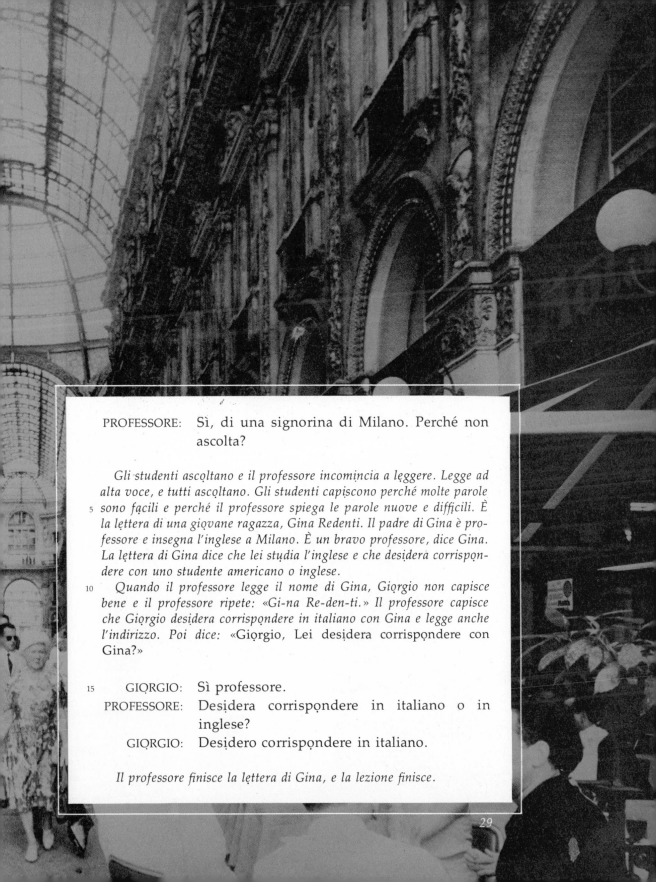

PROFESSORE: Sì, di una signorina di Milano. Perché non ascolta?

   Gli studenti ascoltano e il professore incomincia a leggere. Legge ad alta voce, e tutti ascoltano. Gli studenti capiscono perché molte parole 5 *sono facili e perché il professore spiega le parole nuove e difficili. È la lettera di una giovane ragazza, Gina Redenti. Il padre di Gina è professore e insegna l'inglese a Milano. È un bravo professore, dice Gina. La lettera di Gina dice che lei studia l'inglese e che desidera corrispondere con uno studente americano o inglese.*
10   *Quando il professore legge il nome di Gina, Giorgio non capisce bene e il professore ripete: «Gi-na Re-den-ti.» Il professore capisce che Giorgio desidera corrispondere in italiano con Gina e legge anche l'indirizzo. Poi dice: «Giorgio, Lei desidera corrispondere con Gina?»*

15   GIORGIO: Sì professore.
   PROFESSORE: Desidera corrispondere in italiano o in inglese?
   GIORGIO: Desidero corrispondere in italiano.

   Il professore finisce la lettera di Gina, e la lezione finisce.

29

Vocabolario

NOUNS

l' **abito** suit
la **camicia** shirt
la **cravatta** tie, necktie
l' **eccezione** *f.* exception
   Gina Jean
   Giovanni John
l' **indirizzo** address
la **lettera** letter
   Milano *f.* Milan
il **nome** name
il **padre** father
la **parola** word
il **quaderno** notebook
la **signora** Mrs., lady
il **silenzio** silence

ADJECTIVES

americano American
bello beautiful
bianco white
bravo fine, good (*of a person's ability*), skillful
difficile difficult, hard
facile easy

giovane young
inglese English
italiano Italian
lungo long
molto much; *adv.* very
nero black
nuovo new
piccolo small, little
presente present
tutto all
verde green
vero true

VERBS

comprare to buy
corrispondere to correspond
ha has
portare†† to wear (*clothes*)
spiegare†† to explain
vedere to see

IDIOMS

Non è vero? Isn't it true? Isn't it? Aren't you? Have we not? Shall we not? *etc.* Doesn't he? *etc.*

Milano

GRAMMATICA

I. L'articolo indeterminativo (The Indefinite Article)

The English indefinite article *a* or *an* is translated into Italian by four different forms.

MASCHILE: **un** and **uno**

un giorno	*a* day
un quaderno	*a* notebook
uno studente	*a* student
uno zio	*an* uncle

FEMMINILE: **una** and **un'**

una casa	*a* house
un'automobile	*an* automobile

The usual masculine form is **un. Uno** is used before a masculine word which begins with a **z** or an **s** followed by a consonant (**s** followed by a consonant is also known as an *s impure*). The feminine form **una** becomes **un'** before a word that begins with a vowel.

II. Omissione dell'articolo indeterminativo (Omission of the Indefinite Article)

The indefinite article is omitted before unmodified predicate nouns expressing nationality, occupation, etc.

È italiano.	He is an Italian.
Giovanni è dottore.	John is a doctor.

BUT

È **un** giovane italiano.	He is a young Italian.
Giovanni è **un** bravo dottore.	John is a fine doctor.

III. L'aggettivo (The Adjective)

(1) Form and agreement

An adjective agrees in gender and number with the noun it modifies. In Italian there are two groups of adjectives: those ending in **-o**, and those ending in **-e**. Adjectives ending in **-o** have four forms:

	MASCHILE	FEMMINILE
Singolare	**-o**	**-a**
Plurale	**-i**	**-e**

il signore italian**o**	*the Italian gentleman*
la signora italian**a**	*the Italian lady*
i signori italian**i**	*the Italian gentlemen*
le signore italian**e**	*the Italian ladies*

Adjectives ending in **-e** are the same for the masculine and feminine singular. In the plural the **-e** changes to **-i**.

il ragazzo frances**e**	*the French boy*
la parola frances**e**	*the French word*
i ragazzi frances**i**	*the French boys*
le parole frances**i**	*the French words*

An adjective modifying two nouns of different gender is masculine.

Le madri e i padri italian**i**.	The *Italian* mothers and fathers.

(2) Position of adjectives

(a) Adjectives generally follow the noun.

la lingua **italiana**	the *Italian* language
il dizionario **rosso**	the *red* dictionary
la ragazza **intelligente**	the *intelligent* girl

(b) Certain common adjectives, however, generally come before the noun. Here are the most common:

bello	beautiful	**grande**	large, great
bravo	good, able	**lungo**	long
brutto	ugly	**nuovo**	new
buono	good	**piccolo**	small, little
caro	dear	**stesso**	same
cattivo	bad	**vecchio**	old
giovane	young	**vero**	true

una **bella** ragazza	a *beautiful* girl
un **piccolo** dizionario	a *small* dictionary
un **caro** amico	a *dear* friend

But even these adjectives must follow the noun for emphasis or contrast, and when modified by an adverb or a suffix.

Oggi non porta l'**abito vecchio,** porta un **abito nuovo.**	Today he is not wearing *the old suit*, he is wearing *a new suit.*
Anna è una ragazza **molto bella.**	Ann is *a very beautiful* girl.

(3) Demonstrative, possessive and limiting (numeral) adjectives always precede the noun.

questa lezione	*this* lesson
mio zio	*my* uncle
molti libri	*many* books
cinque libri	*five* books

IV. L'aggettivo buono (The Adjective buono)

Buono, in the singular, has these forms: **buon, buona, buon', buono,** which are used like the indefinite article **un, una, un', uno.**

È un **buon** libro.	It is a good book.
Questa è una **buona** macchina.	This is a good car.
Una **buon'**insalata.	A good salad
È un **buono** zio.	He is a good uncle.

V. Forme dell'articolo (Forms of the Article)

As we know, the noun determines the number and gender of the article. However, since there are several articles for each gender, the word that immediately follows the article is the one to determine it. (Compare the English: *An elephant,* but *a large elephant.*)

uno zio	*an* uncle
un giovane zio	*a* young uncle
gli studenti	*the* students
i nuovi studenti	*the* new students

ESERCIZI   A. *Imparate le forme dell'articolo indeterminativo.* (Learn the forms of the indefinite article.)

(1) *Mettete l'articolo indeterminativo davanti ai seguenti nomi maschili.* (Put the indefinite article before the following masculine nouns.)

1. amico   2. ragazzo   3. studente   4. italiano   5. straniero   6. signore

(2) *Ripetete gli stessi nomi di (1) al femminile con l'articolo indeterminativo.* (Repeat the same nouns of (1) in the feminine with the indefinite article.)

(3) *Ripetete gli esempi seguenti cambiando le parole indicate.* (Repeat the following examples changing the words that are indicated.)

   a. Il professore legge un *esempio.*
      1. esercizio   2. libro   3. esame   4. quaderno
   b. Preferisce Lei una *cravatta* inglese?
      1. camicia   2. parola   3. lettera   4. ragazza
   c. Carlo parla di uno *studente.*
      1. straniero   2. zio   3. zingaro (*gypsy*)   4. stato
   d. I ragazzi vedono un'*opera.*
      1. automobile   2. università   3. entrata   4. isola

e. Giovanni è *dottore*.
   1. studente 2. avvocato (*lawyer*) 3. meccanico (*mechanic*) 4. professore
f. Lo zio è un *bravo* dottore.
   1. ottimo (*excellent*) 2. cattivo 3. giovane 4. vecchio

(4) *Sostituite l'articolo indeterminativo all'articolo determinativo.* (Substitute the indefinite article for the definite article.)

ESEMPIO: Desidera corrispondere con *lo* studente.
         Desidera corrispondere con uno studente.

a. Legge l'indirizzo. b. Porta la cravatta verde. c. Il professore spiega la parola. d. Vedono l'entrata. e. Non capiscono la lezione. f. Studiamo la nuova domanda. g. Preferisco l'abito nero. h. È l'amica di Carlo. i. Maria corrisponde con lo studente italiano.

B. *Studiate le forme e l'uso dell'aggettivo.* (Study the forms and use of the adjective.)

(1) *Ripetete gli esempi seguenti cambiando le parole indicate.* (Repeat the following examples changing the words indicated.)

a. le parole *americane*.
   1. italiano 2. difficile 3. inglese 4. vero
b. gli abiti *nuovi*.
   1. piccolo 2. rosso 3. americano 4. nero
c. gli studenti *americani*.
   1. giovane 2. bravo 3. francese 4. intelligente
d. le ragazze *presenti*.
   1. bravo 2. bello 3. buono 4. brutto
e. gli zii *intelligenti*
   1. giovane 2. italiano 3. americano 4. francese

(2) *Date il plurale delle frasi seguenti.* (Give the plural of the following phrases.)

ESEMPIO: la *brutta* casa — le brutte case

1. la stessa lezione 2. il quaderno rosso 3. la vecchia signora 4. la casa verde 5. il nuovo anno 6. la domanda difficile

(3) *Date il singolare delle frasi seguenti.* (Give the singular of the following phrases.)

ESEMPIO: *i cattivi studenti* — il cattivo studente

1. le cravatte nuove 2. i vestiti neri 3. le belle estati
4. le piccole porte 5. le buone lezioni 6. gli stessi anni

(4) *Completate le frasi seguenti con la forma corretta di* **buono.** (Complete the following sentences with the correct form of **buono.**)

1. una _____ penna. 2. una _____ scuola. 3. un _____ sport. 4. una _____ università 5. un _____ anno. 6. una _____ lezione. 7. una _____ parola 8. un _____ padre.

(5) *Ripetete le parole seguenti con il cambiamento indicato.* (Repeat the following words with the change indicated.)

ESEMPIO: La porta *nuova.* — La nuova porta.

a. il libro *stesso.* b. lo studente *nuovo.* c. la casa *bella.*
d. gli studenti *stessi.* e. l'esempio *cattivo* f. lo zio *stesso.*

C. *Traducete in italiano:*

1. John says that he wishes to buy a green tie because he has a new suit. 2. "Is it an English suit?" asks Mario. 3. No, it is an American suit, but I wish to buy an Italian tie. 4. Louise wishes to correspond with a girl in Italy. 5. "Is she an American?" asks Mario. 6. "No, she is an Italian," replies Louise. 7. Does she also write many letters? 8. "Yes, Jean writes in Italian and I write in English," explains Louise. 9. John, Mario and Jean read the letter together. 10. Do they understand? — Yes, but not the new words. 11. Louise explains the difficult words. 12. John takes an old notebook and writes a long word. 13. "Here are the names of many Italian young ladies," says Louise. 14. Mario writes all the names and addresses in a little notebook. 15. Silence! Here is the professor!

DA IMPARARE
A MEMORIA

Lei preferisce una cravatta verde, non è vero?
Tutti gli studenti sono presenti, non è vero?
Porto un abito nuovo.

CONVERSAZIONE *Rispondete alle seguenti domande:*

1. Sono presenti gli studenti oggi? 2. Che cosa vedono gli studenti? 3. È vecchio l'abito nero? 4. Anche la cravatta è nera? 5. Lei ha molte cravatte? 6. Lei preferisce le cravatte verdi o le cravatte nere? 7. Che cosa legge il professore? 8. Quando ascoltano gli studenti? 9. Perché gli studenti capiscono? 10. Che cosa insegna il padre di Gina? 11. Che dice la lettera di Gina? 12. Perché il professore ripete il nome di Gina?

RIPETIZIONE 1

I. *Rispondete alle seguenti domande:*

1. Buon giorno, signor ____. Come sta Lei oggi? 2. Dov'è il quaderno? 3. È bianco il quaderno? 4. Sono verdi tutti i quaderni? 5. Scrivono gli studenti ora? 6. Che cosa studiamo noi? 7. Quando il professore non parla ad alta voce, capiscono gli studenti? 8. Lei risponde ad alta voce? 9. Quando incomincia la lezione? 10. Perché studiano gli studenti? 11. È vero che in Italia parlano francese? 12. E in California, che parlano? 13. Luisa capisce le parole nuove quando il professore parla? 14. Lei scrive molte lettere in Italia? 15. Quando ripete la domanda il professore?

II. *Seguendo l'esempio, ripetete le frasi al plurale.* (Following the example, repeat the sentences in the plural.)

ESEMPIO 1: (io) *Parlo* con la signorina.
(noi) Parliamo con le signorine.

1. Imparo la lezione. 2. Incontro il professore. 3. Incomincio la lettera. 4. Studio la lingua.

ESEMPIO 2: (tu) *Ripeti* la domanda.
(voi) Ripetete le domande.

1. Scrivi la lettera. 2. Leggi la parola. 3. Prendi la penna. 4. Corrispondi con la ragazza.

ESEMPIO 3: (Lei) *capisce* l'italiano?
(Loro) capiscono l'italiano?

1. Finisce la lezione? 2. Parte domani? 3. Preferisce la rivista? 4. Apre la porta?

III. *Usando gli esempi italiani come guida, traducete le frasi inglesi.* (Using the Italian examples as a guide, translate the English sentences.)

1. Dov'è il maestro? *Where are the professors?*

2. La zia è italiana. *The uncles are Italian.*

3. Luisa legge ad alta voce. *Do we read aloud?*

4. Capisce Lei la domanda? *We understand all the questions.*

5. Questa cravatta è nuova. *Are these suits new?*

6. Maria e Carlo leggono una lettera. *Are you reading a letter also?*

7. Desidera parlare Lei? *Don't you (Loro) wish to speak?*

8. Tu rispondi sempre bene. *Do you (voi) reply well also?*

9. Che cosa legge il maestro? *What are the students reading?*

10. Lei che cosa preferisce parlare a casa? *I prefer to speak English at home.*

IV. *Sostituite all'infinito del verbo la forma corretta del presente indicativo.* (Substitute the correct form of the present indicative for the infinitive of the verb.)

1. I ragazzi *rispondere*. 2. Quando *partire* Lei? 3. Tu non *ricordare* il nome? 4. Voi *entrare* presto. 5. Io *aprire* la porta. 6. Loro *preferire* le cravatte nere. 7. Lui *spiegare* la parola difficile. 8. Noi non *entrare*. 9. Gina *imparare* l'italiano. 10. Tu *finire* l'esame. 11. Luisa *passare* l'estate in Italia. 12. Noi *arrivare* a scuola. 13. Cosa *leggere* il professore mentre noi *scrivere*? 14. Io *ascoltare* lo studente. 15. Perché *leggere* ad alta voce il professore?

V. POSIZIONE DELL'AGGETTIVO.
Completate l'esercizio seguente:

ESEMPIO: (*verde*) la casa — la casa verde
(*vecchio*) il padre — il vecchio padre

1. (*inglese*) la lingua 2. (*nero*) le cravatte 3. (*piccolo*) una casa 4. (*bello*) le ragazze 5. (*difficile*) le lezioni 6. (*nuovo*) l'indirizzo 7. (*vecchio*) le case 8. (*rosso*) una cravatta 9. (*giovane*) un professore 10. (*bravo*) uno studente 11. (*buono*) una ragazza. 12. (*buono*) un'estate 13. (*buono*) un anno 14. (*buono*) uno studente.

L'ITALIA

Se apriamo un atlante geografico notiamo che l'Italia è una lunga penisola con la forma caratteristica di uno stivale. In Italia ci sono due catene di monti, le Alpi e gli Appennini. L'Italia è circondata dalle Alpi e dal Mare Mediterraneo. Le Alpi separano l'Italia dal resto dell'Europa. La parte del Mediterraneo che circonda l'Italia ha quattro nomi: il Mare Adriatico, il Mare Ionio, il Mare Tirreno e il Mare Ligure.

Le Alpi

Podere toscano. È un paesaggio tipico delle campagne dell'Italia centrale.

Bellagio, centro turistico e industriale sul Lago di Como

Il fiume Tevere che passa per Roma.
In fondo vediamo la Cupola di San Pietro.

L'Italia è divisa in tre parti: l'Italia settentrionale, l'Italia centrale e l'Italia meridionale. Nell'Italia settentrionale c'è il Lago Maggiore, il Lago di Como e il Lago di Garda. Qui c'è anche il fiume Po che attraversa la grande pianura che deriva il nome dal fiume Po, la Valle Padana. Ma in Italia ci sono due altri fiumi famosi: l'Arno, che passa per Firenze e per Pisa, e il Tevere, che passa per Roma.

L'Italia ha due grandi isole: la Sicilia e la Sardegna. Vicino a Napoli c'è un'isola piccola ma famosa: Capri.

E poi in Italia ci sono tre vulcani: il Vesuvio vicino a Napoli, l'Etna in Sicilia, e lo Stromboli in una piccola isola vicino alla Sicilia.

Amministrativamente il territorio della Repubblica Italiana è diviso in venti regioni: il Piemonte, la Lombardia, la Toscana, l'Umbria, la Campania, la Sardegna, la Sicilia, eccetera.

La capitale della Repubblica Italiana è Roma.

Vocabolario

amministrativamente administratively
l' **atlante geografico** *m.* map
attraversare to cross
caratteristico characteristic
centrale central
circondare to surround
dal, dalle from the
del, dell' of the
derivare to derive, to get
diviso divided
fondo: in fondo in the background

la **forma** shape
industriale industrial
Ionio Ionian
Ligure Ligurian
la **Lombardia** Lombardy
nell' in the
la **pianura** plain
il **Piemonte** Piedmont
il **prodotto** product
quattro four
la **regione** region
la **repubblica** republic
la **Sardegna** Sardinia

settentrionale northern
lo **stivale** boot
il **territorio** territory
il **Tevere** Tiber
tipico typical
Tirreno Tyrrhenian
la **Toscana** Tuscany
tre three
turistico touristic
la **valle** valley
veduto seen
il **Vesuvio** Vesuvius

L'ITALIA

5
UN'IDEA
ECCELLENTE

Mario e Giorgio sono davanti alla biblioteca dell'università e aspettano dei compagni di scuola. Oggi non hanno lezione. Mentre aspettano parlano del più e del meno.

MARIO: Tu, Giorgio, resti molto tempo in biblioteca oggi?

GIORGIO: No, prendo un libro, e poi torno[1] a casa. Preferisco studiare a casa. E tu?

MARIO: Io aspetto Luisa e Carlo. Oggi studiamo insieme. Nel pomeriggio, se il tempo è bello, andiamo a nuotare in una piscina alle Cascine.

GIORGIO: Io nel pomeriggio, quando il tempo è bello, leggo un libro in giardino. Non abito molto vicino alle Cascine, ma dalla finestra dello studio vedo la piscina.

---

[1] **Tornare** is sometimes used instead of **ritornare**.

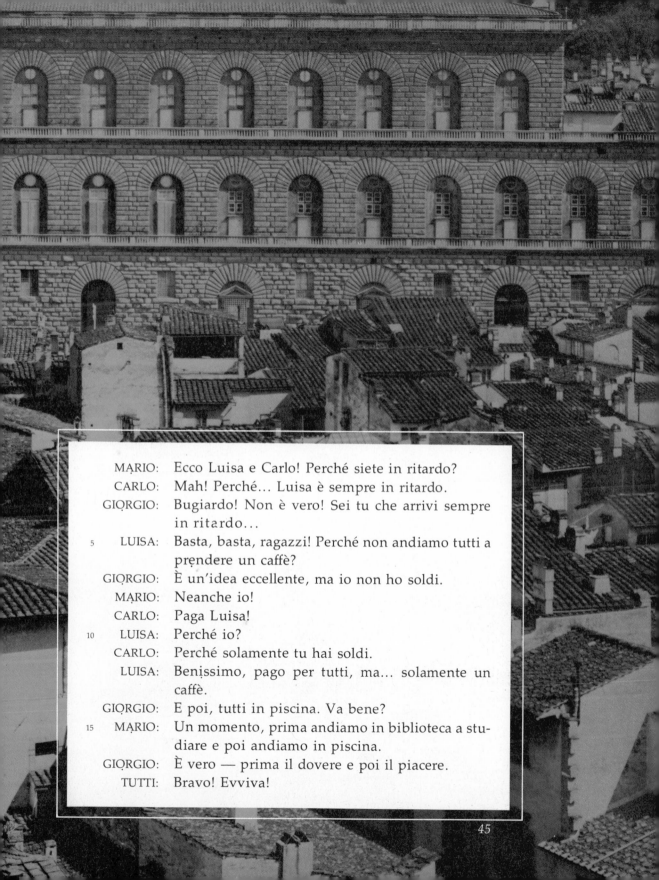

MARIO:	Ecco Luisa e Carlo! Perché siete in ritardo?
CARLO:	Mah! Perché... Luisa è sempre in ritardo.
GIORGIO:	Bugiardo! Non è vero! Sei tu che arrivi sempre in ritardo...
5 LUISA:	Basta, basta, ragazzi! Perché non andiamo tutti a prendere un caffè?
GIORGIO:	È un'idea eccellente, ma io non ho soldi.
MARIO:	Neanche io!
CARLO:	Paga Luisa!
10 LUISA:	Perché io?
CARLO:	Perché solamente tu hai soldi.
LUISA:	Benissimo, pago per tutti, ma... solamente un caffè.
GIORGIO:	E poi, tutti in piscina. Va bene?
15 MARIO:	Un momento, prima andiamo in biblioteca a studiare e poi andiamo in piscina.
GIORGIO:	È vero — prima il dovere e poi il piacere.
TUTTI:	Bravo! Evviva!

Vocabolario

NOUNS

la **bibliotęca** library; **in bibliotęca,** in, to *or* at the library

il **caffè** coffee, cup of coffee; coffee shop, café

le **Cascine** *f. pl.* *a public park in Florence*

il **compagno** companion, chum; **compagno di scuọla,** school friend

il **dovere** duty

l' **entrata** entrance

la **finęstra** window

il **giardino** garden; **in giardino,** in *or* into the garden

l' **idęa** idea

il **piacere** pleasure

la **piscina** swimming pool

il **pomeriggio** afternoon

il **sọldo** penny; *pl.* money

lo **stụdio** study

il **tęmpo** weather; time

ADJECTIVES

bugiardo liar

eccellęnte excellent

VERBS

abitare to live, dwell

andare (a) + infinitive to go

nuotare†† to swim

pagare to pay, pay for

restare†† to remain

OTHERS

basta! (from **bastare**) it is enough

benịssimo! very well! fine!

davanti (a) before, in front (of)

evviva hurrah, long live

neanche not even

però however

prima before, first

se if

solamente only

vicino (a) near

IDIOMS

ęssere in ritardo to be late

mah! (*also:* **ma!**) who knows? I don't know!

non avere lezione (*or* **lezioni**) to have no classes

parlare del più e del meno to speak of this and that

un momento just a moment

Biblioteca, Venezia

GRAMMATICA

I. Preposizioni articolate (Contractions)

Certain prepositions combine with the definite article as follows:

PREPOSITION +	il	i	lo	l'	la	gli	le
a (*to, at*)	al	ai	allo	all'	alla	agli	alle
da (*from, by*)	dal	dai	dallo	dall'	dalla	dagli	dalle
di (*of*)	del	dei	dello	dell'	della	degli	delle
in (*in*)	nel	nei	nello	nell'	nella	negli	nelle
su (*on*)	sul	sui	sullo	sull'	sulla	sugli	sulle

The prepositions **con,** *with,* and **per,** *for,* are seldom combined with the definite article. The only two forms that are occasionally used are: **col (con + il), coi (con + i),** and **pel (per + il), pei (per + i).**

ESEMPI (EXAMPLES)

all'entrata	at the entrance
ai ragazzi	to the boys
allo studente	to the student
all'amico	to the friend
dal treno	from the train
dallo studio	from the study
dello studente	of the student
del professore	of the professor
dell'amico	of the friend
degli amici	of the friends
nell'esame	in the examination
nella lettera	in the letter
sui libri	on the books
sulla finestra	on the window
col compagno	with the companion
coi nomi	with the names

CAPITOLO 5

II. Il partitivo (The Partitive)

The partitive *some* or *any* may be expressed by the preposition **di** plus the definite article.

Compro **dei libri.**	I am buying *some books.*
Scrive **delle lettere.**	He is writing *some letters.*
Desidero **del caffè.**	I wish *some coffee.*

In interrogative and negative sentences the partitive *any* is usually not expressed in Italian. Do you have *any relatives* in Italy? Ha **parenti** in Italia? I do not have *any brothers.* Non ho **fratelli.**

III. L'aggettivo <u>bello</u> (The Adjective **bello**)

When **bello,** *beautiful,* precedes a noun, it takes forms that are similar to those of the definite article combined with **di: bel, bei, bello, bell', bella, begli, belle.**

Nel giardino ci sono molti **bei** fiori.	In the garden there are many *beautiful* flowers.
Mio padre ha comprato una **bell'**automobile.	My father bought a *beautiful* car.
È una **bella** piscina.	It is a *beautiful* swimming pool.

IV. Presente indicativo di <u>avere</u>, <u>essere</u> (Present Indicative of avere, essere)

avere *to have*

Ho un'idea.   *I have an idea.*

SINGOLARE	ho	I have
	hai	you (*familiar*) have
	ha	{ he, she, it has { you (*polite*) have
PLURALE	abbiamo	we have
	avete	you (*familiar*) have
	hanno	{ they have { you (*polite*) have

essere *to be*

<table>
<tr><td></td><td>**Sono americano.**</td><td>*I am an American.*[2]</td></tr>
<tr><td>SINGOLARE</td><td>**sono**</td><td>I am</td></tr>
<tr><td></td><td>**sei**</td><td>you (*familiar*) are</td></tr>
<tr><td></td><td>**è**</td><td>{ he, she, it is
{ you (*polite*) are</td></tr>
<tr><td>PLURALE</td><td>**siamo**</td><td>we are</td></tr>
<tr><td></td><td>**siete**</td><td>you (*familiar*) are</td></tr>
<tr><td></td><td>**sono**</td><td>{ they are
{ you (*polite*) are</td></tr>
</table>

ESERCIZI A. *Imparate le forme delle preposizioni articolate. Ripetete gli esempi seguenti cambiando le parole indicate.* (Learn the forms of the contractions. Repeat the following examples changing the words indicated.)

a. *per* l'entrata
 1. con 2. su 3. in 4. a 5. da 6. di

b. *con* lo studio
 1. per 2. in 3. a 4. da 5. di 6. su

c. *per* il treno
 1. di 2. in 3. a 4. da 5. con 6. su

d. *con* gli zaini
 1. su 2. per 3. da 4. di 5. a 6. in

e. *per* i libri
 1. a 2. in 3. da 4. di 5. con 6. su

f. *con* l'esame
 1. in 2. da 3. di 4. su 5. per 6. a

g. *per* la porta
 1. a 2. in 3. da 4. di 5. su 6. con

h. *con* le finestre
 1. per 2. su 3. in 4. da 5. di 6. a

---

[2] In conjugating the sentence, remember to make *American* agree with the subject: americano, americana, americani, americane.

B. *Completate le frasi seguenti con le preposizioni articolate appropriate.* (Complete the following sentences with the appropriate prepositions and articles [contractions].)

Esempio: L'entrata _____ scuola. — L'entrata della scuola.

1. Rispondiamo *alle* domande *del* professore.   2. Legge sempre in giardino *nel* pomeriggio.   3. Prendiamo *della* frutta.   4. Studia davanti *alla* finestra.   5. Scrivo l'indirizzo *per la* signora italiana.   6. Studiano *all'* Università per Stranieri.

C. L'AGGETTIVO **BELLO**.

(a) *Cambiate le frasi seguenti dal singolare al plurale.* (Change the following sentences from the singular to the plural.)

belle case   *belle idee*   *bei ragazzi*
1. la bella casa.   2. la bell'idea.   3. il bel ragazzo.
begli   *belle entrate*
4. il bello stato.   5. la bell'entrata.

(b) *Completate le frasi seguenti con la forma corretta di* **bello.** (Complete the following sentences with the correct form of **bello.**)

1. la *bella* Italia.   2. un *bel* giardino.   3. una *bell'* isola.   4. un *bello* studio.   5. dei *bei* libri.
6. delle *belle* cravatte.   7. dei *bei* Italiani.

D. Studiate le forme del partitivo. (Study the forms of the partitive.)

(1) *Ripetete gli esempi seguenti cambiando le parole indicate e usando la forma corretta del partitivo.* (Repeat the following examples changing the words indicated and using the correct form of the partitive.)

a. I signori prendono del *latte* (*milk*).
    1. caffè   2. tè (*tea*)   3. vino (*wine*)   4. pane (*bread*)
    5. burro (*butter*)   6. sale (*salt*)   7. pesce (*fish*)
    8. formaggio (*cheese*)
b. Tu ordini della *carne.*
    1. limonata   2. cioccolata   3. aranciata   4. birra
    5. marmellata   6. frutta   7. insalata   8. minestra
c. Giorgio parla con *dei compagni.*
    1. signori   2. signorine   3. stranieri   4. ragazzi
    5. studenti

(2) *Date la forma partitiva delle frasi seguenti.* (Give the partitive form of the following sentences.)

ESĘMPIO: Lui aspetta *uno studente*. — Lui aspetta degli studenti.

1. La scuola ha *un'entrata*. 2. Gli studenti stųdiano per *un esame*. 3. Noi rispondiamo a *una domandà*. 4. Il professore apre *una porta*. 5. Carlo resta a casa *un'ora*. 6. Incontrate *un compagno* di scuola.

(3) *Cambiate le frasi seguenti in frasi negative.* (Change the following phrases to the negative.)

ESĘMPIO: Io ho dei libri. — Io non ho libri.

1. Lui scrive delle parole. 2. Noi leggiamo delle lęttere. 3. Voi avete dei soldi. 4. Essi hanno delle idee.

(4) *Cambiate le frasi seguenti in frasi interrogative.* (Change the following phrases to the interrogative.)

ESĘMPIO: Avete degli amici. — Avete amici?

1. Lei desįdera dei soldi. 2. Giovanni ha dei quaderni. 3. Abbiamo delle sorelle. 4. Cọmprano dei libri.

E. *Studiate i verbi ausiliari* **essere** *ed* **avere.** *Ripetete gli esempi seguenti cambiando le parole indicate.* (Study the auxiliary verbs **essere** and **avere.** Repeat the following examples changing the words indicated.)

    a. *Io sono* in giardino.
       1. Maria 2. noi 3. tu 4. voi 5. lui 6. loro 7. Lei
       8. Mario e Carlo
    b. *Noi abbiamo* una piscina.
       1. Carlo 2. voi 3. tu 4. tutti 5. Lei 6. io 7. lei
       8. Loro
    c. *Voi siete* a scuola e *avete* un professore eccellente.
       1. Io 2. Essi 3. Maria 4. Noi 5. Tu

F. *Traducete in italiano:*

1. I am waiting for a school friend. He lives near the school. 2. We are going to the library together. 3. In front of the library we see Mario. 4. He is talking to George. 5. In the library we get (*take*) a book. 6. At the door we meet George and Mario. Mario says, "We are going to the Cascine now. And you?" 7. An excellent idea! Why do we not all go together? Today we have no classes. 8. We do not have an automobile (**automobile,** *f.*). Why don't we take a streetcar? 9. I do not have any money. 10. Louise always has money, but she is late. Here is Louise, hurrah! 11. The streetcar arrives and they leave. 12. When they arrive at the Cascine, they see a coffee house. 13. "Why don't we get (*take*) a cup of coffee?" says Louise. "I have (*take*) a cup of coffee every day." 14. Do you swim in the afternoon? 15. Yes, if the weather is good. 16. Liar! You swim also when the weather is not good.

DA IMPARARE
A MEMORIA

Luisa è sempre in ritardo.
Luisa e Carlo sono sempre in ritardo.
Oggi il tempo è bello.
Desidera prendere un caffè?
Non abbiamo soldi.
Neanche noi.

Rispondete alle seguenti domande:

1. Dove aspettano i compagni di scuola Mario e Giorgio?
2. Perché non sono a scuola? 3. Lei ha molte lezioni oggi?
4. Parlano mentre aspettano Mario e Giorgio? 5. Resta molto tempo in biblioteca Giorgio? 6. Dove preferisce studiare Giorgio? 7. Lei, dove studia? 8. Dove legge Giorgio quando il tempo è bello? 9. Vediamo noi la piscina dalla finestra della classe? 10. Dove desideriamo andare con i compagni di scuola? 11. Perché paga Luisa? 12. Perché non pagano i compagni?

David (Michelangelo)

6

A FIRENZE

Due signorine, la signorina Barbara Pace e la signorina Anna Manin, sono davanti all'Università per Stranieri a (in) Firenze, e aspettano il professore d'arte. La signorina Pace è americana, e la signorina Manin è francese.

5 SIG.NA MANIN: Buon giorno, signorina; anche Lei segue il corso del signor Toschi, non è vero?

SIG.NA PACE: Sì. Oggi, però, sarò anche alla lezione del professor. Ghiselli. Lo conosce? È il professore di musica.

10 SIG.NA MANIN: No, non lo conosco.

SIG.NA PACE: Scusi, signorina, ma Lei è francese?

SIG.NA MANIN: Sì, ma mio (*my*) padre è veneziano. E Lei è americana, non è vero?

SIG.NA PACE: Sì, ma mio (*my*) nonno è romano. Quanto
15   tempo resterà a Firenze?

SIG.NA MANIN: Tutta l'estate e forse tutto l'anno. Poi ritornerò a casa. E Lei?

SIG.NA PACE: Io resterò in Italia un anno.

SIG.NA MANIN: Dove abita? In una pensione?

20 SIG.NA PACE: Sì. In una pensione in Piazza Indipendenza. Ci sono molte pensioni vicino all'Università. E Lei dove abita?

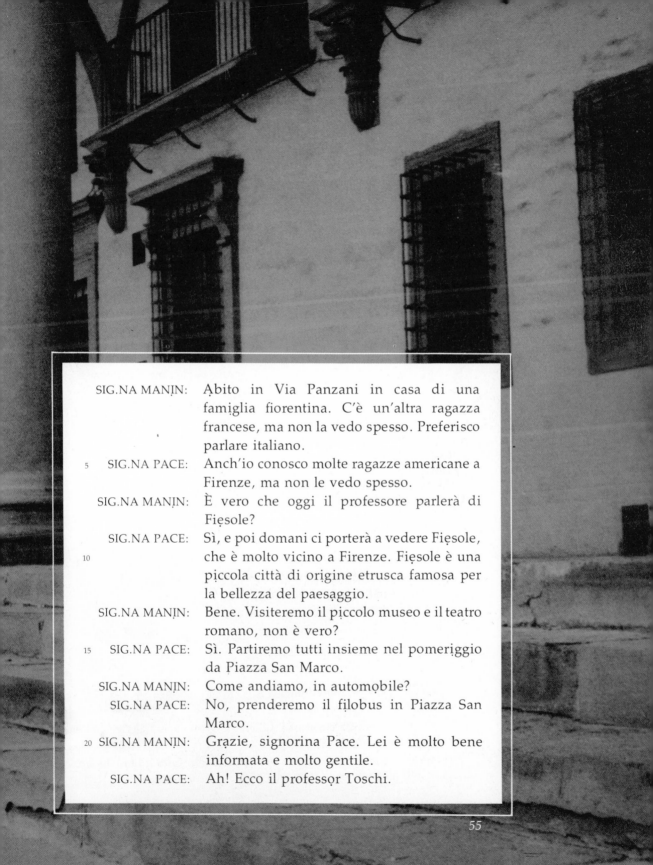

SIG.NA MANIN:	Abito in Via Panzani in casa di una famiglia fiorentina. C'è un'altra ragazza francese, ma non la vedo spesso. Preferisco parlare italiano.
5 SIG.NA PACE:	Anch'io conosco molte ragazze americane a Firenze, ma non le vedo spesso.
SIG.NA MANIN:	È vero che oggi il professore parlerà di Fiesole?
SIG.NA PACE:	Sì, e poi domani ci porterà a vedere Fiesole, che è molto vicino a Firenze. Fiesole è una piccola città di origine etrusca famosa per la bellezza del paesaggio.
SIG.NA MANIN:	Bene. Visiteremo il piccolo museo e il teatro romano, non è vero?
15 SIG.NA PACE:	Sì. Partiremo tutti insieme nel pomeriggio da Piazza San Marco.
SIG.NA MANIN:	Come andiamo, in automobile?
SIG.NA PACE:	No, prenderemo il filobus in Piazza San Marco.
20 SIG.NA MANIN:	Grazie, signorina Pace. Lei è molto bene informata e molto gentile.
SIG.NA PACE:	Ah! Ecco il professor Toschi.

Vocabolario

NOUNS

l' **arte** *f.* art
la **bellezza** beauty
la **città** city, town
il **corso** course
la **famiglia** family
  Fiesole *f.* a hill town over-
    looking Florence
il **filobus** (*invariable*) trackless
    trolley
il **museo** museum
la **musica** music
il **nonno** grandfather
l' **origine** *f.* origin
il **paesaggio** landscape
la **pensione** boarding house
    (pension)
la **piazza** square
il **teatro** theater
la **via** street

ADJECTIVES

altro other
un altro, un'altra another
etrusco Etruscan
famoso famous
fiorentino Florentine
gentile kind, thoughtful
informato informed
interessante interesting
quanto how much

romano Roman
veneziano Venetian

VERBS

conoscere to know, be acquainted
  with
portare†† (a) + infinitive to carry,
  bring; to take
ritornare to return
seguire to follow, take a course
visitare to visit

OTHERS

c'è there is
ci sono there are
come how, as
domani tomorrow
forse perhaps
scusi pardon me, excuse me
  (polite singular)
spesso often

IDIOMS

a in[1]
in on[2]
in automobile by car
quanto tempo how long
tutto all, everything; **tutti** all,
  everybody[3]

---

[1] Before the name of a city, English *in* or *to* is translated by **a**: **a Firenze** *in Florence.*

[2] Before the name of a street or a square, English *on* is translated by **in**: **in Via Dante** *on Dante Street.*

[3] **Tutto** plus definite article equals *all the, the whole*: **tutto il libro** *the whole book*; **tutti gli studenti** *all (the) students.*

GRAMMATICA

I. **Pronomi personali in funzione di complemento — forme atone** (Direct Object Pronouns: Unstressed Forms)

Direct object pronouns are always used in conjunction with a verb, and therefore are called *conjunctive pronouns*. In general they precede the verb.

mi	me	**ci**	us
ti	you (*familiar singular*)	**vi**	you (*familiar plural*)
lo	him, it (*masculine*)	**li**	them (*masculine*)
la	her, it (*feminine*)	**le**	them (*feminine*)
La	you (*polite singular*)	~~**Li**~~	~~you (*polite masculine*)~~
		Le	you (*polite feminine*)

Mi, ti, lo, la, vi generally drop the vowel before another vowel or an **h**, and replace it with an apostrophe. **Ci** may drop the vowel only before an **i** or an **e**. When **La, Li, Le** mean "you" they are normally capitalized. When the pronoun refers to a mixed group, the masculine form **li** or **Li** is used.

Lo vedo ogni giorno.	I see *him* every day.
Non **La** capiamo molto bene.	We do not understand *you* very well.
C'incontrano davanti alla biblioteca.	They meet *us* in front of the library.
Conosci Mario e Luisa?	Do you know Mario and Louise?
Sì, **li** conosco bene.	Yes, I know *them* well.

NOTE (Example 2 above): In a negative sentence the conjunctive pronouns come between **non** and the verb.

II. Il futuro (The Future Tense)

The future tense of regular verbs is formed by adding the endings to the infinitive after dropping the final **-e.** Verbs of the first conjugation change the **a** of the infinitive ending **(-are)** to **e.** The future endings are identical for all verbs, regular and irregular.

parlare *to speak*

Parlerò con il professore.   *I will speak with the professor.*

parler-ò	I will speak
parler-ai	you (*familiar*) will speak
parler-à	he, she, it, you (*polite*) will speak
parler-emo	we will speak
parler-ete	you (*familiar*) will speak
parler-anno	they, you (*polite*) will speak

ripẹtere *to repeat*

Ripeterò la nuova domanda.   *I will repeat the new question.*

ripeter-ò	I will repeat
ripeter-ai	you (*familiar*) will repeat
ripeter-à	he, she, it, you (*polite*) will repeat
ripeter-emo	we will repeat
ripeter-ete	you (*familiar*) will repeat
ripeter-anno	they, you (*polite*) will repeat

capire *to understand*

Capirò la ragazza fiorentina.   *I will understand the Florentine girl.*

capir-ò	I will understand
capir-ai	you (*familiar*) will understand
capir-à	he, she, it, you (*polite*) will understand
capir-emo	we will understand
capir-ete	you (*familiar*) will understand
capir-anno	they, you (*polite*) will understand

III. Il futuro di <u>avere</u>, <u>ẹssere</u> (Future Tense of **avere, ẹssere**)

avere *to have*

Avrò l'indirizzo di Gina.   *I will have Gina's address.*

avrò	I will have
avrai	you (*familiar*) will have
avrà	he, she, it, you (*polite*) will have
avremo	we will have
avrete	you (*familiar*) will have
avranno	they, you (*polite*) will have

ẹssere *to be*

Sarò in biblioteca.   *I will be in the library.*

sarò	I will be
sarai	you (*familiar*) will be
sarà	he, she, it, you (*polite*) will be
saremo	we will be
sarete	you (*familiar*) will be
saranno	they, you (*polite*) will be

Firenze

ESERCIZI A. *Imparate le forme dei pronomi in funzione di complemento oggetto* (direct object pronouns).

(1) *Ripetete gli esempi seguenti cambiando le parole indicate.*

ESEMPIO: Carlo *mi* vede.
[tu] Carlo ti vede.

a. Giorgio *la* capirà.
1. tu 2. noi 3. voi 4. io 5. loro 6. Lei
ti   ci   ve   mi   li   la

b. Mario *ci* ascolterà.
1. essi 2. voi 3. io 4. Loro 5. lei 6. tu
li   vi   mi   li   la   ti

c. I ragazzi *li* conoscono.
1. esse 2. tu 3. io 4. voi 5. noi 6. Lei
le   ti   mi   vi   ci   la

d. Luisa non *ti* aspetterà.
1. Loro 2. io 3. voi 4. lui 5. esse 6. lei
li   mi   vi   lo   la   la

(2) *Nelle frasi seguenti sostituite al complemento il pronome corrispondente.*

ESEMPIO: Lo studente visiterà *i musei.*
Lo studente li visiterà.

1. Il filobus porterà *le ragazze* a Fiesole. 2. La famiglia ascolta *la musica.* 3. Giovanni seguirà *lo zio* a Roma.
4. Gli stranieri conoscono *i musei.* 5. Studiano *l'arte medioevale.* 6. Il professore ripeterà *le lezioni.* 7. Maria visiterà *il museo.* 8. Io leggerò *un libro francese.*
9. Preferisce *una piazza grande.* 10. Porteranno *i libri.*

B. *Studiate il futuro dei verbi regolari e dei verbi ausiliari.*

(1) *Ripetete gli esempi seguenti cambiando le parole indicate.*

a. *Io comprerò* molti libri. — Sì, li comprerò.
comprerete   erai   comprerà   comprerremo   comprerà   compreranno
1. voi 2. tu 3. lei 4. noi 5. lui 6. loro
7. Lei 8. Loro

b. *Noi ripeteremo le frasi.* — Sì, le ripeteremo.

   ripetuamo ripeterò a a ripeterete ai

      1. Loro 2. io 3. lui 4. lei 5. voi 6. tu 7. Lei
      8. loro

c. *Voi preferirete* ritornare a casa presto.

   preferirai   preferirò

      1. Lei   2. lui   3. io   4. noi   5. Loro   6. tu
      7. lei 8. loro

d. *Io sarò* con Maria.

   sarai sarà saremo sarete saranno

      1. tu 2. lui 3. noi 4. voi 5. Loro 6. Lei
      7. loro 8. lei

e. *Avrai tu* un'automobile? — No, non l'avrò.

   avremo avrete avrò avrà avranno

      1. noi 2. voi 4. io 4. lei 5. Loro 6. Lei
      7. essi 8. lui

f. Non *l'incontreremo noi?*

   incontrerai incontrerete incontrerà

      1. tu 2. voi 3. io 4. lei 5. lui 6. Lei 7. essi
      8. Loro

g. Io *domanderò* e Maria *risponderà.*

   domanderemo anno derai io derete deremo erà erai

      1. noi... essi 2. tu... io 3. voi... noi 4. Carlo...
      tu 5. essi... voi

(2) *Cambiate le frasi seguenti mettendo il verbo al futuro.*

ESEMPIO: Ci *sono* dei corsi interessanti.

   Ci saranno dei corsi interessanti.

Parlerò   ascolterai

1. *Parlo* spesso con degli amici. 2. *Ascolti* la musica
attentamente. 3. Giorgio *visita* l'Italia e la Francia.
4. Anche Lei *segue* il corso d'arte? 5. *Abitiamo* in Via
Panzani. 6. Maria non *impara* tutte le regole. 7. Mi
capite quando *parlo* italiano. 8. Loro *hanno* solamente
due maestri. 9. Il nonno *ritorna* in Italia. 10. Il padre
visita la città.

C. *Traducete in italiano:*

resterò a Firenze tutto l'anno *prenderò* *seguirò*

1. I shall remain in Florence the whole year. 2. I will take several courses at the University for Foreigners. *multi corsi alla Università per stranieri*

Per andare a scuola prenderò il filobus davanti alla pensione

3. In order to go to school I will take the trackless trolley in front of the pension. 4. Professor Toschi says that there are many museums in Florence. *parla ci sono multi musei a Firenze* 5. To-morrow I shall visit the museum of art of Fiesole. *Domani visiterà il museo d'arte di Fiesole*

prenderà tutta la classe a

6. Professor Ghiselli will take the whole class to Fiesole. *Io anche conosco degli student americane ma non li vedo* 7. I also know some American students but I do not see them often. *spesso* 8. Today Mary, an Italian girl, will wait *Oggi Maria una ragazza italiana mi* for me. 9. I shall wait for her at the pension. 10. *aspetterà L'aspetterò alla pensione* Mary is a very interesting girl but often I do not under-*Maria è una ragazza molta interessante ma spesso la non* stand her when she speaks Italian. 11. She says that *capisco quando lei parla italiano del parla* Italian is not difficult. 12. However, it is difficult for *italiano non è difficile Però c'è difficile per* me **(per me)** to follow a conversation. 13. Now I will *me seguire una conversazione Oggi ritornerò* return to the pension by car or I shall be late. 14. I *alla pensione in automobile o sarò in ritardo* shall have many things **(da)** to ask. 15. It is a city *Avrò multi cose da domandare è una città famosa per la bellezza del paesaggio* famous for the beauty of the landscape.

Fiesole

DA IMPARARE
A MEMORIA

Domani leggerò tutto il libro.
Tutti gli studenti abitano in Via Dante.
In Via Roma ci sono molte pensioni.

CONVERSAZIONE   *Rispondete alle seguenti domande:*

1. Dove sono le due signorine?   2. Aspettano il filobus?   3. È americana la signorina Manin?   4. È francese la signorina Pace?   5. Conosce il professor Ghiselli la signorina Manin?   6. Insegnano musica in quest'università, signor _____?   7. Quanto tempo resterà a Firenze una delle due ragazze?   8. Abitano in una pensione?   9. Dove le porterà il professore d'arte?   10. Visiteranno il piccolo museo?   11. Che cosa prenderanno in Piazza San Marco?   12. Lei, signorina _____, prenderà il filobus oggi per ritornare a casa?

7
UN RICEVIMENTO

Oggi ci sarà un ricevimento per tutti gli studenti iscritti all'Università. Il Rettore e tutti i professori saranno presenti. Il ricevimento avrà luogo nel salone di un grande albergo. Il Rettore darà il benvenuto agl'invitati, poi il signor Marini, professore di storia medioevale, farà
5 *una breve conferenza sulla storia di Firenze. Dopo la conferenza uno dei professori darà delle informazioni d'interesse generale, e poi ci sarà un rinfresco.*

La signorina Pace e la signorina Manin arrivano all'albergo insieme ed[1] entrano. Nel salone ci sono già molte persone.

10 SIG.NA PACE: Quanti invitati!

SIG.NA MANIN: Ci saranno cento persone, non crede?

SIG.NA PACE: Eh, sì! Lei conosce il Rettore?

SIG.NA MANIN: Lo conosco, ma non lo vedo. E il professor Toschi, dove sarà?

15 SIG.NA PACE: È là vicino al pianoforte con una studentessa.

MARIO: Buon giorno, signorine. Quante persone, non è vero?

SIG.NA PACE: Eh, sì!

---

[1] **Ed** is often used instead of **e** before a word beginning with a vowel.

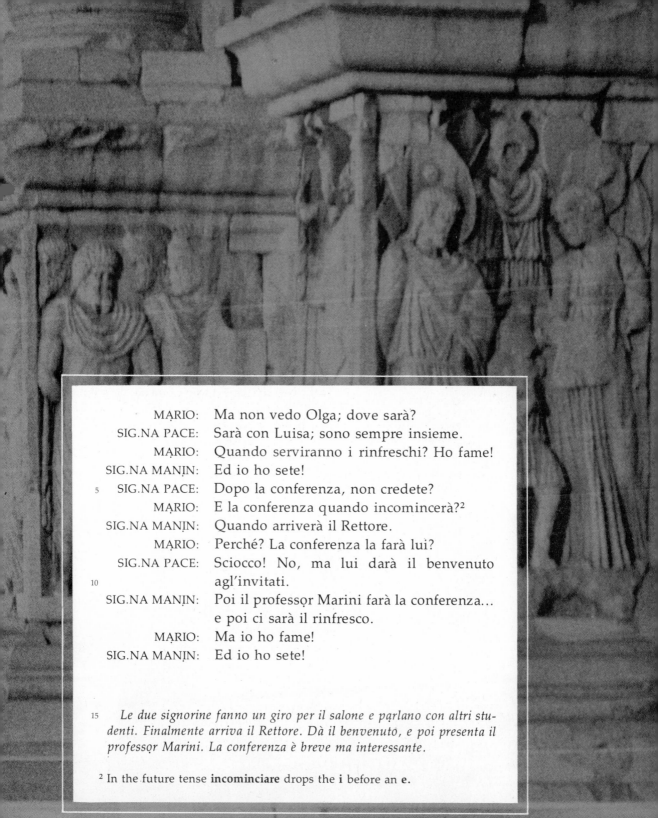

MARIO:	Ma non vedo Olga; dove sarà?
SIG.NA PACE:	Sarà con Luisa; sono sempre insieme.
MARIO:	Quando serviranno i rinfreschi? Ho fame!
SIG.NA MANIN:	Ed io ho sete!
5 SIG.NA PACE:	Dopo la conferenza, non credete?
MARIO:	E la conferenza quando incomincerà?[2]
SIG.NA MANIN:	Quando arriverà il Rettore.
MARIO:	Perché? La conferenza la farà lui?
SIG.NA PACE:	Sciocco! No, ma lui darà il benvenuto
10	agl'invitati.
SIG.NA MANIN:	Poi il professor Marini farà la conferenza...
	e poi ci sarà il rinfresco.
MARIO:	Ma io ho fame!
SIG.NA MANIN:	Ed io ho sete!

15 *Le due signorine fanno un giro per il salone e parlano con altri studenti. Finalmente arriva il Rettore. Dà il benvenuto, e poi presenta il professor Marini. La conferenza è breve ma interessante.*

---

[2] In the future tense **incominciare** drops the **i** before an **e**.

Vocabolario

NOUNS

l' **albergo** hotel
il **benvenuto** welcome
la **conferenza** lecture
l' **informazione** *f.* information
l' **interesse** *m.* interest
l' **invitato** guest
la **persona** person; **persone**
    people
il **pianoforte** piano
il **rettore** president (*of a*
    university)
il **ricevimento** reception
il **rinfresco** refreshment, party;
    pl. **rinfreschi** refreshments
il **salone** large hall, reception
    hall
la **storia** history; story;
la **storia dell'arte** art history

ADJECTIVES

breve short
generale general
iscritto enrolled
medioevale medieval
sciocco silly

VERBS

credere to believe, think
fare to do, make
presentare†† to introduce,
    present
servire†† to serve

OTHERS

cento one hundred
dopo after
finalmente finally, at last
già already
là there
per through
su on, concerning

IDIOMS

avere fame to be hungry
avere luogo to take place
avere sete to be thirsty
dare il benvenuto (a) to welcome,
    to extend one's welcome (to)
eh, sì! oh yes! that's right!
fare una conferenza to give a
    lecture
fare un giro (per) to go around,
    take a tour

Ponte Santa Trinita, Firenze

GRAMMATICA

I. **Uso idiomạtico del futuro** (Idiomatic Use of the Future)

(1) The future tense may be used to express conjecture or probability in the present.

Dove **sarà?**
Non lo conosco, ma **sarà** americano.

Where *can it be?*
I do not know him, but *he is probably* an American.

(2) The future is often used in subordinate clauses after **se** and **quando,** if the future is implied in the English sentence.

Se visiterò Firenze, visiterò anche Fiẹsole.
Quando arriveranno, pranzeremo.

If I visit Florence, I will visit Fiesole also.
When they arrive, we shall dine.

(3) The future is used to translate the English progressive present of *to go* when denoting futurity and no motion.

Quando **partirete?**

When *are you going to leave?*

(4) The English future is often rendered in Italian by the present, when the action is about to take place.

Lo **compro io,** se tu non lo vuoi.

I will buy it, if you do not want it.

(5) The English future, when used to make a suggestion, is rendered in Italian by the present.

Andiamo insieme?

Shall we go together?

II. Presente indicativo di <u>dare</u>, <u>fare</u>, <u>stare</u>

All three verbs are irregular in the present tense.

dare *to give*

Oggi do un ricevimento.	*Today I'm giving a reception.*
do	*I give, etc.*
dai	
dà	
diamo	
date	
danno	

fare *to do, make*

Ora faccio la lezione.	*I'm doing the lesson now.*
faccio	*I do, make, etc.*
fai	
fa	
facciamo	
fate	
fanno	

stare *to stay*

Sto a casa tutto il giorno.	*I stay at home all day.*
sto	*I stay, etc.*
stai	
sta	
stiamo	
state	
stanno	

III. Futuro indicativo di <u>dare</u>, <u>fare</u>, <u>stare</u>

dare

Darò il libro a Maria.   *I will give the book to Mary.*

> **darò**   I will give, *etc.*
> **darai**
> **darà**
>
> **daremo**
> **darete**
> **daranno**

fare

Domani farò un giro.   *Tomorrow I'll take a tour.*

> **farò**   I will do, make, *etc.*
> **farai**
> **farà**
>
> **faremo**
> **farete**
> **faranno**

stare

Dove starò a Firenze?   *Where will I stay in Florence?*

> **starò**   I will stay, *etc.*
> **starai**
> **starà**
>
> **staremo**
> **starete**
> **staranno**

ESERCIZI A. *Studiate il presente dei verbi irregolari:* **dare, fare, stare.** *Ripetete facendo i cambiamenti indicati:*

    a. *Maria dà* il benvenuto a Carlo.
        1. io 2. Lei 3. noi 4. Loro 5. tu

    b. Non *faccio io* una conferenza?
        1. essi 2. noi 3. Lei 4. voi 5. io

    c. *Mario e Giovanni stanno* a casa.
        1. noi 2. Lei 3. tu 4. voi 5. io

B. *Studiate il futuro dei verbi irregolari:* **dare, fare, stare.** *Ripetete facendo i cambiamenti indicati:*

    a. *Darà Maria* il benvenuto a Carlo?
        1. io 2. Lei 3. noi 4. Loro 5. tu

    b. Non *faremo noi* un giro per la città?
        1. loro 2. io 3. lei 4. voi 5. tu

    c. *Mario e Giovanni staranno* all'Albergo della Posta.
        1. noi 2. Lei 3. tu 4. voi 5. io

    d. Che cosa *farà Carlo?*
        1. tu 2. noi 3. Lei 4. voi 5. loro

    e. *Darò* il libro a Giovanni.
        1. Loro 2. voi 3. lei 4. noi 5. tu

    f. Non *staremo* a casa.
        1. io 2. lei 3. voi 4. tu 5. loro

C. IL FUTURO.

    (a) *Mettete le frasi seguenti al futuro:*

        1. Se legge, lo capisco. 2. Quando leggi? 3. Quando servono i rinfreschi? 4. È interessante. 5. Sta a casa.

6. Giovanni dà la penna a Carlo. 7. Lei fa una conferenza. 8. Se restano a casa, studiano. 9. Quando l'invitato parla, lo ascoltiamo. 10. Cosa è? 11. Lo faccio domani. 12. Li danno a Giorgio. 13. Sono a casa. 14. Facciamo le lezioni. 15. Danno il benvenuto al professore. 16. Ha sete. 17. Abbiamo fame. 18. Se hanno fame hanno anche sete. 19. Do delle informazioni generali. 20. Servono rinfreschi.

(b) *Sostituite all'infinito del verbo la forma corretta del futuro.*

1. Uno degli studenti americani non è al ricevimento, *essere* a casa. 2. Quante persone ci *essere*? 3. Se Lei *ascoltare* la conferenza, *imparare* molte cose interessanti. 4. Quando il Rettore *arrivare, dare* il benvenuto. 5. Luisa non è nel salone, *essere* con Giovanni. 6. Se non sono italiani, *essere* americani. 7. Se il professore non è a casa, *essere* all'università. 8. Non vedo Maria, *essere* in giardino. 9. Se avete fame, *avere* anche sete. 10. Se darà il benvenuto, *fare* anche una conferenza.

D. *Scegliete la risposta corretta e completate le frasi seguenti.* (Choose the correct answer and complete the following sentences.)

1. Il ricevimento avrà luogo...
   a. a casa della signorina Pace.
   b. all'Università per Stranieri.
   c. in un albergo.
2. Il professor Toschi...
   a. farà una breve conferenza.
   b. arriverà con il Rettore.
   c. è vicino a un pianoforte.
3. Serviranno i rinfreschi...
   a. quando incomincerà la conferenza.
   b. quando il Rettore darà il benvenuto.
   c. dopo la conferenza.

E. *Traducete in italiano:*

1. Where can the hotel be? I don't see it.   2. In all the large hotels **(alberghi)** there is a large hall.   3. When the foreign students arrive, I will introduce them.   4. There will be a reception at the university, and there will be refreshments.   5. Where will the reception take place?   6. In one **(uno)** of the large halls of the library.   7. The president is not at the university now, and Professor Jones will welcome the students.   8. While they are waiting for Professor Jones, they are going to take a tour of the library. 9. Are you going to be at the university in the afternoon? 10. No, I will be at home. I'm going to study the whole afternoon.   11. Does he know the president of the university?   12. There will be many guests at the reception. Shall we go together?   13. Mr. Toschi will give a long lecture on art history.   14. I will welcome the guests when they arrive.   15. Miss Manin will take a tour of the large hall, and will speak to many persons.

*Lorenzo dei Medici
(Michelangelo)*

DA IMPARARE
A MEMORIA

Il ricevimento ha luogo nel salone.

Il Rettore desidera dare il benvenuto agli studenti.

Il professore farà una conferenza sull'arte italiana.

Desidero fare un giro per la piazza.

Io ho fame e lui ha sete.

CONVERSAZIONE   *Rispondete alle seguenti domande:*

1. Che cosa ci sarà oggi? 2. Dove avrà luogo il ricevimento?
3. Ci saranno solamente gli studenti? 4. Che cosa farà il
Rettore? 5. Di che cosa parlerà il professore di storia medioevale? 6. Che cosa crede Lei che preferiranno gli studenti?
7. Quante persone ci saranno al ricevimento? 8. Ci saranno
cento persone anche in questa classe? 9. Dov'è il signor
Toschi? 10. Che cosa ha Mario? 11. E la signorina Manin
che cosa ha? 12. È vero che la conferenza del professore di
storia sarà lunga? 13. Fa un giro per il salone Mario? 14. È
interessante la conferenza?

8
UNA
TELEFONATA

La signorina Pace incontra Giovanni Andrei, uno studente dell'Università di Firenze.

SIG.NA PACE: Buon giorno, signor Andrei.

SIG. ANDREI: Buon giorno, signorina. Dove va? Ritorna alla Sua pensione?

5 SIG.NA PACE: No, vado alla banca, ma prima devo fare una telefonata.

SIG. ANDREI: C'è un telefono qui al caffè.

SIG.NA PACE: Ah bene!

10 SIG. ANDREI: Telefona a qualcuno qui in città?

SIG.NA PACE: Sì! Ma devo fare anche una telefonata interurbana. Devo telefonare a mia zia a Roma.

SIG. ANDREI: Allora sarà meglio andare all'ufficio telefonico.

15 All'ufficio telefonico molte persone aspettano il loro turno.

SIG.NA PACE: Mentre aspetto il mio turno, telefonerò a mia cugina. È qui a Firenze. Quanto costa una telefonata in città?

SIG. ANDREI: Cinquanta lire. Ha un gettone?

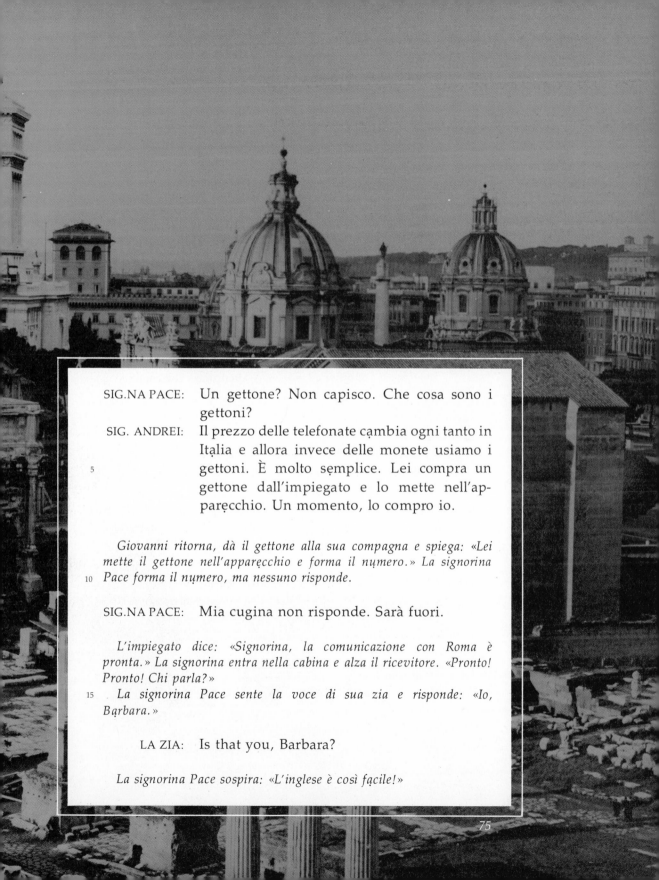

SIG.NA PACE: Un gettone? Non capisco. Che cosa sono i gettoni?

SIG. ANDREI: Il prezzo delle telefonate cambia ogni tanto in Italia e allora invece delle monete usiamo i
5   gettoni. È molto semplice. Lei compra un gettone dall'impiegato e lo mette nell'apparecchio. Un momento, lo compro io.

Giovanni ritorna, dà il gettone alla sua compagna e spiega: «Lei mette il gettone nell'apparecchio e forma il numero.» La signorina
10 Pace forma il numero, ma nessuno risponde.

SIG.NA PACE: Mia cugina non risponde. Sarà fuori.

L'impiegato dice: «Signorina, la comunicazione con Roma è pronta.» La signorina entra nella cabina e alza il ricevitore. «Pronto! Pronto! Chi parla?»
15 La signorina Pace sente la voce di sua zia e risponde: «Io, Barbara.»

LA ZIA: Is that you, Barbara?

La signorina Pace sospira: «L'inglese è così facile!»

75

Vocabolario

NOUNS

l' **apparecchio** (*telephone*) instrument
la **banca** bank
la **cabina (telefonica)** (*telephone*) booth
la **comunicazione** communication, line
il **cugino** (*m.*) cousin; **la cugina** (*f.*) cousin
il **gettone** token
l' **impiegato** clerk
la **moneta** coin
il **numero** number
il **prezzo** price
il **ricevitore** receiver
  Roma Rome
il **telefono** telephone
il **turno** turn
l' **ufficio** office; **ufficio telefonico** telephone office
la **voce** voice
la **zia** aunt

ADJECTIVES

pronto ready
semplice simple

VERBS

alzare to lift
cambiare to change, to exchange

costare to cost
devo (*followed by infinitive*) I must, first person singular of the irregular verb **dovere**
mettere to put, place, insert
sentire†† to hear
sospirare to sigh
telefonare (a) to telephone (someone)
usare to use
vado, va are the first and third persons singular of the irregular verb **andare** to go

OTHERS

allora then
cinquanta fifty
fuori out
invece instead
meglio better
nessuno no one
qualcuno someone
qui here

IDIOMS

fare una telefonata (interurbana) to make a (long distance) telephone call
formare un numero to dial a number
in città within the city, in town
ogni tanto once in a while
pronto! hello! (*over the telephone*)

Roma

GRAMMATICA

I. **Aggettivi e pronomi possessivi** (Possessive Adjectives and Pronouns)

SINGOLARE		PLURALE		
Maschile	*Femminile*	*Maschile*	*Femminile*	
il mio	la mia	i miei	le mie	my, mine
il tuo	la tua	i tuoi	le tue	your, yours (*familiar*)
il suo	la sua	i suoi	le sue	his, her, hers, its
il Suo	la Sua	i Suoi	le Sue	your, yours (*polite*)
il nostro	la nostra	i nostri	le nostre	our, ours
il vostro	la vostra	i vostri	le vostre	your, yours (*familiar*)
il loro	la loro	i loro	le loro	their, theirs
il Loro	la Loro	i Loro	le Loro	your, yours (*polite*)

As shown in the preceding chart, the forms for the possessive pronouns and adjectives are identical.

(1) Possessive adjectives and pronouns are usually preceded by the definite article.

Anna scrive con **la sua penna,**   Ann writes with *her pen,* and
    e io con **la mia.**   I with *mine.*

(2) The definite article, which precedes the Italian possessives, is omitted in <u>direct address</u>, and before a <u>singular,</u> unmodified <u>noun denoting family</u> relationship.

Buọn giorno, mio caro Giovanni.   Good morning, my dear John.

Anna scrive a sua madre.   Ann is writing to her mother.

BUT

Anna scrive **alla sua vẹcchia madre.**   Ann is writing *to her old mother.*

Anna scrive **ai suoi fratelli.**   Ann is writing *to her brothers.*

With the possessive **loro** the article is never omitted.

Conosco **il loro zio.**   I know *their uncle.*

(3) Possessives agree in gender and number with the *object possessed* not, as in English, with the *possessor*.

Anna legge **i suoi libri.**	Ann is reading *her books.*
Carlo vede **le sue compagne** di scuola ogni giorno.	Charles sees *his* school *friends (f.)* every day.

(4) Possessive adjectives are usually repeated before each noun to which they refer.

La tua camicia e **la tua** cravatta sono sulla sedia.	*Your* shirt and tie are on the chair.

(5) To avoid ambiguity, instead of: **il suo libro,** *his, her book,* one may say **il libro di lui (lei),** *his (her) book.*

Prendiamo il libro **di lei,** non **di lui.**	We're taking *her* book, not *his.*

II. Alcuni aggettivi e pronomi interrogativi (Some Interrogative Adjectives and Pronouns)

Chi?	Who? Whom?
Che? Che cosa? Cosa?	What?
Quale?	Which? Which one?
Quanto?	How much?

All these forms are invariable with the exception of **quanto** and **quale.**

Quanto has these forms: **quanto, quanta, quanti, quante.**

Quanto costa?	*How much* does it cost?
Quanti gettoni desidera?	*How many* tokens do you wish?
Scriverò delle lettere. **Quante?**	I will write some letters. *How many?*

Quale has these forms: **quale, qual, quali.**

Qual è la pronunzia corretta?	*Which* is the right pronunciation?
Quale zio è in Italia?	*Which* uncle is in Italy?
Quali preferisce?	*Which ones* do you prefer?
Quali ragazze ci saranno?	*Which* girls will be there?

ESERCIZI   A.   *Studiate le forme e l'uso dell'aggettivo e del pronome possessivo* (the possessive).

(1)   *Ripetete le frasi seguenti usando l'aggettivo possessivo.*

ESEMPIO: il libro *di Carlo* — il suo libro.

a.   1.   il pianoforte di Maria   2.   il telefono di Giovanni
3.   la voce di Mario   4.   la città di Carlo e di Luisa
5.   la musica di Verdi   6.   le telefonate del maestro
7.   i libri di Giorgio   8.   le porte dell'università
9.   la cravatta del professore   10.   l'entrata della biblioteca

b.   1.   la zia di Carlo   2.   le zie di Maria   3.   la buona zia di Mario   4.   il padre di Giorgio   5.   il vecchio padre di Giovanni   6.   i cugini di Luisa   7.   il cugino di Maria e di Luisa   8.   il piccolo cugino del ragazzo   9.   il prezzo del gettone   10.   la piazza della città

(2)   *Mettete al plurale.*

ESEMPIO: il vostro abito — i vostri abiti.

1.   la mia penna   2.   il mio libro   3.   il tuo invitato   4.   la tua conferenza   5.   il suo gettone.   6.   la sua porta   7.   il nostro professore   8.   la nostra maestra   9.   il vostro soldo   10.   la vostra finestra   11.   il loro invitato   12.   la loro idea

(3)   *Mettete al singolare.*

ESEMPIO: i miei zii — mio zio

1.   i tuoi zii   2.   le tue zie   3.   le sue sorelle   4.   i suoi cugini   5.   i nostri cari amici.   6.   le nostre vecchie zie   7.   le vostre lettere   8.   i vostri invitati   9.   le loro monete   10.   i loro cugini

(4) *Ripetete le frasi seguenti sostituendo la forma corretta del pronome possessivo.*

   a. *Anna scrive con la sua penna, e io con la mia.*
      1. e tu 2. e lui 3. e Lei 4. e noi 5. e voi 6. e loro
   b. *Noi scriviamo a nostro cugino, e voi al vostro.*
      1. e io 2. e tu 3. e lui 4. e Lei 5. e lei 6. e loro

(5) *Ripetete facendo i cambiamenti necessari:*

   Buon giorno, mio caro amico.
   1. compagni 2. signorine 3. zii 4. Maria 5. cugine

B. Ripetete traducendo (translating) *in italiano le parole indicate.*

1. *Which* libri preferisci? 2. Compreremo molte cravatte? *How many?* 3. *Which* cugino arriverà domani? 4. *How many* zie hai? 5. *Which* studente risponde sempre bene? 6. *What* farete oggi? 7. *Who* parla con l'impiegato? 8. *How much* costa una telefonata? 9. Con *whom* devo corrispondere? 10. *Which* è l'ufficio del professore?

C. Traducete in italiano:

1. When I make a telephone call, I prefer to telephone from my office. 2. What do you do when you wish to telephone? 3. I must go to the telephone office and buy a token. 4. At the telephone office there are always many people. 5. It is true. I wait for my turn, I make my call, and then I return home. 6. Who is the young lady in the telephone booth? Do you know her? 7. Yes. She is Florentine; she is a kind girl. 8. What are you going to do (*will you do*) in the afternoon? 9. I will remain at home. I must finish a book, and you? 10. I will take my cousins to the university. They wish to see our library. 11. Which cousins? Your American cousins? 12. Yes, they live in Rome with my aunt. 13. Is your aunt here also? 14. No, she will arrive today. 15. My aunt will remain in Florence a long time (*much time*), but my cousins will leave tomorrow.

DA IMPARARE A MEMORIA Mi scusi un momento, devo fare una telefonata.
Aspetto il mio turno.

CONVERSAZIONE Rispondete alle seguenti domande:

1. Chi è Giovanni Andrei? 2. Dove va la signorina Pace?
3. A chi telefona la signorina Pace? 4. Da dove telefona a
sua zia? 5. Se Lei desidera telefonare qui in America, compra
un gettone? 6. Quando fa una telefonata interurbana Lei,
signor — ? 7. A chi telefona la signorina Pace mentre aspetta
il suo turno? 8. Perché usano i gettoni in Italia? 9. Che cosa
dice la signorina Pace quando alza il ricevitore? 10. Perché
sospira? 11. Lei ha il telefono a casa? 12. Lei fa spesso telefonate interurbane? 13. È difficile formare un numero?
14. Perché la signorina Pace dice che sua cugina sarà fuori?

RIPETIZIONE 2

I. *Rispondete alle seguenti domande:*

1. Studia a casa o a scuola Lei? 2. Dove abita Lei? 3. C'è un professore di storia medioevale nella nostra scuola? 4. Quando compriamo un gettone? 5. Segue Lei un corso di musica? 6. Arriva spesso in ritardo a scuola Lei? 7. Conosce Lei degli studenti italiani? 8. Ci sono molti professori nella nostra università? 9. Che cosa prenderà per ritornare a casa oggi? 10. Resterà molto tempo a scuola oggi? 11. Che cosa farà Lei nel pomeriggio? 12. Che cosa vede dalle finestre della Sua casa? 13. Farà una telefonata oggi? A chi? 14. C'è una cabina telefonica all'Università? 15. Lei sospira quando le domande finiscono?

II. *Il possessivo.*
Ripetete gli esempi seguenti facendo i cambiamenti indicati.

a. La *Sua* pensione è lontana.
    1. tu 2. io 3. lui 4. noi 5. voi 6. loro 7. lei
    8. Loro

b. La *nostra* famiglia è di Messina.
    1. io 2. lui 3. voi 4. Lei 5. loro 6. lei 7. tu
    8. Loro

c. I *vostri* cugini visiteranno l'università.
    1. Loro 2. tu 3. lei 4. loro 5. Lei 6. noi 7. lui
    8. io

d. Nella *tua* biblioteca ci sono molti libri.
    1. lei 2. voi 3. Loro 4. io 5. lui 6. noi 7. Lei
    8. loro

avete i vostri soldi

1. Abbiamo i vostri soldi!   Do you have our money?

Lui non ha

2. Non abbiamo gettoni.   He does not have any tokens.

vostri   *suo*

3. I miei cugini sono al tuo albergo.   Your cousins are at his hotel.

4. Se parlerete ad alta voce vi ascolterà.   If we speak aloud, they will listen to us.

Alcuni

5. Molti invitati arriveranno domani.   Some guests will arrive tomorrow.

farà delle conferenze

6. Il professore farà due conferenze.   My friend will give some lectures.

7. Non ascolteranno la tua storia.   She will not listen to my story

lo aspetera sua

8. Ci aspetteranno davanti alla loro scuola.   She will wait for him in front of her school.

Chi

9. Carlo resterà a casa.   Who will remain home?

Io farò

10. Voi farete una telefonata a Roma.   I will make a telephone call to Rome.

11. Il Rettore darà un ricevimento.   My cousins will give a reception.

mi vedano

12. La vedo spesso ma non la conosco.   They see me often but they do not know me.

IV. *Sostituite all'infinito la forma corretta del presente indicativo.*

1. Noi *siamo* essere in ritardo. 2. Finalmente noi *abbiamo* avere un'idea.
3. Lei *ha* avere un giardino. 4. La piscina *è* essere molto vicina.
5. Chi *siete* essere voi? 6. Ci *sono* essere cento invitati. 7. La città
è essere interessante. 8. Che *hanno* avere loro? 9. Il Rettore *ha* avere
uno studio. 10. Gli stranieri *sono* essere americani. 11.
Quando Luisa *ha* avere fame *ha* avere anche sete. 12. Dopo la
conferenza ci *sono* essere il rinfresco.

V. *Sostituite all'infinito la forma corretta del futuro.*

1. Mio cugino *mettere* il gettone nell'apparecchio. 2. Gl'impiegati *stare* a casa oggi. 3. La signorina *alzare* il ricevitore. 4. La conferenza *avere* luogo nel pomeriggio. 5. Io *dare* il benvenuto agl'invitati. 6. Chi *presentare* il Rettore? 7. Gli studenti stranieri *visitare* il museo. 8. Il nostro professore di musica *fare* la conferenza. 9. Io *ritornare* con il filobus. 10. Se il tempo *essere* bello noi *nuotare* nella piscina dell'università. 11. Voi *restare* con i vostri compagni di scuola. 12. Essi *avere* solamente tempo per telefonare. 13. Dove *abitare* Lei? 14. Lo *conoscere* Lei quando l'*incontrare*? 15. Lei *dare* il benvenuto al maestro.

VI. *Traducete in italiano:*

1. Which courses will you take? 2. She dials the number and speaks with her friend. 3. They are at the coffee shop; they are waiting for some school friends. 4. How much will the refreshments cost? 5. When the weather is fine, I remain in the garden. 6. When you lift the receiver, you dial the number. 7. Which house do we see from her studio's windows? 8. I do not know her; she is probably his cousin. 9. He will not buy any tokens. 10. Where is the museum? 11. The lecture will take place in the afternoon. 12. Will there be a reception at the hotel today? 13. How many guests will there be at the reception? 14. Her aunt will give a lecture at our school. 15. If they remain in Florence, they will take a tour of the city.

Mostra d'arte all'aperto in Piazza di Spagna a Roma

LE CITTÀ ITALIANE

La storia d'Italia è la storia di Napoli, Venezia, Roma, Genova, Milano, e di tutte le sue altre città. L'Italia come la conosciamo oggi, cioè come una nazione unita e indipendente ha una storia piuttosto breve. Infatti la storia dell'Italia moderna incomincia nel 1870 (mille ottocento settanta). Prima di questa data e per circa undici secoli l'Italia è divisa in piccoli stati, repubbliche marittime e regni feudali.

LE CITTÀ ITALIANE

Dopo la caduta dell'impero romano e durante il periodo medioevale il comune o la repubblica sono le due forme di governo adottate da molte città italiane. Anche durante il Rinascimento e fino al secolo scorso la penisola italiana non è mai governata da un governo centrale. Questa caratteristica della storia italiana ha dato (*has given*) al paese e alle sue città una diversità eccezionale. Ogni città è diversa nell'aspetto fisico, nelle usanze, nella lingua, nella cucina, e anche nella cultura. Questa varietà è una delle bellezze dell'Italia. I turisti notano subito questa varietà perché una visita a Venezia è molto diversa da una visita a Siracusa. Un pranzo con una famiglia di Torino è diverso da un pranzo con una famiglia di Bari. Il dialetto di Genova è incomprensibile per un abitante di Palermo. Ma di tutte le città d'Italia attraverso tutta la sua storia Roma, la città eterna, rimane suprema.

Il Canal Grande—Venezia

LE CITTÀ ITALIANE

*Il Centro Pirelli in
Piazza D'Aosta a Milano*

Vocabolario

l' **abitante** inhabitant
adottato adopted
Bari *a city on the Southern
Adriatic coast*
la **caduta** fall
centrale central
il **comune** city-state
la **cucina** cuisine
la **cultura** culture
la **data** date
il **dialetto** dialect
la **diversità** diversity

eccezionale exceptional
eterno eternal
feudale feudal
fisico physical
governato governed
il **governo** government
l' **impero** empire
incomprensibile incomprehensible
indipendente independent
la **lingua** language
marittimo maritime

la **mostra** exhibition
la **nazione** nation
il **periodo** period
questo this
il **regno** kingdom
il **Rinascimento** Renaissance
Siracusa *Syracuse—a city in
eastern Sicily*
supremo supreme
undici eleven
unito united

LE CITTÀ ITALIANE

9 ALLA BANCA

La signorina Pace apre la porta della cabina telefonica.

SIG.NA PACE:	Ecco fatto! E ora devo andare alla banca per un minuto.
GIOVANNI:	Se deve cambiare degli assegni per viaggiatori c'è un ufficio di cambio qui vicino.
SIG.NA PACE:	No, devo andare alla Banca Commerciale. È lontano?
GIOVANNI:	Sì. Io abito vicino alla Banca Commerciale. Prendiamo[1] il tram?
SIG.NA PACE:	Io preferisco camminare. Va bene?
G. ANDREI:	Sì, sì. Anch'io preferisco camminare.
SIG.NA PACE:	Oggi non c'è nessuno per le vie.
G. ANDREI:	È vero. Non c'è quasi nessuno né per le vie né nei negozi.
SIG.NA PACE:	Ecco la Banca Commerciale.
G. ANDREI:	In questa banca non ci sono mai molte persone, quindici o sedici al massimo.
SIG.NA PACE:	È vero. È così facile riscuotere un assegno.
G. ANDREI:	I miei assegni preferiti sono quelli per viaggiatori!
SIG.NA PACE:	E perché?
G. ANDREI:	Perché quando prendo degli assegni per viaggiatori significa che parto per un viaggio.
SIG.NA PACE:	Oh, ecco anche la signorina Marini, la figlia del professor Marini.

[1] See Lesson 7, I, 5.

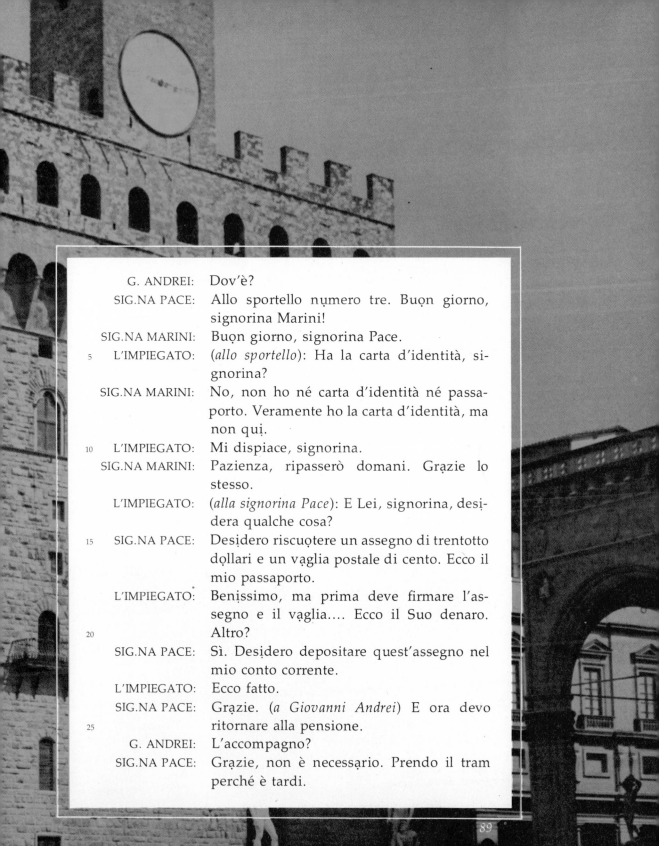

G. ANDREI:	Dov'è?
SIG.NA PACE:	Allo sportello numero tre. Buon giorno, signorina Marini!
SIG.NA MARINI:	Buon giorno, signorina Pace.
5 L'IMPIEGATO:	(*allo sportello*): Ha la carta d'identità, signorina?
SIG.NA MARINI:	No, non ho né carta d'identità né passaporto. Veramente ho la carta d'identità, ma non qui.
10 L'IMPIEGATO:	Mi dispiace, signorina.
SIG.NA MARINI:	Pazienza, ripasserò domani. Grazie lo stesso.
L'IMPIEGATO:	(*alla signorina Pace*): E Lei, signorina, desidera qualche cosa?
15 SIG.NA PACE:	Desidero riscuotere un assegno di trentotto dollari e un vaglia postale di cento. Ecco il mio passaporto.
L'IMPIEGATO:	Benissimo, ma prima deve firmare l'assegno e il vaglia…. Ecco il Suo denaro. 20 Altro?
SIG.NA PACE:	Sì. Desidero depositare quest'assegno nel mio conto corrente.
L'IMPIEGATO:	Ecco fatto.
SIG.NA PACE:	Grazie. (*a Giovanni Andrei*) E ora devo 25 ritornare alla pensione.
G. ANDREI:	L'accompagno?
SIG.NA PACE:	Grazie, non è necessario. Prendo il tram perché è tardi.

Vocabolario

NOUNS

l' **assegno** check; **assegno per viaggiatori** traveler's check
la **carta d'identità** identification (card)
il **conto corrente** checking account
il **denaro** money
il **dollaro** dollar
la **figlia** daughter
il **minuto** minute
il **negozio** store
il **passaporto** passport
la **pazienza** patience
lo **sportello** (teller's) window
l' **ufficio di cambio** (money) exchange office
il **vaglia** money order
il **viaggio** trip, voyage

ADJECTIVES

commerciale commercial
necessario necessary
preferito favorite

VERBS

accompagnare to accompany
camminare to walk

depositare to deposit
deve (*inf.* **dovere**) you must
firmare to sign, to endorse
ripassare to come back
riscuotere to cash
significare to signify; to mean

OTHERS

altro? anything else?
ecco fatto! there! it's done!
lontano far
qualche cosa anything, something
quasi almost
qui vicino near here
veramente truly, as a matter of fact

IDIOMS

al massimo at the most
avere la carta d'identità (il passaporto) to have an identification card (a passport)
essere tardi to be late (impersonal)
grazie lo stesso thanks just the same
mi dispiace I am sorry
per le vie in the streets
va bene? is that all right?

Firenze

GRAMMATICA

I. Numeri cardinali da 0 a 100 (Cardinal Numerals from 0 to 100)

0	zero	14	quattordici	28	ventotto
1	uno, una	15	quindici	29	ventinove
2	due	16	sedici	30	trenta
3	tre	17	diciassette	31	trentuno
4	quattro	18	diciotto	32	trentadue
5	cinque	19	diciannove	33	trentatré
6	sei	20	venti	38	trentotto
7	sette	21	ventuno	40	quaranta
8	otto	22	ventidue	50	cinquanta
9	nove	23	ventitré	60	sessanta
10	dieci	24	ventiquattro	70	settanta
11	undici	25	venticinque	80	ottanta
12	dodici	26	ventisei	90	novanta
13	tredici	27	ventisette	100	cento

(1) **Uno** has also a feminine form **una.**

Quanti **fratelli** ha? — **Uno.**	How many *brothers* do you have?—*One.*
Quante **sorelle** ha? — **Una.**	How many *sisters* do you have?—*One.*

NOTE: (a) **venti, trenta, quaranta, cinquanta, sessanta, settanta, ottanta,** and **novanta** drop the final vowel when they combine with **uno** or **otto;** (b) when **tre** is added to **venti, trenta,** etc., it requires an accent.

(2) **Cento** means *one hundred,* and therefore the English *one* before *hundred* is never translated into Italian.

II. Il partitivo (continuazione) (The Partitive (*continued*))

The partitive idea *some* or *any*, which as we saw (Lesson 5, section II) may be expressed by **di** and the definite article, may be expressed also as follows:

(1) By **alcuni (-e).**

Ho **alcuni** libri, ma non molti.   I have *some* books, but not many.

(2) By **qualche** and the singular form of the noun.

Ogni giorno scrivo **qualche lẹttera.**   Every day I write *some letters.*

(3) By **un po' di,** when *some, any* mean *a little, a bit of.*

Mangerò **un po' di** pane e **un po' di** burro.   I will eat *some* bread and *some* butter.

(4) Note that: (a) **alcuni** and **qualche** may be used only when *some* or *any* stand for "several," "a few," but not with the meaning of "a little"; (b) only **alcuni (-e)** and **un po'** can be used as pronouns.

Quante **persone** ci sono nella banca? — **Alcune.**   How many *people* are there in the bank? — *Some.*
Parla **inglese? — Un po'.**   Do you speak *English?— Some.*

III. Negazione (continuazione) (Negatives (*continued*))

(1) A verb is made negative by placing **non,** *not,* before it.

Non capisco.   I do *not* understand.

(2) Negative words such as **mai,** *never (ever),* **niente** or **nulla,** *nothing (anything),* **nemmeno** or **neanche,** *not even,* **nessuno,** *no one,* **né . . . né,** *neither . . . nor,* usually follow the verb and require **non** before the verb; when, usually for emphasis, they precede the verb, **non** is not used.

Anna **non** arriva **mai** presto.	Ann *never* arrives early.
Non c'è **nessuno** a casa.	There is *no one* home.
Non capisce **niente.**	He does *not* understand *anything.*
Carlo **non** conosce **né** Anna **né** Gina.	Charles knows *neither* Ann *nor* Gina.
Io **mai** studio in biblioteca.	I *never* study in the library.
Nessuno mi vede.	*No one* sees me.
Nemmeno il signor Bianchi prende caffè.	*Not even* Mr. Bianchi takes coffee.

(3) As we saw (Lesson 5, section II), the English *any* is generally not translated in negative or interrogative sentences when the noun in Italian is plural.

Hanno invitati?	Do you have *any* guests?
Non ho sorelle.	I do not have *any* sisters.

BUT

Ha **del** pane?	Do you have *any* bread?
Non ho **nessuna** sorella.[2]	I do not have *any* sisters.

NOTE 1: In Italian a double negative does not make an affirmative.

NOTE 2: Note that **non — più** translates the English *no (not any) more,* *no (not any) longer.*

Non c'è **più** vino.	There is *no more* wine.
Non abitano **più** a Roma.	They do *not* live in Rome *any longer.*

---

[2] **nessuno** has the same forms as the indefinite article: **nessun** libro; **nessuno** zio, **nessuna** casa, **nessun**'amica.

A. *Studiate i numeri cardinali* (the cardinal numerals). *Leggete i numeri seguenti secondo gli esempi.*

ESEMPIO: $2 + 5 = 7$: due più cinque fanno (*or*: fa) sette

$9 - 4 = 5$: nove meno quattro fanno (*or*: fa) cinque

a.
1. $1 + 4 = 5$
2. $7 + 10 = 17$
3. $13 + 15 = 28$
4. $17 + 19 = 36$

5. $24 + 35 = 59$
6. $48 + 52 = 100$
7. $66 + 14 = 80$

8. $79 + 12 = 91$
9. $81 + 11 = 92$
10. $90 + 9 = 99$

b.
1. $7 - 4 = 3$
2. $10 - 9 = 1$
3. $100 - 20 = 80$
4. $13 - 9 = 4$

5. $47 - 25 = 22$
6. $69 - 47 = 22$
7. $100 - 100 = 0$

8. $35 - 11 = 24$
9. $51 - 17 = 34$
10. $97 - 31 = 66$

B. *Studiate le diverse forme del partitivo* (the partitive). *Cambiate le frasi seguenti sostituendo un'altra forma del partitivo alla forma* **di** + **articolo.**

ESEMPIO: Ho *del* denaro. — Ho un po' di denaro.

1. Comprano dei dollari. 2. Serve spesso del vino. 3. Prendete degli assegni per viaggiatori. 4. Conosci degl'impiegati. 5. Ci sono anche dei passaporti verdi. 6. I miei compagni comprano del caffè americano. 7. Al ricevimento serviranno anche dei rinfreschi. 8. Il professore leggerà delle parole. 9. In questa via ci sono delle persone straniere. 10. Accompagniamo degli amici. 11. Ci sono dei bei negozi. 12. Devo riscuotere del denaro.

C. *Cambiate le frasi seguenti alla forma negativa secondo l'esempio.*

Esempio: Capisce tutto. — Non capisce niente.

1. Partirà oggi o domani. 2. Camminiamo sempre? 3. Ci sono molte persone in giardino. 4. Solamente la signorina Lerici è pronta. 5. Accompagna sempre Maria. 6. Siamo quattro o cinque. 7. L'impiegato è sempre in ritardo. 8. Tutti mi vedono. 9. Anche il signore prenderà il caffè. 10. Desidero vedere tutto. 11. Alla banca abbiamo qualche cosa. 12. Sono ancora a Firenze? 13. Grazie lo stesso, ritorneremo stasera o domani. 14. Ci sono molte persone per le vie. 15. Abbiamo qualche cosa.

D. *Rispondete e correggete.* (Reply and correct.)

Esempio: È vero che la signorina Pace non deve andare alla banca?

    Non è vero, la signorina Pace deve andare alla banca per un minuto.

1. È vero che la Banca Commerciale è vicina?

2. È vero che a Firenze c'è solamente la Banca Commerciale?

3. È vero che ci sono molte persone per le vie?

4. È vero che la signorina Marini non ha né carta d'identità né passaporto?

5. È vero che la frase «nessuno ci vede» è corretta e che la frase «non ci vede nessuno» non è corretta?

E. *Traducete le frasi seguenti:*

1. I must cash a check, and so I must go to a bank near here. 2. I will accompany you; I must go to the bank also.

3. Do you know a clerk at the bank? 4. Yes, I know Mr. Nadi, at window number five. Why? 5. Because I do not have the identification card; but since **(dato che)** you know Mr. Nadi.... 6. Pardon me, but why are you going **(va)** to the bank? 7. Because I must cash a few checks. I don't have any more money. And you? 8. Because tomorrow I will leave for Rome, and I wish to get some traveler's checks. 9. How long (*trans.*: "how much time") will you remain in **(a)** Rome? 10. Four or five days at the most. 11. Do you know many people in **(a)** Rome? 12. No, I do not know anybody. 13. I have an aunt in Rome, but I do not remember her address any longer. 14. Here is the bank. 15. Now I will introduce you to my friend, Mr. Nadi.

Roma

Ci sono al massimo venti persone.
Ritorniamo a casa perché è tardi.
Grazie lo stesso, ritornerò domani.
Mi dispiace, ma oggi non L'accompagno.
Oggi ci sono molte persone per le vie.
Porterò questo libro alla Sua pensione, va bene?
Ecco fatto! Ho cambiato gli assegni.

CONVERSAZIONE

Rispondete alle seguenti domande:

1. Chi apre la porta della cabina telefonica? 2. Perché la signorina Pace deve andare alla banca? 3. È lontano l'ufficio di cambio? 4. Prende il tram per andare alla banca la signorina Pace? 5. Perché non prende il tram? 6. Anche Lei preferisce camminare? 7. Ci sono molte persone per le vie? 8. Perché Giovanni preferisce gli assegni per viaggiatori? 9. Chi incontrano alla banca la signorina Pace e Giovanni Andrei? 10. Perché la signorina Marini non riscuote il suo assegno? 11. Lei ha la carta d'identità? 12. Lei ha il passaporto? 13. Che cosa deposita nel suo conto corrente la signorina Pace? 14. Perché la signorina Pace ritorna alla pensione in tram?

10
UNA COLAZIONE

In Italia ci sono diverse città[1] note per le loro terme e per gli effetti salutari delle acque di queste terme. Una di queste (these) città è Montecatini, situata nelle colline toscane fra Firenze e il mare. Barbara Pace ha visitato Montecatini in giornata. Ora è sera, e nel salotto della
5 pensione essa legge una rivista. Entra la signorina Ricci.

SIG.NA RICCI: Buona sera, signorina Pace. Dov'è stata oggi? Non L'ho veduta a colazione.

SIG.NA PACE: Sono stata a Montecatini, dove mi ha invitata la signora Brown, una signora americana.

10 SIG.NA RICCI: Come è andata a Montecatini, in autobus?

SIG.NA PACE: No, la signora Brown è venuta a Firenze con la sua automobile e mi ha portata a Montecatini in quaranta minuti.

SIG.NA RICCI: Montecatini è una città molto carina, non è
15 vero?

SIG.NA PACE: Sì, molto. Ci sono molte belle ville e molti alberi.

SIG.NA RICCI: Ha visitato le Terme?

[1] Nouns ending in an accented vowel do not change in the plural. See Lesson 19, I, 4.

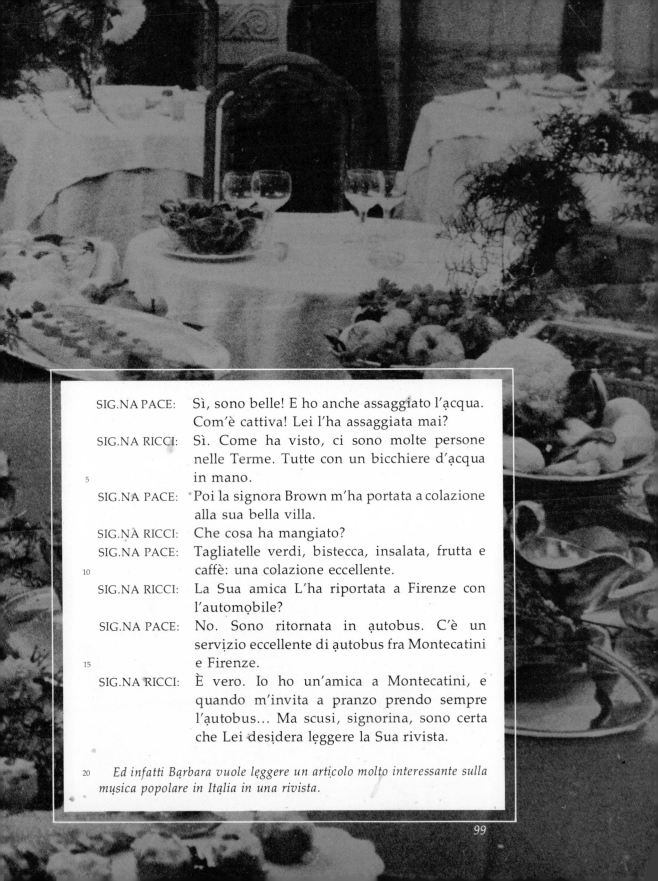

SIG.NA PACE:	Sì, sono belle! E ho anche assaggiato l'acqua. Com'è cattiva! Lei l'ha assaggiata mai?
SIG.NA RICCI:	Sì. Come ha visto, ci sono molte persone nelle Terme. Tutte con un bicchiere d'acqua in mano.
SIG.NA PACE:	Poi la signora Brown m'ha portata a colazione alla sua bella villa.
SIG.NA RICCI:	Che cosa ha mangiato?
SIG.NA PACE:	Tagliatelle verdi, bistecca, insalata, frutta e caffè: una colazione eccellente.
SIG.NA RICCI:	La Sua amica L'ha riportata a Firenze con l'automobile?
SIG.NA PACE:	No. Sono ritornata in autobus. C'è un servizio eccellente di autobus fra Montecatini e Firenze.
SIG.NA RICCI:	È vero. Io ho un'amica a Montecatini, e quando m'invita a pranzo prendo sempre l'autobus... Ma scusi, signorina, sono certa che Lei desidera leggere la Sua rivista.

Ed infatti Barbara vuole leggere un articolo molto interessante sulla musica popolare in Italia in una rivista.

Vocabolario

NOUNS

l' **ạcqua**   water
l' **ạlbero**   tree
l' **artịcolo**   article
l' **ạutobus** *m.*   bus
il **bicchiẹre**   (drinking) glass
la **bistecca**   beefsteak
la **colazione**   lunch
la **collina**   hill
l' **effẹtto**   effect
la **frutta**   fruit (*served as dessert*);
      various kinds of fruit
l' **insalata**   salad
il **mare**   sea
   Montecatini *f.*   *a small city near*
      Florence, well known for its
      mineral springs
il **pranzo**   dinner
la **rivista**   magazine
il **salọtto**   living room
il **servịzio**   service
le **tagliatẹlle** *f. pl.*   noodles
le **Tẹrme** *f. pl.*   spa, hot water
      springs
la **villa**   villa, country home

ADJECTIVES

carino   pretty
cẹrto   certain, sure
divẹrso   different; **divẹrsi**
   different, several, various
nọto   known
popolare   popular
salutare   beneficial, healthful
situato   situated
toscano   Tuscan

VERBS

assaggiare   to taste
invitare (a)   to invite
mangiare   to eat
riportare††   to take back, bring
   back
venire (a)   to come; *p.p.* **venuto**
   (*conjugated with* **ẹssere**)
visto (pp. of **vedere**)   seen
vuọle   he (she, it, you) want (s)

OTHERS

fra   between, among

IDIOMS

infatti   in fact
in giornata   during the day
in mano   in one's hand

Roma

GRAMMATICA

I. Il participio passato (The Past Participle)

The past participle of regular and of many irregular verbs is formed by dropping the infinitive ending and by adding to the stem **-ato** for verbs in **-are, -uto** for the verbs in **-ere**, and **-ito** for the verbs in **-ire.**

parl-are	to speak	**parl-ato**	spoken
ripet-ere	to repeat	**ripet-uto**	repeated
cap-ire	to understand	**cap-ito**	understood

II. Il passato prossimo (Present Perfect)

The present perfect is one of the tenses used to express a past action. It is used to refer to an action completed in a recent past. It is formed by adding the past participle of the verb to the various forms of the present indicative of the auxiliary. Italian has two auxiliaries, **avere** *to have,* and **essere** *to be.*

(1) In general, transitive verbs, namely those verbs that can take a direct object, are conjugated with **avere** *to have,* as follows:

avere parlato *to have spoken*

Io ho parlato con molte per-   *I have spoken with many people.*
sone.

SINGOLARE	io **ho parlato**	I have spoken, I spoke
	tu **hai parlato**	you have spoken, you spoke
	lui **ha parlato**	he has spoken, he spoke
	lei **ha parlato**	she has spoken, she spoke
	Lei **ha parlato**	you have spoken, you spoke
PLURALE	noi **abbiamo parlato**	we have spoken, we spoke
	voi **avete parlato**	you have spoken, you spoke
	loro ⎫ **hanno parlato**	they ⎫ have spoken, spoke
	Loro ⎭	you ⎭

The past participle of verbs conjugated with **avere** agrees with the preceding direct object pronouns **la, le, li;** it may agree with the preceding direct object pronouns **mi, ti, ci, vi.**

Ho studiato **la lezione.**   I have studied *the lesson.*
L'ho studiata.   I have *studied it.*
Abbiamo veduto **Anna e**   We saw *Ann and Gina.* We
   Gina. Le abbiamo vedute   *saw them* this morning.
   stamani.
Ci hanno **veduti** (or **veduto**).   They saw *us.*

Agreement is optional if the direct object is not a personal pronoun, but when the past participle is followed by an infinitive there is no agreement.

Questa è **l'automobile che**   This is the *automobile that we*
   abbiamo veduto (*or:* **ve-**   *saw* yesterday.
   duta) ieri.

BUT

I libri che ho dimenticato di   *The books I have forgotten* to
   leggere...   read...
Le poesie che ho desiderato   *The poems I wished* to read...
   leggere...

(2) Many intransitive verbs (verbs which do not take an object) especially those expressing motion (such as **arrivare** *to arrive,* **partire** *to depart, go away,* **entrare** *to enter,* **uscire** *to go out,* **andare** *to go,* **venire** *to come,* etc.) are conjugated with the auxiliary **essere** *to be,* and their past participles always agree with the subject.

essere arrivato *to have arrived*

Io sono arrivato (-a) presto.   *I have arrived early.*

io **sono arrivato (-a)**	I have arrived, I arrived, *etc.*
tu **sei arrivato (-a)**	
lui **è arrivato**	
lei **è arrivata**	
Lei **è arrivato (-a)**	

noi **siamo arrivati (-e)**
voi **siete arrivati (-e)**
loro **sono arrivati (-e)**
Loro **sono arrivati (-e)**

Benvenuta, **signorina Pace,** quando è **arrivata?**	Welcome, *Miss Pace,* when *did you arrive?*
Benvenuti, **signori,** quando **sono arrivati?**	Welcome, *gentlemen,* when *did you arrive?*

III. Il passato prossimo di <u>avere</u>, <u>essere</u> (Present Perfect: avere, essere)

avere avuto *to have had*

Io ho avuto molto tempo.   *I have had lots of time.*

io **ho avuto**	I have had, I had, *etc.*
tu **hai avuto**	
lui **ha avuto**	
lei **ha avuto**	
Lei **ha avuto**	

noi **abbiamo avuto**
voi **avete avuto**
loro **hanno avuto**
Loro **hanno avuto**

ẹssere stato (-a) *to have been*

Io sono stato (-a) a Venẹzia.	*I have been in Venice.*

io **sono stato (-a)**	I have been, I was, *etc.*
tu **sei stato (-a)**	
lui **è stato**	
lei **è stata**	
Lei **è stato (-a)**	

noi **siamo stati (-e)**
voi **siete stati (-e)**
loro **sono stati (-e)**
Loro **sono stati (-e)**

IV. Avverbi di tempo (Adverbs of Time)

In a compound tense certain adverbs of time such as **già,** *already*, **mai,** *ever, never*, **ancora,** *yet, still,* **sempre,** *always,* are placed between the auxiliary verb and the past participle.

Il treno è **già** arrivato.	The train has *already* arrived.
Non hanno **mai** visitato questo museo.	They have *never* visited this museum.
Non sono **ancora** arrivati?	Haven't they arrived *yet?*
Li abbiamo **sempre** invitati.	We have *always* invited them.

In an interrogative sentence, **mai** may follow the compound tense.

Sei stato **mai** a Siena?	Have you *ever* been in Siena?

V. Uso idiomạtico di "Come...!" (Idiomatic Use of "Come...!")

Com'è bella! (literally: *How she is beautiful!*)	*How* beautiful she is!
Come canta bene! (literally: *How he sings well!*)	*How* well he sings!
Come sono interessanti! (literally: *How they are interesting!*)	*How* interesting they are!

ESERCIZI   A.   IL PARTICIPIO PASSATO (The past participle).

Ripetete gli esempi seguenti cambiando le parole indicate.

a.   Non *ho* mai *avuto* una nuova automobile.
     1. voi.   2. tu.   3. noi.   4. Lei   5. loro.

b.   *Siamo ritornati* presto dal mare.
     1. tu.   2. loro.   3. voi.   4. io.   5. lui.

c.   *Hai veduto* tutti gli amici.
     1. io.   2. noi.   3. lei.   4. voi.   5. Loro.

d.   *Lei ha finito* molti corsi interessanti.
     1. tu.   2. voi.   3. noi.   4. loro.   5. io.

e.   *Siete state* spesso in Italia.
     1. io.   2. loro.   3. lei.   4. tu.   5. noi.

f.   *Loro sono partiti* in automobile.
     1. tu.   2. io.   3. voi.   4. lui.   5. noi.

B.   *Studiate le forme del passato prossimo* (present perfect).

(a)   *Sostituite all'infinito del verbo il passato prossimo.*

ESEMPIO: Luisa *comprare* il giornale.

Luisa ha comprato il giornale.

1. Io e i miei cugini *ritornare* presto.   2. La ragazza *arrivare* in giornata da Venezia.   3. Noi *venire* a vedere nostra zia.   4. Il professore *ripetere* tutte le lezioni.   5. Loro *essere* alla villa del rettore.   6. Tu *mangiare* troppo a colazione.   7. Lei *finire* di leggere la rivista.   8. Voi *visitare* la nostra casa.   9. I miei amici non *avere* molta fortuna.   10. Maria *essere* in Francia tutta l'estate.   11. Le mie zie non *arrivare* ancora.   12. Noi *mangiare* già.   13. Maria non *essere* mai a Venezia.   14. Tu *invitare* mai il professore?   15. No, io non lo *invitare* mai.

(b) *Ripetete le frasi seguenti cambiando il verbo al passato prossimo.*

1. Lei è brava e buona. 2. Torno oggi. 3. Non li vedo ma sono qui. 4. Ci invitano a pranzo. 5. Finirò il libro. 6. Arriverà alla pensione nel pomeriggio. 7. Visiteremo tutta la città. 8. Serve mai le tagliatelle? 9. Non mangio niente. 10. Li inviteremo ma non accetteranno (**accettare,** to accept). 11. Come mangiamo bene! 12. Come parla bene il rettore!

C. *Ripetete le frasi seguenti inserendo* (inserting) *le parole indicate.*

ESEMPIO: *mai*   non li abbiamo visti.
       non li abbiamo mai visti.

1. *già*   hanno fatto colazione.
2. *ancora*   non hanno invitato Carlo.
3. *mai*   non lo avete assaggiato?
4. *sempre*   sono venuti in ritardo.
5. *ancora*   non ho mangiato.
6. *sempre*   ha ascoltato sua zia.
7. *mai*   non sei andata a nuotare.
8. *già*   avete riportato il libro?

D. *Traducete le frasi seguenti:*

1. I have a friend (*f.*) in (a) Montecatini, but I have never visited her home. She lives in a villa on a hill. 2. Why didn't you give me (**mi**) her address? 3. Why? When did you go to Montecatini? 4. Today. I left early, and as you see, I have returned already. 5. Did you buy anything in (a) Montecatini? 6. No, I visited the spa, and I tasted the water. 7. Where did you eat? 8. How curious (**curioso**) you are! I did not eat in Montecatini. 9. Why? Did you return before (**prima di**) lunch? 10. Yes, because I am eating with a friend here in Florence. 11. When are you going to eat? 12. Early. At my friend's house they always eat early. 13. I am returning home too; I see that it is late. Good-bye. 14. Pardon me, but you did not give me the address of your friend. 15. I do not recall (*remember*) her address now. Tomorrow. Is that all right?

La signorina entra in salotto e dice: "Buona sera."
Il professore apre il libro che ha in mano.
Come parla bene!

CONVERSAZIONE   *Rispondete alle seguenti domande:*

1. Per che cosa sono note diverse città italiane? 2. Dov'è situata Montecatini? 3. Perché la signorina Ricci non ha veduto la signorina Pace? 4. È andata a Montecatini in autobus la signorina Pace? 5. Com'è ritornata? 6. Quanti giorni è restata a Montecatini? 7. Ha mangiato in una pensione? 8. Che cosa ha mangiato? 9. È ritornata a Firenze in autobus? 10. Lei ha assaggiato mai l'acqua di Montecatini? 11. In America vendono l'acqua di Montecatini? 12. Ci sono delle terme vicino alla nostra città? 13. Che cosa hanno in mano molte persone nelle Terme? 14. Che articolo vuole leggere Barbara?

11
VEDUTA DI FIRENZE

Firenze, come molte altre città italiane, è bella per le sue piazze, le sue vie, i suoi palazzi e le sue chiese. È un vero piacere visitare le città italiane a piedi. Ma molte città sono belle anche vedute dall'alto: per esempio, Roma presenta un bel panorama dal Pincio, Venezia dall'alto
5 del suo Campanile, Napoli dal Vomero, e Palermo dal Monte San Pellegrino. Firenze offre un bel panorama da Piazzale Michelangelo.

La signorina Pace e la signorina Manin hanno studiato tutta la mattinata alla Biblioteca Nazionale, e ora sono a Piazzale Michelangelo dove sono venute in tram per vedere il panorama di Firenze.

10 SIG.NA MANIN: Lei è stata altre volte su questa collina?
    SIG.NA PACE: No. Questa è la prima volta. E Lei?
    SIG.NA MANIN: Io sì, vengo qui spesso con un mio amico. È una veduta magnifica.
    SIG.NA PACE: Eh, sì! Quel palazzo è la Biblioteca Nazionale, vero?
15
    SIG.NA MANIN: Sì. E lì vicino c'è la chiesa di Santa Croce.
    SIG.NA PACE: E la chiesa di Santa Maria Novella, dov'è?
    SIG.NA MANIN: A sinistra. Vede quella torre?
    SIG.NA PACE: Sì, sì. E a destra ci sono il campanile di
20   Giotto, la cupola di Santa Maria del Fiore e la torre del Palazzo della Signoria, chiamato anche Palazzo Vecchio.

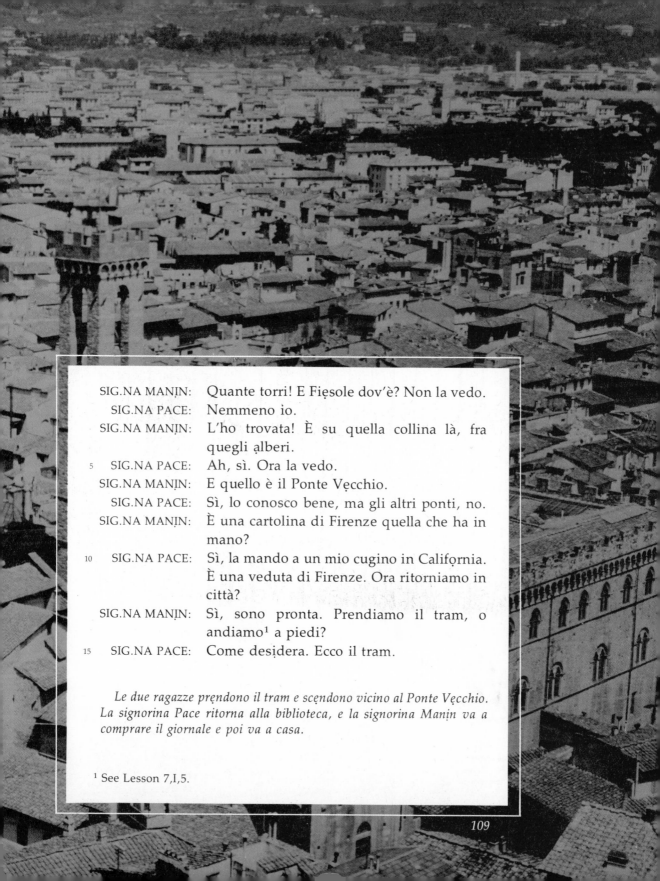

SIG.NA MANIN:	Quante torri! E Fiẹsole dov'è? Non la vedo.
SIG.NA PACE:	Nemmeno ìo.
SIG.NA MANIN:	L'ho trovata! È su quella collina là, fra quegli ạlberi.
5 SIG.NA PACE:	Ah, sì. Ora la vedo.
SIG.NA MANIN:	E quello è il Ponte Vẹcchio.
SIG.NA PACE:	Sì, lo conosco bene, ma gli altri ponti, no.
SIG.NA MANIN:	È una cartolina di Firenze quella che ha in mano?
10 SIG.NA PACE:	Sì, la mando a un mio cugino in Califọrnia. È una veduta di Firenze. Ora ritorniamo in città?
SIG.NA MANIN:	Sì, sono pronta. Prendiamo il tram, o andiamo[1] a piedi?
15 SIG.NA PACE:	Come desịdera. Ecco il tram.

Le due ragazze prẹndono il tram e scẹndono vicino al Ponte Vẹcchio. La signorina Pace ritorna alla biblioteca, e la signorina Manịn va a comprare il giornale e poi va a casa.

[1] See Lesson 7,I,5.

Vocabolario NOUNS

il **campanile** belltower

la **cartolina** postcard

la **chiẹsa** church

la **cupola** dome

il **giornale** newspaper

Giọtto *Florentine artist (1266–1322)*

la **mattinata** morning (*descriptive*)

il **Monte San Pellegrino** *a mountain in the gulf of Palermo, in Sicily*

Napoli *f.* Naples

il **palazzo** palace, building; **Palazzo della Signoria** *the city hall of Florence*

il **panorama** view

il **Piazzale Michelạngelo** *a large open terrace overlooking Florence*

il **Pịncio** *a hill in Rome*

il **ponte** bridge; **Ponte Vẹcchio** *most famous of the bridges of Florence*

la **torre** tower

la **veduta** view, sight

la **vọlta** time (in the sense of "occurrence"); **questa vọlta** this time; **altre vọlte** other times

il **Vọmero** *a section of Naples located on a hill*

ADJECTIVES

magnịfico magnificent

nazionale national; **Bibliotẹca Nazionale** *a library in Florence*

primo first

santo saint, holy; **Santa Croce, Santa Maria Novẹlla** and **Santa Maria del Fiore** *three churches in Florence*

VERBS

chiamare to call

godere†† to enjoy

mandare (a) + infinitive to send

offrire to offer

scẹndere to descend, go down (p.p. **sceso;** conjugated with **ẹssere**)

trovare to find

IDIOMS

a dẹstra to the right

a sinistra to the left

a piẹdi on foot

dall'alto from above

in tram on the (by) streetcar

lì vicino near there

vero? (colloquial abbreviation of **non ẹ vero?**) isn't that right? isn't it? etc.

Firenze

GRAMMATICA

I. **Aggettivi dimostrativi** (Demonstrative Adjectives)

The common demonstrative adjectives are: **questo,** *this;* **quello,** *that.*

(1) Like all adjectives in **-o, questo** has four forms: **questo, questa, questi** and **queste.** Before a vowel **questo** and **questa** may drop the final **-o** or **-a.**

questa città	*this* city
questi assegni	*these* checks
quest'abito	*this* suit
quest'isola	*this* island

(2) The forms of **quello,** which always precedes the noun it modifies, are similar to those of the definite article combined with **di** and of **bello** (see Lesson 5, sections I, III): **quel** (del), **quei** (dei), **quello** (dello), **quell'** (dell'), **quella** (della), **quegli** (degli), **quelle** (delle).

Quel ponte è vecchio.	*That* bridge is old.
Quelle torri sono alte.	*Those* towers are high.
Quegli sportelli sono aperti.	*Those* tellers' windows are open.

II. **Pronomi dimostrativi** (Demonstrative Pronouns)

(1) **Questo** and **quello** are also demonstrative pronouns. The forms of **questo** are the same as those given above. **Quello,** as a pronoun, has these four forms: **quello, quella, quelli** and **quelle.**

Mi dispiace, ma preferisco **questo (questa).**	I am sorry, but I prefer *this* one.
Non sta a **quest'**albergo; sta a **quello.**	She is not staying at *this* hotel; she is staying at *that* one.

(2) **Quello** also translates English "one's" meaning *the one of.*

Il libro di Maria e **quello di**   Mary's book and *John's.*
Giovanni.

NOTE: Not stressed in the present grammar is a third demonstrative adjective and pronoun: **cotesto** (or **codesto**), *that* which, in Tuscany especially, is used to refer to an object near the person addressed: **cotesti libri,** *those books,* (near you). The corresponding adverb of place is **costì** (or **costà**), *there.*

III.   Avverbi di luogo (Adverbs of Place)

The following adverbs of place correspond to the demonstrative adjectives and pronouns **questo** and **quello: qui** (also **quạ**), *here;* **lì** (also **là**), *there.*

IV.   Costruzione idiomạtica con gli aggettivi possessivi (Idiomatic Construction with the Possessive Adjectives)

The Italian equivalent of the English expressions *a . . . of mine (yours, his,* etc.), *this (or: two, some, many,* etc.) *. . . of mine (yours, his,* etc.) are **un mio (tuo, suo, ecc.) . . . , questo** (or: **due, alcuni,** etc.) **mio (miei** o **mie) . . .**

Un mio cugino.   A cousin *of mine.*

Tre tuoi libri.   *Three* books *of yours.*

Alcuni nostri amici.   *Some* friends *of ours.*

Note that with the above construction, the definite article is not needed before the possessive adjective.

V. Presente indicativo di <u>andare</u>, <u>venire</u> (Present Indicative: andare, venire)

andare *to go*

Vado con un amico.　　　　　*I'm going with a friend.*

vado　　　　　　　　　　　　　*I go, etc.*
vai
va

andiamo
andate
vanno

venire *to come*

Vengo dalla biblioteca.　　　*I come from the library.*

vengo　　　　　　　　　　　　*I come, etc.*
vieni
viene

veniamo
venite
vẹngono

ESERCIZI　A.　IL PRESENTE INDICATIVO DEI VERBI IRREGOLARI **ANDARE** E **VENIRE**.

Ripetete le frasi seguenti facendo i cambiamenti indicati.

a. Quando *vado* alla Biblioteca Nazionale *vado* sempre a piedi.
　　1. noi　2. Lei　3. tu　4. voi　5. Loro

b. *Maria viene* qui tutti i giorni.
　　1. io　2. essi　3. Lei　4. voi　5. tu

c. *Noi veniamo e loro vanno.*
　　1. io . . . tu　2. Maria . . . Giovanni　3. Voi . . . noi
　　4. Lei . . . essi

(1) *Ripetete le frasi seguenti facendo i cambiamenti indicati.*

    a. A destra c'è la veduta di *quel palazzo.*
        1. villa. 2. ponte. 3. torri. 4. musei. 5. isole.

    b. Quanto costa *quell'ombrello?*
        1. libro. 2. specchio. 3. automobile. 4. pianoforte. 5. cartolina.

    c. Parla sempre di *quegli studenti.*
        1. assegni 2. vedute. 3. campanili. 4. chiese.
        5. invitati.

(2) *Completate le frasi seguenti con la forma corretta di* **questo** *o di* **quello.** (Complete the following sentences with the correct form of **questo** or **quello.**)

    1. Tu preferisci questa veduta e io preferisco...
    2. Voi parlate con quello studente e noi parliamo con...
    3. Conosco bene quella via, ma non conosco...
    4. Loro visiteranno questi musei e noi visiteremo...
    5. A destra ci sono queste colline e a sinistra ci sono...

(3) *Mettete al plurale le frasi seguenti.*

    1. Questa cartolina è illustrata. 2. Visiteremo quella chiesa. 3. Quel ponte è molto bello. 4. Quell'abito è nuovo. 5. Scriverà quell'assegno. 6. Desideriamo vedere quell'automobile. 7. Non sono mai stato in quel salotto. 8. Quel giornale è di oggi. 9. Come scrive bene quella ragazza! 10. Quest'ombrello è nero.

(4) *Ripetete usando la forma corretta di* **questo** *e di* **quello** *facendo i cambiamenti indicati.*

    ESEMPIO: Non preferisco *questo libro* qui, preferisco *quello* là.

    1. cupola 2. cupole 3. albero 4. alberi 5. torre 6. torri 7. giornale. 8. giornali. 9. edicola (*newstand*) 10. edicole.

C. USO IDIOMATICO DELL'AGGETTIVO POSSESSIVO (Special construction with the possessive adjective).
   Ripetete facendo i cambiamenti indicati.

    a. un *mio* zio e una *mia* zia
        1. tuo 2. suo 3. nostro 4. vostro 5. loro

b. dei *miei* invitati
   1. tuo 2. suo 3. nostro 4. vostro 5. loro
c. alcune *mie* cugine
   1. tuo 2. suo 3. nostro 4. vostro 5. loro

D. *Traducete in italiano:*

1. Fiesole is a little town on a hill near Florence. 2. Is it true that from that hill there is a beautiful view of Florence? 3. Yes. Miss Ricci and I go to Fiesole often. Why don't you come too some time? 4. Yesterday (**ieri**) you did not come to my pension; where did you go? 5. To the library. And from the library Jean and I went to buy a few postcards for our cousins. 6. We bought some views of Florence from Piazzale Michelangelo. 7. I see that you have one of those postcards in that book. 8. No, this is another one. This is a view from the tower of Giotto. 9. It is very beautiful. I have never been to the top of (on the) Giotto's tower. And you? 10. Many times with an uncle of mine. 11. Is Giotto's tower to the right or to the left of Santa Maria Novella? 12. You do not remember because it is neither to the right nor to the left of Santa Maria Novella; it is to the right of Santa Maria del Fiore. 13. I prefer Santa Maria Novella, but it is true that all the churches of Florence are interesting. 14. How many churches are there in Florence? 15. I have never counted them! (*to count,* **contare**).

CONVERSAZIONE

Rispondete alle seguenti domande:

1. Per che cosa è bella Firenze? 2. Perché è un piacere visitare le città italiane a piedi? 3. Da dove presenta un bel panorama Roma? 4. Lei è mai stato a Firenze? 5. Che cosa è Fiesole? 6. Dov'è Fiesole? 7. Che cosa vediamo da Piazzale Michelangelo? 8. Ci sono ponti famosi a Firenze? 9. C'è un ponte famoso nella nostra città? 10. La porta di questa classe è a destra o a sinistra del professore? 11. Lei viene a scuola a piedi? 12. Lei abita qui vicino? 13. Lei ha veduto una città dall'alto? 14. Lei viene a scuola in tram?

12
NEL RISTORANTE

Le ragazze che stanno alla pensione della signorina Pace si alzano presto. Dopo che si sono alzate, si lavano, si vestono, e poi vanno nella sala da pranzo dove fanno la prima colazione.

Anche la signorina Pace di solito s'alza presto. Oggi, però, è domenica e si alza molto tardi. Quando è pronta va a Piazza del Duomo dove ha un appuntamento con Giovanni. Giovanni non è ancora arrivato, ma arriva dopo poco. Si scusa e, dopo che s'è scusato, vanno a un ristorante dove faranno colazione insieme. Entrano nel ristorante e si siedono a una tavola. Un cameriere dà una lista alla signorina Pace, e una lista al signor Andrei.

CAMERIERE: Buon giorno, signori. Desiderano vino bianco o vino rosso?

GIOVANNI: Bianco. (*alla signorina Pace*) Va bene?

SIG.NA PACE: Sì, sì.

GIOVANNI: È il mio ristorante preferito. Qui tutto è buono. Io ho pranzato qui molte volte.

SIGNA. PACE: E poi è un ristorante molto carino. Ecco il cameriere col vino e col pane.

CAMERIERE: Desiderano un po' d'antipasto, una minestra?...

SIG.NA PACE: Io preferisco una minestra.

GIOVANNI:	E io tagliatelle.
SIG.NA PACE:	A proposito, che differenza c'è fra tagliatelle e fettuccine?
GIOVANNI:	Nessuna. Sono la stessa cosa. Ma a Firenze le chiamano tagliatelle e a Roma fettuccine.
CAMERIERE:	E poi, carne o pesce?
SIG.NA PACE:	Lei che cosa prende, signor Andrei?
GIOVANNI:	Un po' di fritto misto.
SIG.NA PACE:	Che cosa c'è nel fritto misto?
CAMERIERE:	Pollo, zucchini, sedani, cervello . . .
SIG.NA PACE:	Cervello? No, grazie, io prendo del vitello arrosto e piselli o fagiolini.
GIOVANNI:	(al cameriere) E dopo, una macedonia di frutta.
CAMERIERE:	Abbiamo anche una torta squisita.
GIOVANNI:	Benissimo. (alla signorina Pace) E ora, signorina, perché non parliamo un po' in inglese? Se non parlo inglese quando sono con Lei non lo imparerò mai.
SIG.NA PACE:	Ma sì, volentieri! I mean, of course, gladly!

117

Vocabolario

NOUNS

l' **antipasto**   hors d'oeuvre
l' **appuntamento**   date, appointment
il **cameriere**   waiter
la **carne**   meat
il **cervello**   brains
la **prima colazione**   breakfast
la **differenza**   difference
la **domenica**   Sunday
il **fagiolino**   string bean
le **fettuccine**   noodles
il **fritto misto**   mixed grill
la **lista**   menu
la **macedonia di frutta**   fruit cocktail (*served as a dessert*)
la **minestra**   soup
il **pane**   bread
il **pesce**   fish
Piazza del Duomo   *a square in Florence*
il **pisello**   pea
il **pollo**   chicken
la **sala da pranzo**   dinning room; *pl.* **le sale da pranzo**
il **sedano**   celery
la **tavola**   table (*also:* il **tavolo**)
la **torta**   cake
il **vino**   wine
il **vitello**   veal; **vitello arrosto** roast veal

lo **zucchino**   squash

ADJECTIVE

squisito   exquisite

VERBS

alzarsi   to get up, rise
chiamarsi   to be called
divertirsi††   to amuse oneself, have a good time
lavarsi   to wash oneself
pranzare   to dine, have dinner
scusarsi   to excuse oneself, apologize
vestirsi††   to dress oneself, get dressed

OTHERS

ancora   yet, still
dopo   after, afterwards: **dopo che** (with a conjugated verb) after
volentieri   willingly, gladly

IDIOMS

a proposito   by the way
di solito   usually
dopo poco *or* **poco dopo**   a little after
fare colazione   to have lunch, breakfast

Ristorante Sabatini, Roma

GRAMMATICA

I. Pronomi riflessivi (Reflexive Pronouns)

Italian has the following reflexive pronouns:

SINGOLARE	**mi**	myself
	ti	yourself (*familiar*)
	si	himself, herself, itself, yourself (*polite*)
PLURALE	**ci**	ourselves
	vi	yourselves (*familiar*)
	si	themselves, yourselves (*polite*)

Mi, ti, si and **vi** may drop the **i** before another vowel or an **h** and replace it with an apostrophe. **Ci** may drop the **i** only before an **i** or an **e**.

II. Verbi riflessivi (Reflexive Verbs)

(1) Here is the conjugation of a typical reflexive verb in the present indicative:

divertirsi *to amuse oneself, have a good time*

La domęnica (io) mi diverto.   *On Sundays I have a good time.*

io mi diverto   I amuse myself, *etc.*
tu ti diverti
lui (lei) si diverte
Lei si diverte

noi ci divertiamo
voi vi divertite
loro si divęrtono
Loro si divęrtono

Note that in the infinitive form a reflexive verb ends in **-si** (**alzarsi, sedersi, vestirsi,** etc.), but that when a verb is conjugated, **-si** is replaced by the appropriate reflexive pronoun which is placed *before* the verb.

Anna **si** diverte.	Ann amuses *herself.*
Noi non **ci** divertiremo.	We will not amuse *ourselves.*

(2)   In general, when a verb is reflexive in English it is also reflexive in Italian. Certain verbs, however, are reflexive in one language but not necessarily in the other.

Mi vesto in cinque minuti.	*I get dressed* in five minutes.
Giovanni **s'alzerà** presto.	John *will get up* early.

(3)   In the compound tenses (we have met only the present perfect so far) reflexives always take the auxiliary **essere,** and therefore the past participle agrees with the subject.

Non mi **sono divertito (-a).**	*I* did not have a good time (I did not amuse myself).
Si **sono lavati (-e).**	*They* washed themselves.

(4)   The plural reflexive pronouns are also used with the reciprocal meaning of *each other* or *one another.*

Maria e Carlo **si scrivono.**	Mary and Charles *write to each other.*
Ci vediamo tutti i giorni.	*We see one another* every day.
Vi siete mandati molte cartoline?	*Did you send each other* many postcards?
Si sono veduti la settimana scorsa.	*They saw one another* last week.

III.   **Nomi e aggettivi femminili** (Feminine Nouns and Adjectives)

Feminine nouns and adjectives ending in **-ca** and **-ga** take an **h** in the plural.

amica (*sing.*)	friend	lunga (*sing.*)	long
ami**che** (*pl.*)	friends	lun**ghe** (*pl.*)	long

IV. Il presente indicativo di <u>sedersi</u> (Present Indicative: sedersi)

sedersi *to sit down*

Io mi siedo a questa tạvola.   *I'm going to sit down at this table.*

io mi **siedo**   I sit down, *etc.*
tu ti **siedi**
lui, lei (Lei) si **siede**

noi ci **sediamo**
voi vi **sedete**
loro (Loro) si **siędono**

ESERCIZI   A.   PRONOMI E VERBI RIFLESSIVI (reflexive pronouns and verbs)

(1) *Rispondete alle domande seguenti.*

EsẸMPIO: Si *veste* Lei? — Sì, mi vesto.

1. Si lava Lei?   2. Si vẹstono Loro?   3. Ti diverti tu?   4. Vi vestite voi?   5. Si alza tardi Lei?   6. Si sono divertiti Loro?   7. Ti siedi tu?   8. Vi siete alzati tardi?   9. Lei si è scusato spesso?   10. Si è seduta Maria?

(2) *Ripetete e poi date la forma negativa.*

EsẸMPIO: Io mi alzo sempre presto.
Io non mi alzo mai presto.

1. Tu ti scusi sempre.   2. Maria si siede a tạvola (*at the table*).   3. Giovanni si è divertito oggi.   4. Sono arrivati tardi e si sono scusati.   5. Si sono lavati prima di (*before*) colazione.   6. Si è alzato tardi.   7. Si è vestita presto.   8. Si siędono insieme in sala da pranzo.   9. Alla pensione si ạlzano presto.   10. Ci divertiamo sempre quando siamo con Mạrio.

(3) *Cambiate le frasi seguenti alla forma reciproca.*

ESEMPIO: Carlo *chiama* Maria.

Carlo e Maria si chiamano.

1. Luisa parlerà a Giovanni. 2. Mario scrive a Luigi.
3. Giuseppe telefona al professore. 4. Elena incontrerà Maria. 5. Giovanni ha parlato a Carlo. 6. Elena ha incontrato Maria. 7. Giuseppe ha telefonato al professore. 8. Luisa ha telefonato a Elena. 9. Lo studente invita il compagno. 10. Il cameriere vede la signorina.

(4) *Mettete le frasi seguenti al passato prossimo.*

ESEMPIO: Mi *alzo* presto.

Mi sono alzato (-a) presto.

1. Maria si *alza* presto. 2. Noi ci *sediamo*. 3. Carlo e Giovanni si *siedono*. 4. Lei si *scusa*? 5. Loro si *divertono*? 6. Voi vi *sedete*. 7. Mia cugina si *veste*. 8. Mio padre e mia madre si *alzano*. 9. Ci *alziamo* e poi ci *vestiamo*. 10. Maria si *alza* e poi si *lava*. 11. Io mi *diverto*, ma Gina non si *diverte*. 12. Si *scusano* i tuoi cugini? 13. Si *parlano* Carlo e Giovanni? 14. La signora Rossi e la signora Bianchi non s'*invitano* mai.

(5) *Rispondete alle domande seguenti.*

1. Si alza presto Lei? 2. S'è alzata presto Maria? 3. Si lava Lei tutti i giorni? 4. Si sono seduti gli studenti? 5. Chi si è divertito? 6. Si è scusato Giovanni? 7. Quando si vestirà Lei? 8. Perché non si scusano gli studenti? 9. Chi si è alzato tardi? 10. A quale tavola si siede Lei?

B. *Studiate il plurale dei nomi e degli aggettivi in* **-ca** *e* **-ga**. *Mettete le frasi seguenti al plurale.*

1. Questa è una banca commerciale. 2. Preferisco la domenica. 3. Quella torre è bianca. 4. È lunga questa lezione? 5. La biblioteca di Firenze ha molti libri. 6. Hanno mangiato una bistecca. 7. Non ho incontrato la tua amica. 8. Questa fuga di Vivaldi è bella. 9. Questa bistecca è cattiva. 10. La mia amica è arrivata.

C. *Traducete in italiano:*

1. Today John got up early. He went to meet Miss Pace at Piazza del Duomo. 2. Where did they go? 3. They went to have lunch together at a restaurant. They always sit together, and have a good time when they are together. 4. Do they see each other often? 5. Yes. John wishes to learn English well, and Miss Pace is an American! It's a long story. 6. Your stories are all long! Miss Pace wishes to speak Italian with an Italian, and John is an Italian! 7. I am an Italian too! 8. But that's another story. 9. Here is Sabatini; it is an excellent restaurant. Have you ever dined here? 10. No; and you? 11. Many times. Here is the menu near the door. 12. I do not have any money, but we can (**possiamo**) read the menu just the same. 13. Antipasto, soup, chicken, roast veal, cake. 14. Shall we go in? 15. I do not have any money either! (Translate "not even I have any money.")

DA IMPARARE A MEMORIA

Poco dopo il cameriere ha portato la lista.
Mi ha invitato a fare colazione a casa sua.[1]
Si alza sempre tardi.

CONVERSAZIONE

Rispondete alle seguenti domande:

1. Perché la signorina Pace non fa colazione alla pensione?
2. Dove s'incontrano la signorina Pace e il signor Andrei?
3. Quando la signorina Pace arriva in Piazza del Duomo, è già arrivato Giovanni? 4. Quando entrano nel ristorante che cosa fanno? 5. Che cosa fa il cameriere? 6. Lei ha pranzato in un ristorante italiano? 7. Ha mai mangiato fritto misto?
8. Che c'è nel fritto misto? 9. Perché la signorina Pace non prende il fritto misto? 10. Quando Lei va a un ristorante dove si siede? 11. In un ristorante americano il cameriere domanda se desideriamo vino bianco o rosso? 12. Perché Giovanni desidera parlare inglese? 13. Come chiamano le fettuccine a Firenze? 14. Perché Giovanni si è scusato?

---

[1] Note this idiomatic construction: **A casa mia (tua, sua, ecc.):** at *or* to my (your, his, etc.) house.

RIPETIZIONE 3

I. *Rispondete alle domande seguenti:*

1. Dove riscuote i Suoi assegni Lei? 2. Quando si alza presto Lei? 3. Lei prende il tram per venire a scuola? 4. Perché molte persone in Italia vanno alle terme di Montecatini e ad altre terme? 5. Per vedere il panorama della nostra città dove andiamo? 6. Ci sono sempre molte persone alla banca? 7. Lei preferisce la carne o il pesce? 8. Legge molte riviste Lei? 9. Mangia spesso al ristorante Lei? 10. È necessario avere il passaporto per riscuotere un assegno? 11. Com'è il servizio di autobus nella nostra città? 12. La nostra scuola è su una collina? 13. È americano il fritto misto? 14. Lei ha la carta d'identità? 15. Ha un cugino Lei? Lei e Suo cugino si vedono spesso?

II. *Leggete ad alta voce i numeri seguenti:*

17; 48; 93; 21; 100; 57; 18; 88; 64; 70; 50; 72; 45; 14; 49; 37; 66; 28; 34; 75; 59.

III. *Ripetete gli esempi seguenti facendo i cambiamenti necessari:*

ESEMPIO: questo libro — quel libro

questi ragazzi — quei ragazzi

1. questa lista   2. questa colazione   3. quest'antipasto
4. questo pranzo   5. questi palazzi   6. questo ponte
7. queste torri   8. quest'insalata   9. questi bicchieri
10. questi passaporti

IV. *Ripetete gli esempi seguenti facendo i cambiamenti necessari:*

ESEMPIO: *quella* lezione — questa lezione
quegli studenti — questi studenti

1. quel pollo 2. quei tavoli 3. quella bottega 4. quei vini 5. quelle vedute 6. quei ponti 7. quei campanili 8. quegli alberi 9. quell'autobus 10. quella domenica

V. *Ripetete gli esempi seguenti cambiando le parole indicate:*

a. *Noi veniamo* spesso a questo ristorante.
1. voi 2. tu 3. Lei 4. loro 5. io 6. lei 7. Loro 8. lui 9. esse.

b. *Giovanni va* a visitare quella magnifica chiesa.
1. tu 2. Lei 3. noi 4. io 5. lei 6. loro 7. esse 8. Loro 9. voi.

c. *Io mi siedo* a tavola con la mia famiglia.
1. voi 2. Loro 3. essi 4. loro 5. lei 6. lui 7. noi 8. Lei 9. tu.

VI. *Sostituite all'infinito del verbo la forma corretta del passato prossimo* (present perfect).

1. Noi *accompagnare* la signorina alla banca. 2. Tu *lavarsi* e poi *vestirsi*. 3. Voi non *alzarsi* presto oggi. 4. Grazie lo stesso, ma io *mangiare*. 5. I signori *venire* al ristorante. 6. Lei *scusarsi* e *alzarsi*. 7. Le signorine *mandare* delle cartoline. 8. Loro *divertirsi* a casa sua. 9. Io *riportare* la rivista a Anna. 10. Lei *assaggiare* le tagliatelle? 11. L'impiegato *vedere* il suo amico. 12. Giovanni *andare* da casa a scuola a piedi. 13. Noi *venire* a piedi e loro *venire* in tram. 14. Carlo *cambiare* gli assegni alla banca e io li *cambiare* a un ufficio di cambio.

1. They got up and they dressed, and afterwards they went into the dining room.   2. This is the first time that I have eaten at this restaurant.   3. I am sorry, but in order to cash your check I must see your identification card.   4. I have never tasted a beefsteak.   5. Why did you come to Montecatini?   6. She has neither traveler's checks nor money. 7. That bridge to the left is a new bridge.   8. No, thanks just the same, but we do not eat fish.   9. I have enjoyed the view from the Piazzale. It is excellent.   10. After he excused himself he sat down.   11. I have brought back those magazines to the library.   12. In this class there are thirty-eight foreign students.   13. Is this a post card of Florence? —Yes, it is the dome of the Church of Santa Maria del Fiore.   14. The number of that passport is ninety-three. 15. I have met them (f.) at lunch at my friend's (f.) villa.

LA CUCINA ITALIANA

Alcuni dei più tipici prodotti della Valle Padana: Prosciutto, Salame, Formaggio, Culatello, Spalla, Coppa, Triplo concentrato di pomodoro

Ci sono molti ricettari di cucina che sono stati scritti in Italia attraverso i secoli. Fra i numerosi ricettari italiani molto noto è il libro di Pellegrino Artusi *La scienza della cucina e l'arte di mangiar bene,* stampato per la prima volta nell'anno 1891 (mille ottocento novantuno). Ma, naturalmente, ci sono molti altri libri dedicati alla cucina italiana, e tutti hanno un titolo interessante: *Il re dei cuochi, Il talismano della felicità, Firenze in padella, Cucina regionale italiana,* eccetera.

Come la lingua italiana, come la cultura italiana, la cucina italiana di oggi è il risultato di molti secoli di evoluzione: infatti, risale alla cucina dell'antica Roma.

La gastronomia italiana è non solo molto sviluppata ma anche molto variata. Ogni regione ha la sua cucina tipica. In Italia c'è grande varietà non solo di paesaggio, di dialetti e di tipi etnici, ma anche di cucina.

La cucina italiana è conosciuta e apprezzata in tutti i paesi del mondo perché i suoi piatti sono saporiti, sani e variati. Chi non ha gustato una delle numerose "paste", la pizza napoletana, il risotto o la cotoletta alla milanese, il pollo alla cacciatora, o i cannoli alla siciliana, per esempio? Tutti sanno che gl'Italiani mangiano molta pasta; ma mangiano anche molto vitello, polli, maiale, e gli eccellenti salumi fra i quali molto noti sono il prosciutto e la mortadella.

In Italia ci sono tre pasti principali: la prima colazione, la colazione o pranzo, e la cena. La prima colazione consiste generalmente di caffè o caffelatte e panini con burro e marmellata. Il pranzo è il pasto principale, mentre la cena è più leggiera. Con i due pasti principali quasi tutti gli adulti bevono vino bianco o rosso.

Di solito, alla fine del pranzo e della cena molti Italiani prendono formaggio e frutta, ma nei ristoranti c'è anche una scelta di torte squisite.

Vocabolario

adulto adult
apprezzare to appreciate
bevono (*third pers. pl. of* **bere**) drink
il **cacciatore** hunter; **alla cacciatora** hunter's style
il **caffelatte** coffee with milk
il **cannolo** *a Sicilian pastry filled with cream and candied fruit*
come like
il **concentrato di pomodoro** tomato paste
la **coppa** *a kind of sausage*
la **cotoletta** cutlet, chop
la **cucina** cuisine, cooking
il **culatello** *a type of cold meat*
la **cultura** culture
il **cuoco** cook
dedicato dedicated
il **dialetto** dialect
etnico ethnic
l' **evoluzione** evolution

la **felicità** happiness
il **formaggio** cheese
la **gastronomia** gastronomy
generalmente generally
gustare to taste, to enjoy
la **lingua** language
la **macelleria** butcher shop
il **maiale** pork
la **marmellata** jam
milanese Milanese; **alla milanese** Milanese style
la **mortadella** *a type of large sausage*
numeroso numerous
la **padella** frying pan
il **panino** roll
la **pasta** *a generic term for all kinds of spaghetti, noodles, shells, etc.*
la **preparazione** preparation
il **prosciugamento** drying, preservation
regionale regional

il **ricettario** recipe book
risalire to date back
il **risotto** *a rice-dish*
il **risultato** result
il **salume** salted meat
sano wholesome
sanno (*third pers. pl. of* **sapere**) know
saporito tasty
la **scelta** choice, selection
la **scienza** science
la **spalla** (*shoulder*) ham
stampato printed
sviluppato developed, sophisticated
il **talismano** talisman
tipico typical
il **tipo** type
il **titolo** title
triplo triple
variato varied
vario various

Bologna: Vari tipi di formaggio in una vetrina

128

Venezia: Vari tipi di pasta in una vetrina

San Remo: In una macelleria

Parma: Preparazione e prosciugamento di prosciutti

Firenze: Un ristorante all'aperto

129   cento ventinove

LA CUCINA ITALIANA

13 ANDIAMO AL CINEMA?

Anche se, come in molti altri paesi del mondo, oggi in Italia quasi tutti hanno un televisore in casa, il cinema continua ad essere popolare e ad attirare molte persone. In questi giorni in Italia è in visione un film di un giovane regista che ha avuto grande successo. A Firenze
5 questo film è in visione al Cinema Verdi insieme a un documentario su Napoli. Giovanni Andrei ha telefonato a Barbara Pace e l'ha invitata ad andare al cinema. Arriva alla pensione dove abita Barbara e suona il campanello.

GIOVANNI: Buona sera.
10 CAMERIERA: Buona sera, signor Andrei. S'accomodi.

*La cameriera della pensione riconosce subito il signor Andrei perché non è la prima volta che viene alla pensione. Mentre Giovanni aspetta, la cameriera bussa alla porta della signorina Pace e le dice: «È arrivato il signor Andrei, signorina.» «Vengo subito,» risponde Barbara, e poco
15 dopo entra nel salotto (or: in salotto). Giovanni s'alza e la saluta.*

GIOVANNI: Buona sera, signorina.
SIG.NA PACE: Buona sera, Giovanni (*gli dà la mano*).
GIOVANNI: Andiamo al cinema? Quando ho telefonato
                ho dimenticato di dire che oltre al film c'è
20   anche un documentario molto interessante su
                Napoli.

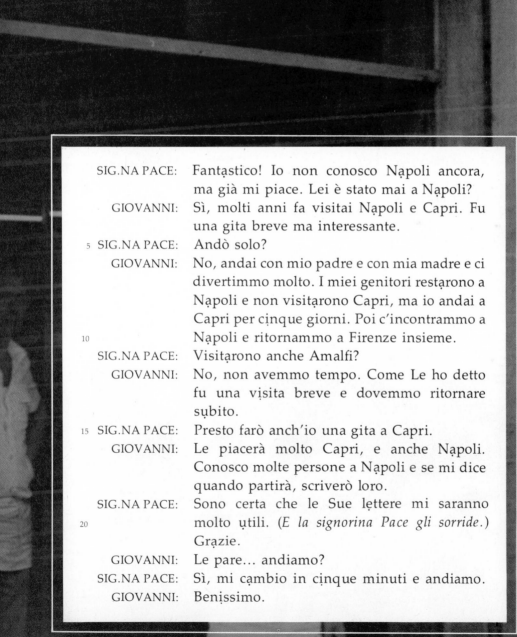

SIG.NA PACE:	Fantạstico! Io non conosco Nạpoli ancora, ma già mi piace. Lei è stato mai a Nạpoli?
GIOVANNI:	Sì, molti anni fa visitai Nạpoli e Capri. Fu una gita breve ma interessante.
5 SIG.NA PACE:	Andò solo?
GIOVANNI:	No, andai con mio padre e con mia madre e ci divertimmo molto. I miei genitori restạrono a Nạpoli e non visitạrono Capri, ma io andai a Capri per cịnque giorni. Poi c'incontrammo a Nạpoli e ritornammo a Firenze insieme.
SIG.NA PACE:	Visitạrono anche Amalfi?
GIOVANNI:	No, non avemmo tempo. Come Le ho detto fu una vịsita breve e dovemmo ritornare sụbito.
15 SIG.NA PACE:	Presto farò anch'io una gita a Capri.
GIOVANNI:	Le piacerà molto Capri, e anche Nạpoli. Conosco molte persone a Nạpoli e se mi dice quando partirà, scriverò loro.
SIG.NA PACE:	Sono certa che le Sue lẹttere mi saranno molto ụtili. (*E la signorina Pace gli sorride.*) Grạzie.
GIOVANNI:	Le pare... andiamo?
SIG.NA PACE:	Sì, mi cạmbio in cịnque minuti e andiamo.
GIOVANNI:	Benịssimo.

Vocabolario

NOUNS

Amalfi *f.* *a town on the rugged coast south of Naples*
la **cameriera** maid, waitress
campanello bell (of door, office)
il **cinema** (abbrev. of **cine- matografo**) cinema, movies
il **documentario** travelogue, documentary
il **genitore** parent
la **gita** excursion
la **mano** (*pl.* **le mani**) hand
il **mondo** world
Napoli *f.* Naples
il **paese** country
il **regista** movie director
il **successo** success
il **televisore** TV set

ADJECTIVES

fantastico great, fantastic
solo alone
utile useful

VERBS

attirare to attract
bussare to knock

cambiarsi to change one's clothes
continuare to continue
dimenticare (di) + infinitive to forget
dire to say, to tell (p.p. **detto**)
dovere to have to, must
riconoscere to recognize
salutare to greet
sorridere to smile
vuole he (she, it, you) want(s)

OTHERS

anche se even if
oltre a besides
subito immediately, at once

IDIOMS

dare la mano (a) to shake hands (with)
è in visione they are showing (a movie)
fa ago; **molto tempo fa** a long time ago
s'accomodi please come in, make yourself comfortable
Le pare! don't mention it! not at all!

Napoli

GRAMMATICA

I. Pronomi personali come complemento di termine
(Personal Pronouns: Indirect Object)

Like reflexive (Lesson 12) and direct object pronouns (Lesson 6), the indirect object pronouns are used in conjunction with verbs and are also called conjunctive pronouns. Italian has the following indirect object pronouns.

SINGOLARE	**mi**	to me
	ti	to you (*familiar*)
	gli	to him, to it (*masculine*)
	le	to her, to it (*feminine*)
	Le	to you (*polite, masculine and feminine*)
PLURALE	**ci**	to us
	vi	to you (*familiar*)
	loro	to them (*masculine and feminine*)
	Loro	to you (*polite, masculine and feminine*)

Mi, ti, vi may drop the vowel before another vowel or an **h**, and replace it with an apostrophe **m', t', v'. Ci** may drop the vowel only before an **i**, or an **e (c')**. Like the direct object and reflexive pronouns, the indirect object pronouns generally precede the verb; **loro (Loro),** however, always follows it.

Gli parlo in classe.	I speak *to him* in class.
Portiamo **loro** dei libri.	We bring *them* some books.
C'insegna la lezione.	She teaches *us* the lesson.
Le scriverò da Palermo.	I will write *you* from Palermo.
Maria telefonerà **Loro** domani.	Mary will telephone *you* tomorrow.
Mi presentò sua zia.	He introduced his aunt *to me*.

II. Il passato remoto (The Past Absolute Tense)

parlare *to speak*

Gli parlai al telẹfono.   *I spoke to him on the phone.*

parlai   *I spoke, I did speak, etc.*
parlasti
parlò

parlammo
parlaste
parlạrono

ripẹtere *to repeat*

Le ripetei la stessa cosa.   *I repeated the same thing to her.*

ripetei   I repeated, I did repeat, *etc.*

ripetesti
ripeté

ripetemmo
ripeteste
ripetẹrono

capire *to understand*

Capii che era tardi.   *I understood that it was late.*

capii   I understood, I did under-
capisti   stand, *etc.*
capì

capimmo
capiste
capịrono

Like the present perfect (Lesson 10), the past absolute is used to express an action completed in the past. However, while the present perfect expresses an action completed in the *recent past* (in Italian it is called **passato prọssimo,** *near past*), the past absolute indicates an action completed in the distant past (in Italian it is called **passato remoto,** *remote past*). In conversational Italian the past absolute is not very frequently used, except when the speaker is referring to historical events in the distant past, or is relating or narrating an event or story far in the past.

Molti anni fa **visitai** Roma.	Many years ago I *visited* Rome.
Michelangelo **lavorò** a Roma per molti anni.	Michelangelo *worked* in Rome for many years.
Pinocchio **entrò** nel teatro di Mangiafoco.	Pinocchio *entered* the theater of Fire-eater.

BUT

Quando è partito per l'Italia? —**È partito** l'altro giorno.	When *did* he *leave* for Italy?— He *left* the other day.
Quest'anno non **siamo andati** in Italia.	This year we *did* not *go* to Italy.

III. Il Passato remoto di <u>avere</u>, <u>essere</u>

avere *to have*

Ebbi un invitato.	*I had a guest.*
ebbi	I had, *etc.*
avesti	
ebbe	
avemmo	
aveste	
ebbero	

essere *to be*

Fui in ritardo.	*I was late.*
fui	I was, *etc.*
fosti	
fu	
fummo	
foste	
furono	

IV. Il verbo piacere

The verb **piacere,** *to be pleasing,* is irregular and is conjugated in the present indicative as follows:

> **Io piaccio a Luisa.** *Louise likes me.* (Lit. *I am pleasing to Louise.*)

piaccio	I am pleasing, *etc.*
piaci	
piace	
piacciamo	
piacete	
piacciono	

Piacere is used to translate the English *to like,* but it is essential to remember that the subject of the English sentence becomes an indirect object in Italian. Thus, *I like the book* is translated in Italian as *The book is pleasing to me.*

Mi piace Roma (*or:* Roma mi piace).	*I like* Rome.
Gli piacciono Venezia e Napoli (*or:* Venezia e Napoli gli piacciono).	*He likes* Venice and Naples.
Le è piaciuto quel film?	*Did you like* that picture?
A Maria non piace lavorare.	*Mary does not like* to work.
Al mio amico piace la musica.	*My friend likes* music.
Non mi piaci più.	*I do not like you* any longer.

NOTE: **Piacere** is conjugated with **essere** in the compound tenses. The past participle of **piacere** is **piaciuto.**

ESERCIZI A. IL PRONOME COME COMPLEMENTO DI TERMINE (Indirect object pronoun).

(1) *Ripetete sostituendo alle parole in corsivo* (in italics) *la forma corretta del pronome.*

ESEMPIO: Ho parlato *al professore.* — Gli ho parlato.

1. Non abbiamo detto niente *a Maria.*   2. Telefonerò *a mio padre.*   3. Ha mandato una cartolina *ai suoi cugini.*

4. Il professore ripete una domanda *a Carlo.* 5. Carlo ripete la domanda *agli studenti.* 6. Luisa parlò *a Giovanni.* 7. I nostri amici telefonarono *ai loro genitori.* 8. La cameriera sorride *al signor Andrei.* 9. "S'accomodi," dice *a Giovanni.* 10. La signorina Pace dà la mano *a Giovanni e a Enzo.*

(2) *Ripetete traducendo* (translating) *in italiano il pronome in corsivo* (in italics).

ESEMPIO: Maria parla *to him.* — Maria gli parla.

1. Maria parlò *to me.* 2. Mandarono *to us* una cartolina. 3. Egli ha detto *to her* ciao. 4. Noi parlammo *to him* tre anni fa. 5. Lei ripete le domande *to them.* 6. Passò il pane *to you* (tu). 7. Spiegarono le regole *to her.* 8. Insegnerò l'italiano *to him.* 9. Telefonò *to them* poco dopo. 10. Devo scrivere *to her* subito.

B. *Studiate il passato remoto* (past absolute)

(1) *Ripetete gli esempi facendo i cambiamenti indicati.*

a. *Io telefonai al professore.*
   1. noi 2. le ragazze 3. tu 4. voi 5. Lei
b. *Tu lo credesti, non è vero?*
   1. Giovanni 2. essi 3. voi 4. noi 5. io
c. *Il cameriere non mi servì.*
   1. Barbara 2. Loro 3. voi 4. tu 5. Lei
d. *Carlo si divertì molto.*
   1. io 2. noi 3. loro 4. voi 5. tu
e. *Io finii la lezione dopo Giovanni.*
   1. noi 2. tu 3. Maria 4. Lei 5. essi
f. *Noi non credemmo alle sue parole.*
   1. io 2. Lei 3. voi 4. loro 5. tu

(2) *Sostituite all'infinito del verbo la forma corretta del passato remoto.*

1. Giovanni le *parlare* volentieri. 2. La cameriera *bussare* alla porta. 3. Noi *trovare* delle amiche. 4. Lei *alzarsi* presto. 5. Noi *divertirsi* molto a casa di Maria.

6. Gli studenti *visitare* la chiesa.   7. Tu ci *incontrare* sul ponte.   8. Noi non *avere* molto tempo.   9. Lei *essere* in ritardo.   10. Ci *essere* un documentario interessante.

(3) *Sostituite al presente indicativo del verbo la forma corretta del passato remoto.*

1. *Ritorniamo* da Capri.   2. *Partono* domenica.   3. L'*incontri* in giardino.   4. Gli *telefono* dopo colazione.   5. Le *parlo* ogni giorno.   6. Si *divertono* molto.   7. Entriamo in salotto.   8. *Trovate* il libro.   9. *Trovo* la camicia.   10. *Cambiano* casa.

C. IL VERBO **PIACERE**.

(1) *Studiate l'uso del verbo* **piacere**. *Rispondete alle domande seguenti.*

ESEMPIO: Piacciono queste cravatte a Giovanni?
Sì, (queste cravatte) gli piacciono.

1. Piace questo libro a tuo cugino?   2. Piace a Barbara il documentario che è in visione?   3. È piaciuta mia zia a Lei?   4. Credete che questo libro piacerà a voi?   5. Signor..., Le piacciono i fagiolini?   6. Signorina..., Le piace il pesce?

(2) *Fate i cambiamenti indicati.*

ESEMPIO: *Mi* piace andare al cinema. — [tu]
Ti piace andare al cinema.

a. *Mi* piace la macedonia di frutta.
   1. tu   2. lei   3. voi   4. loro   5. lui   6. noi
b. *Gli* piacciono gli zucchini.
   1. io   2. Lei   3. noi   4. voi   5. tu
c. *Ci* è piaciuto quel documentario.
   1. tu   2. io   3. lui   4. lei   5. loro

D. *Traducete in italiano:*

1. John asked me if you will return to Capri.   2. I will answer him gladly, but I do not know (so) when you will return to Capri.   3. While you are listening to me, you are smiling at those young ladies. Why do you smile at them?

Do you know them? Do you like them? 4. Yes, I know them and I like them. I see them every day, and I speak to them every day. 5. They have seen an interesting travelogue twice, and wish to go to Amalfi. 6. My excursion to Amalfi was brief but very interesting. I like Amalfi very much. 7. If you go to Amalfi alone this book will be very useful to you. 8. Thank you. I do not know many people in Naples. 9. I know many people in Naples and in Amalfi, and if you tell me when you leave, I will write them a letter. 10. Now I must (**devo**) go to the house of my friend, Miss Pace. Good-bye. 11. "Please come in, Miss Pace is waiting for you," said the maid in a loud voice. 12. "Apparently you do not recognize me," John repeated twice. 13. A little later Miss Pace enters, and she says: "I am not ready, John. I'll change my clothes in two minutes." 14. "Do you shake hands with her every time (that) you see her?" the maid asked.

DA IMPARARE
A MEMORIA

C'è un documentario interessante al cinema.
Quando lo vede gli dà sempre la mano.
Visitammo Napoli molto tempo fa.
S'accomodi, signora, il professore L'aspetta.

CONVERSAZIONE

Rispondete alle domande seguenti:

1. Ci sono televisori in Italia? 2. Che cosa è in visione questi giorni qui a...? 3. A Lei, signor..., piace andare al cinema? 4. Che cosa fa Giovanni quando arriva alla porta della pensione? 5. Che cosa dice Giovanni quando la cameriera apre la porta? 6. Che gli risponde la cameriera? 7. Perché la cameriera riconosce subito Giovanni? 8. Dove aspetta Giovanni? 9. Conosce Napoli la signorina Pace? 10. Con chi andò a Napoli Giovanni? 11. Perché Giovanni e suo padre non visitarono Amalfi? 12. Che cosa farà Giovanni se la signorina Pace andrà (*fut.* of **andare**) a Napoli? 13. Che cosa ha dimenticato Giovanni? 14. Vanno subito al cinema Barbara e Giovanni?

14

A UN BAR

Il «caffè» o il «bar» è una vera istituzione in Italia, ed è parte della vita giornaliera di quasi tutti gl'Italiani. Gl'Italiani vanno al bar o al caffè per appuntamenti, per affari, per incontrarsi con gli amici, per scrivere lettere, per studiare, per leggere il giornale, per prendere
5 l'aperitivo, e naturalmente per prendere il caffè o l'espresso. D'inverno all'interno, d'estate all'aperto, il caffè o il bar è sempre a disposizione degl'Italiani. La signorina Pace è seduta a un tavolo di un bar, all'aperto, in Piazza della Repubblica. Passa Enzo Falchi, uno studente che la signorina Pace conosce e che conosce la signorina Pace.
10 La vede, e s'avvicina al tavolo.

SIG. FALCHI: Buon giorno, signorina, come sta?

SIG.NA PACE: Buon giorno, signor Falchi.

SIG. FALCHI: Le dispiace se mi siedo al Suo tavolo?

SIG.NA PACE: Le pare! Prego! S'accomodi!

15 SIG. FALCHI: Volentieri. (*a un cameriere che è lì vicino*) Cameriere, due granite di caffè, per favore.

CAMERIERE: Con la panna o senza?

SIG.NA PACE: Io la preferisco con la panna, ma non troppa.

SIG. FALCHI: E io senza panna. Anzi, no; io prendo un
20 cappuccino. (*alla signorina Pace*) Mi ha detto Giovanni che Lei va a Venezia per qualche giorno. Quando parte?

SIG.NA PACE: Domani.

SIG. FALCHI: Di mattina o nel pomeriggio?

25 SIG.NA PACE: Di mattina. C'è un treno che parte alle otto e trenta.

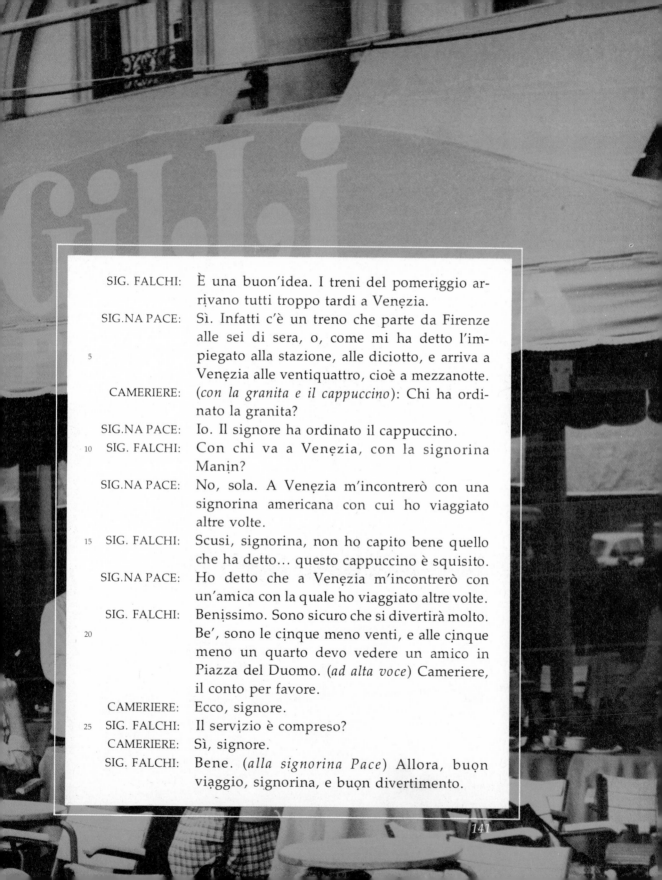

SIG. FALCHI:	È una buon'idea. I treni del pomeriggio arrivano tutti troppo tardi a Venęzia.
SIG.NA PACE:	Sì. Infatti c'è un treno che parte da Firenze alle sei di sera, o, come mi ha detto l'impiegato alla stazione, alle diciotto, e arriva a Venęzia alle ventiquattro, cioè a mezzanotte.
CAMERIERE:	(*con la granita e il cappuccino*): Chi ha ordinato la granita?
SIG.NA PACE:	Io. Il signore ha ordinato il cappuccino.
SIG. FALCHI:	Con chi va a Venęzia, con la signorina Manin?
SIG.NA PACE:	No, sola. A Venęzia m'incontrerò con una signorina americana con cui ho viaggiato altre volte.
SIG. FALCHI:	Scusi, signorina, non ho capito bene quello che ha detto… questo cappuccino è squisito.
SIG.NA PACE:	Ho detto che a Venęzia m'incontrerò con un'amica con la quale ho viaggiato altre volte.
SIG. FALCHI:	Benissimo. Sono sicuro che si divertirà molto. Be', sono le cinque meno venti, e alle cinque meno un quarto devo vedere un amico in Piazza del Duomo. (*ad alta voce*) Cameriere, il conto per favore.
CAMERIERE:	Ecco, signore.
SIG. FALCHI:	Il servizio è compreso?
CAMERIERE:	Sì, signore.
SIG. FALCHI:	Bene. (*alla signorina Pace*) Allora, buon viaggio, signorina, e buon divertimento.

Vocabolario

NOUNS

l' **affare** *m.*   business dealing
l' **aperitivo**   apéritif
il **bar**   café, coffee shop
il **cappuccino**   espresso coffee
   with milk
il **conto**   check, bill
   Enzo   masculine proper name
l' **espresso**   black Italian coffee
la **granita di caffè**   coffee ice
l' **istituzione** *f.*   institution
la **mezzanotte**   midnight
la **panna**   cream
la **parte**   part
   Piazza della Repubblica *a*
    square in Florence
la **stazione**   station
il **treno**   train
   Venezia   Venice
la **vita**   life

ADJECTIVES

giornaliero   daily
sicuro   sure, certain

VERBS

avvicinarsi (a)   to approach, go
   near (*a person or a thing*)
incontrarsi (con)   to meet (*by
   arrangement*)
ordinare   to order
passare   to pass, go by (conjugated with **essere**)

viaggiare   to travel (conjugated
   with **avere**)

OTHERS

anzi   rather, on the contrary
cioè   namely; that is
naturalmente   naturally
per favore   please
qualcosa   something
seduto   seated
senza   without
troppo   too, too much

IDIOMS

a disposizione di   available to
all'aperto   in the open, outdoors
all'interno   inside
be'!   (*colloquial from* **bene**) well!
buon divertimento!   have a good
   time!
buon viaggio!   bon voyage! have a
   fine trip!
d'estate   in the summer
di mattina (or: **la mattina**)   in the
   morning
d'inverno   in winter
di sera (or: **la sera**)   in the evening
il servizio è compreso   service
   included
Le dispiace?   do you mind? (*lit.*
   "does it displease you?"*)
per favore   please
prego!   I beg you! Please! You are
   welcome!

Il Canal Grande, Venezia

GRAMMATICA

I. **Pronomi relativi** (Relative Pronouns)

(1) The most common relative pronouns are **che, cui, quale.**

    a. **che** (*who, whom, that, which*) is invariable, and is never used with prepositions.

Il signore **che** parla è italiano.	The gentleman *who* is speaking is Italian.
La signorina **che** abbiamo incontrato (-a) è una studentessa.	The young lady *whom* we met is a student.
I vini **che** abbiamo assaggiato (-i) sono squisiti.	The wines we tasted are exquisite.

NOTE 1: As we saw in Lesson 10, in a relative clause introduced by **che,** the agreement of the past participle of a transitive verb is optional.

NOTE 2: (last example): The relative pronoun is never omitted in Italian as it frequently is in English.

    b. **cui** (*whom, which*) is also invariable and may be used only after a preposition.

Questa è la signora **di cui** ti ho parlato.	This is the lady *of whom* I spoke to you.
La casa **in cui** abita è in una piazza.	The house *in which* she lives is in a square.

c. **quale** (*who, whom, that, which*) is variable and is always preceded by the definite article: **il (la) quale, i (le) quali.** This form is not common in speech: it is occasionally used after a preposition, and to avoid ambiguity.

La signorina **con la quale** studio l'italiano è fiorentina.	The young lady *with whom* I study Italian is a Florentine.
Ha veduto la sorella di Giovanni, **la quale** è arrivata ieri?	Did you see John's sister, *who* (the sister) arrived yesterday?

(2) *He who, him who, the one who* are translated by **chi.**

Chi studia, impara.	*He who* studies, learns.
Darò questo libro **a chi** finirà prima.	I will give this book *to him who* finishes first.

(3) *What* with the meaning of *that which* is expressed by **quello che** (or its shortened form **quel che**) and also by **ciò che.**

È **quello che** le ho detto.	It's *what* I told her.

II. Il pronome interrogativo "di chi?" (The Interrogative Pronoun "di chi?")

(See Lesson 8, section II.) The interrogative adjective *whose?* is expressed by *di chi.* Note that the verb follows immediately.

Di chi è quest'abito?	*Whose* suit is this?
Di chi sono questi libri?	*Whose* books are these?

III. L'ora (Time of Day)

(1) The Italian equivalent of the question "What time is it?" is either **che ora è?** or **che ore sono?** The reply, or statement, is (*a*) singular for *one o'clock, noon,* and *midnight;* (*b*) plural for the other hours.

È l'una.	*It is* one o'clock.
È mezzogiorno.	*It is* noon.
È mezzanotte.	*It is* midnight.
Sono le due (le tre, le cinque, etc.)	*It is two (three, five, etc.) o'clock.*

It should be noted that the word for *time* (**ora** in the singular, **ore** in the plural) is implied but not expressed in giving the time of day.

(2) The following idiomatic constructions are used to express fractions of time.

È l'una **e dieci (quindici, venti,** *etc.*)	*It is* one *ten (fifteen, twenty, etc.)*
Sono le tre **e un quarto.**	*It is a quarter past* three.
Sono le cinque **e mezzo.**	*It is five-thirty.*
Sono le otto **meno venti.** (*lit.* "eight minus twenty")	
or: **Mancano venti minuti** alle otto. (*lit.* "twenty minutes are lacking to eight")	*It is twenty minutes to* eight.
È mezzogiorno **meno un quarto.**	
or: **Manca un quarto a** mezzogiorno.	*It is a a quarter to* twelve (noon).
A che **ora?**	*At what time?*
A mezzogiorno, alle sei, alle nove e mezzo.	*At noon, at six, at nine-thirty.*
Sono le tre **in punto.**	*It is exactly* three o'clock.

(3) In referring to train (boat, *etc.*) schedules, theatrical performances, and office hours, Italians sometimes continue counting after twelve (noon) to twenty-four (midnight). In everyday conversation, however, when clarification is needed, it is more common to count from 1 to 12 and to use: **di mattina** A.M. (lit. "of the morning"), **del pomeriggio** early P.M. (lit. "of the afternoon"); and **di sera,** late P.M. (lit. "of the evening").

Il treno parte **alle venti.**	The train leaves at *8 P.M.*
I cugini sono arrivati **alle sette di mattina (di sera).**	The cousins arrived at *7 A.M. (P.M.).*

IV. Presente indicativo di <u>dovere</u> (Present Indicative of dovere)

dovere *to have to, must*

Devo prendere il treno di mezzogiorno.	*I must take the noon train.*
devo	I have to, I must, *etc.*
devi	
deve	
dobbiamo	
dovete	
devono	

A. IL PRONOME RELATIVO (The relative pronoun).

(1) *Completate le frasi con la forma corretta del pronome relativo.*

ESEMPIO: Questa è la signorina... ci ha telefonato.
Questa è la signorina *che* ci ha telefonato.

1. Questo è il conto... ho pagato. 2. Ecco la cravatta...
desidero. 3. Le persone di... parli. 4. La via in...
abitiamo. 5. Non capiscono... io dico. 6. Il treno
con... andiamo a Venezia. 7. Le maestre con... abbiamo studiato l'italiano. 8. La granita... il cameriere
ci ha servita. 9. Non conosco la cugina di Carlo, che
abita a Roma. 10. Mio padre dice sempre che... dorme
troppo non studia mai.

(2) *Cambiate le frasi seguenti secondo il modello dell'esempio.*
(Change the following sentences according to the pattern of the
example.)

ESEMPIO: Sono andato al cinema con quella signorina.
Ecco la signorina *con cui (con la quale)* sono
andato al cinema.

1. Ho parlato a quel signore. 2. Abbiamo mandato
dei libri a quella ragazza. 3. Hanno dato la mano a
quello studente. 4. Maria è partita con quel giovanotto (young man). 5. Hai fatto un viaggio con
quelle persone. 6. Abbiamo pranzato in quel ristorante. 7. La signorina è seduta a quella tavola.
8. Ha parlato con un compagno di scuola. 9. Il
cameriere ha portato il conto. 10. Gli amici hanno
ordinato i cappuccini.

(3) *Rispondete alle domande cominciando con* **Questo è quello che**
(O: **quel che**, o **ciò che**)

ESEMPIO: Che hai comprato?
Questo è quello che ho comprato.

1. Che cosa hanno detto? 2. Che cosa vi ha insegnato?
3. Che cosa ha ordinato Lei? 4. Che avete cambiato?
5. Che hanno mangiato?

(4) *Traducete le frasi seguenti.*

1. Whose book is that? *Di chi e quello libro.*
2. He who sleeps does not eat. *chi dorme, non mangiare*
3. It's what I read in the paper. *E quello che ho letto in giornale*
4. This is what he taught you. *E questo che ti ha insegnato*
5. Whose passport is this? *Di chi é questo passaporto*
6. We give the money to him who wants it. *Diamo il denaro a chi lo desidera*
7. Whose are the magazines that you will read? *Di chi sono le riviste che Lei leggerà*
8. This is what she has bought. *E questo che ha comprata*

B. L'ORA (Time of Day).

Ripetete facendo i cambiamenti indicati.

a. Che ora è?

ESEMPIO: 8,20 — Sono *le otto e venti.*

1. 7,15   3. 10,30   5. 8,55   7. 1 p.m.
2. 9,10   4. 10,40   6. Midnight   8. Noon

b. A che ora arrivano a casa?

ESEMPIO: 1,00 — Arrivano *all'una* in punto.

1. 3,00   3. 10,00   5. 9,00   7. mezzanotte.
2. 11,00   4. 4,00   6. 7,00

C. *Studiate il presente indicativo del verbo* **dovere.** *Completate le frasi con il verbo* **dovere.**

1. Maria *deve* partire alle otto e dieci. 2. Quando arrivano alla stazione Loro *devono* cambiare l'assegno. 3. Voi *dovete* ripetere questa lezione. 4. *Devete/devi* ordinare qualcosa anch'io? 5. Lei *deve* accompagnare Giovanni alla stazione. 6. Tu *devi* studiare tutti i giorni.

D. *Traducete in italiano:*

1. I must go to the bank. Do you wish to go too? 2. Gladly. But what time is it? I must return home early. 3. It is a quarter to three. Is that all right? 4. Yes. I must return home at four o'clock sharp. 5. Who is that gentleman near the door? 6. Which one? There are two gentlemen at the door. 7. That gentleman who is wearing a green tie.

8. He must be a friend of the lady with whom he is talking.
9. That's right! But *you* do not know him. 10. No. Why?
11. Because I have seen him many times, and I do not
know him either (translate "Not even I know him."). 12. I
will introduce you. 13. But you said that you do not know
him. 14. It's true, but I know the lady with whom he is
talking, and *she* knows him. 15. Enough! It is three-thirty
already, and I must go to the station. 16. An aunt of mine
is going to Venice, and she wants to see me, but I do not
know **(so)** what she wants.

DA IMPARARE
A MEMORIA

Quando parte il treno per Roma, di mattina o di sera?
Se non La vedo domenica, buon viaggio e buon divertimento.
Prego! S'accomodi!

CONVERSAZIONE

Rispondete alle domande seguenti:

1. Dov'è seduta la signorina Pace? 2. Chi passa lì vicino?
3. Che cosa ha ordinato la signorina Pace? 4. Lei ha mai
assaggiato una granita di caffè con panna? 5. Quanto tempo
resterà a Venezia la signorina Pace? 6. È vero che tutti i treni
per Venezia partono di mattina? 7. La signorina Pace va a
Venezia con la signorina Marini? 8. Chi chiama il cameriere
per pagare il conto? 9. Che ore sono ora? 10. Lei ha capito
quello che ho detto? 11. Quando prendono il caffè gl'Italiani?
12. Quando legge il giornale Lei? 13. Lei prende un aperitivo? Quando? 14. Le piace mangiare all'aperto?

15

BARBARA È PARTITA

Barbara e Anna scendono da un tassì davanti alla stazione ferroviaria. Anna è venuta alla stazione ad accompagnare Barbara che parte per Venezia.

BARBARA: Dobbiamo andare subito a fare il biglietto
5 perché il treno parte fra cinque minuti.
ANNA: Viaggi in prima o in seconda classe?
BARBARA: Scherzi? In seconda, perché sfortunatamente la terza non c'è più! (*All'impiegato allo sportello della biglietteria.*) Un biglietto di seconda per
10 Venezia.... (*Ad Anna*) Io corro perché il treno sta per partire. Arrivederci, a presto.
ANNA: Arrivederci, buon viaggio.

Anna esce dalla stazione e va al centro della città. Davanti all'ufficio della CIT incontra Maria Bianchi, una signorina che ha
15 *conosciuta alla Biblioteca Nazionale.*

MARIA: Ciao, Anna!
ANNA: Ciao, Maria! È molto tempo che non ci vediamo.

MARIA:	È vero. Non esco molto spesso e vengo in città raramente… ma tu, cosa fai da queste parti?
ANNA:	Sono andata alla stazione ad accompagnare Barbara Pace.
5 MARIA:	È partita? È ritornata in America?
ANNA:	No, no! È partita per Venezia. Là s'incontrerà con un'amica che viene dall'Inghilterra, da Londra.
MARIA:	Ritornerà a Firenze?
10 ANNA:	Certamente. Vuole continuare gli studi qui a Firenze; ma prima farà un viaggio in Francia con la sua amica. Ma vedo che esci dall'ufficio della CIT; parti anche tu?
MARIA:	Magari! Sono venuta a vedere un'amica che è impiegata alla CIT. Tu come ti trovi a Firenze? Sono già tre mesi che sei qui, non è vero?
ANNA:	Sì, non sembra possibile. Il tempo vola, forse perché la vita è così bella in Italia.
MARIA:	Be', auguri, e se puoi venire a casa mia un giorno, usciremo insieme se vuoi.
ANNA:	Volentieri. Lo farò. Arrivederci, Maria.
MARIA:	Ciao, Anna!

Vocabolario

NOUNS

l' **Amęrica**   America

il **biglietto**   ticket; **biglietto di prima (di seconda)**   first-(second-) class ticket

la **biglietteria**   ticket office

il **cęntro**   center, downtown

CIT *abbreviation for* **Compagnia Italiana del Turiṣmo,** *the largest travel organization in Italy*

l' **Eurọpa**   Europe

l' **Inghiltęrra**   England

Londra   London

Maria   Mary

il **mese**   month

il **tassì**   taxi

ADJECTIVE

possįbile   possible

VERBS

cọrrere   to run

scherzare   to joke

sembrare   to seem

volare   to fly

OTHERS

ad (often used instead of **a** before a word beginning with a) at, to, in

almeno   at least

certamente   certainly

fra   in, within (*of time*)

raramente   rarely

sfortunatamente   unfortunately

IDIOMS

a pręsto   see you soon

auguri   best wishes

continuare gli studi   to continue one's education

da queste parti   in this neighborhood

fare il biglietto   to get a ticket (*for train, bus, etc.*)

fare un viaggio   to take a trip

magari!   I wish it were so!

stare per   to be about to

trovarsi†† (bęne)   to get along (well) (in a place)

Ponte Vecchio, Firenze

GRAMMATICA

I. **Uso idiomatico dell'articolo determinativo** (Special Uses of the Definite Article)

(1) Contrary to English usage the definite article is required in Italian before a noun used in a general or abstract sense.

Gli assegni sono utili.	*Checks* are useful.
Il denaro è necessario.	*Money* is necessary.
Preferisco **le riviste ai giornali.**	I prefer *magazines to newspapers.*
La vita è breve.	*Life* is brief.

(2) The name of a continent, country, region or large island is always preceded by the definite article.

L'Italia è una nazione.	*Italy* is a nation.
L'Europa ha molti paesi.	*Europe* has many countries.
Vuole visitare **la Sicilia.**	He wants to visit *Sicily.*
Sono venuti **dall'Inghilterra.**	They came *from England.*
I laghi **della Svizzera.**	The lakes *of Switzerland.*
BUT	
Capri è una piccola isola.	*Capri* is a small island.

The article, however, is dropped when the name of an *unmodified* feminine continent, country, region, or large island is preceded by the preposition **in** which means both *in* and *to.*

L'Italia è **in Europa.**	Italy is *in Europe.*
Vado **in Francia.**	I am going *to France.*
BUT	
Roma è **nell'Italia centrale.**	Rome is *in central Italy.*

When the name of a country, region or island is masculine, the article is usually retained after **in.**

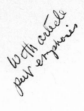

Acapulco è **nel Męssico** (*but also:* **in Męssico.**)   Acapulco is *in Mexico.*

Siamo stati **nel Giappone** (*but also:* **in Giappone.**)   We have been *in Japan.*

Torino è **nel Piemonte** (*but also:* **in Piemonte.**)   Turin is *in Piedmont.*

EXCEPTION

Sono **in Egitto.**   They are *in Egypt.*

For phonetic reasons the article is always retained with the two Italian regions, **Vęneto** and **Lązio.**

Venęzia è **nel Vęneto.**   Venice is *in Veneto.*

Roma è **nel Lązio.**   Rome is *in Latium.*

II. La preposizione a con i nomi di città (The Preposition a with names of cities)

The Italian preposition **a** translates English *to* and *in* when they are used in connection with the name of a city.

Vado **a Venęzia.**   I am going *to Venice.*

Ạbitano **a Venęzia.**   They live *in Venice.*

III. Uso idiomạtico del presente indicativo (Special Use of the Present Tense)

The present indicative is used to express an action or condition which began in the past and is still going on in the present.

Sono due anni che **stụdia** l'italiano (*or:* **stụdia** l'italiano da due anni)   He *has been studying* Italian two years.

È un anno che **ạbita** a Firenze. (*or:* **Ạbita** a Firenze da un anno)   He *has been living* in Florence one year.

IV.   Presente indicativo di <u>potere</u>, <u>volere</u>, <u>uscire</u>

potere *to be able, can, may*

Non posso partire stasera.	*I can't leave tonight.*
posso	I can, am able, may, *etc.*
puoi	
può	
possiamo	
potete	
possono	

volere *to want*

Voglio ritornare a casa.	*I want to return home.*
voglio	I want, *etc.*
vuoi	
vuole	
vogliamo	
volete	
vogliono	

uscire *to go out*

Esco prima delle undici.	*I'm going out before eleven.*
esco	I go out, *etc.*
esci	
esce	
usciamo	
uscite	
escono	

V. La preposizione a con l'infinito (The Preposition a with Infinitives)

Certain verbs that indicate motion, or the beginning or continuation of an action, such as **andare, continuare, imparare, incominciare, invitare, insegnare, portare** and **venire**, require the preposition **a** before an infinitive.

Voglio **imparare a parlare** italiano.	I want *to learn to speak* Italian.
Sono venuti a vedere Giovanni.	*They have come to see* John.
Incominciò a cantare.	*She began to sing.*

ESERCIZI   A.   *Studiate gli usi speciali dell'articolo determinativo.*

(1) *Ripetete gli esempi facendo i cambiamenti necessari.*

a. *La vita* vola.
   1. tempo   2. giorni   3. denaro   4. mesi   5. mattinate   6. minuti

b. Preferisco *la salute* (health) *al denaro.*
   1. latte... caffè   2. treni... automobili   3. notte... giorno   4. carne... pesce   5. vitello... pollo   6. torta... minestra

c. La *Francia* è in *Europa.*
   1. California... America   2. Portogallo... Europa   3. Messico... America   4. Egitto... Africa   5. India... Asia   6. Algeria... Africa

d. Abitano in *Italia.*
   1. Francia   2. Inghilterra   3. Messico   4. California   5. Giappone (*m.*)   6. Argentina

e. Sono andati in *Italia,* sono a *Roma.*
   1. Francia... Parigi   2. Spagna... Madrid   3. Messico... Acapulco   4. India... Calcutta   5. California... San Francisco   6. Inghilterra... Londra

(2) Dica che (*Say that*):

1. Venice is in Italy. 2. Laredo is in Mexico. 3. Oxford is in England. 4. Mary is in France. 5. John is in London. 6. Louise and Charles are in Rome. 7. John and Maria live in Florence. 8. Professor Rossi has been in Europe three months. 9. Mary has been living in Venice two years. 10. Your uncle and your aunt have not seen each other for five months.

(3) *Completate le frasi seguenti.*

ESEMPIO: Quando abitarono _____ Italia, andarono anche _____ Venezia.

Quando abitarono in Italia, andarono anche a Venezia.

1. Quando visitai _____ Inghilterra, visitai anche _____ Irlanda (*Ireland*). 2. Quando visitammo _____ Scozia, andammo _____ Glasgow e anche _____ Edimburgo (*Edinburgh*). 3. Madrid è la capitale _____ Spagna (*Spain*). 4. Brasília è la capitale _____ Brasile. 5. Se visiterà _____ Germania, andrà _____ Berlino, _____ Monaco (*Munich*) e _____ Bonn. 6. _____ Umbria e _____ Lazio sono due regioni _____ Italia Centrale: io sono stato _____ Lazio ma non ho mai visitato _____ Umbria. 7. Mia zia abita _____ Napoli, ma i miei genitori abitano _____ Bari.

B. *Studiate l'uso speciale del presente indicativo. Ripetete facendo i cambiamenti indicati.*

ESEMPIO: *È un mese che* non ci telefoniamo.

Non ci telefoniamo da un mese.

1. È molto tempo che non ci vediamo. 2. È un'ora che ti chiamo. 3. Sono due anni che non mi parlano. 4. Sono tre mesi che abitano a Venezia. 5. Sono due settimane che non mi scrivono. 6. È un'ora che ti aspetto. 7. Sono venti minuti che legge il giornale.

C. *Studiate il presente indicativo dei verbi **potere, volere, uscire**.*
   Ripetete facendo i cambiamenti indicati.

    a. *Maria* non *vuole* uscire perché non *può* camminare.
        1. io 2. noi 3. Lei 4. voi 5. essi 6. tu

    b. Quando *io posso* uscire, *esco* volentieri.
        1. Carlo 2. tu 3. voi 4. noi 5. Mario e Luisa
        6. Lei

D. *Ripetete facendo i cambiamenti indicati.*

    a. Se *io incomincio* a scrivere, *continuo* a scrivere per
        un'ora.
        1. Maria 2. noi 3. loro 4. voi 5. tu

    b. *Abbiamo imparato* a nuotare.
        1. io 2. Giovanni 3. Giovanni e Maria 4. tu 5. voi

    c. *Sono venuti* a vedere il nostro giardino.
        1. tu 2. io 3. loro 4. lui 5. voi

E. *Traducete in italiano:*

1. Maria and Miss Manin want to go to Venice together.
2. They are coming out of the CIT office now. They have
been at the CIT office for thirty-five minutes. 3. "Do you
think that our trip to Venice will be interesting?" asks Miss
Manin. 4. "Yes, a trip to Venice is always interesting,"
replies Maria Bianchi. 5. Perhaps we can also take a short
trip to Trieste. 6. Why do you want to go to Trieste?
7. Because many persons have told me that it is a beautiful
city. 8. Did you say the train for Venice leaves at eight?
9. No, at eight-forty in the morning; we must buy our
traveler's checks today. 10. Oh yes; must we go to the
bank for the checks? 11. No, we can get them at the CIT;
we must go back. 12. Do you have your passport? We
can't buy traveler's checks without a **(il)** passport. 13. Yes,
I have mine; I have learned one thing in Italy and that is
that passports are very useful! 14. Fine, but it is also
necessary to have money to **(per)** buy traveler's checks.
15. Certainly: I have my passport, and here is my money.
We will have a good time; life is beautiful!

**DA IMPARARE
A MEMORIA**

Arrivederci, ora devo ritornare a casa.

Mi dispiace, ma non posso fare un viaggio quest'anno.

Il treno sta per partire.

Mio fratello si trova molto bene a Palermo.

È andata a fare il biglietto.

CONVERSAZIONE

Rispondete alle domande seguenti:

1. Dove scendono dal tassì Barbara e Anna? 2. Perché Barbara deve fare subito il biglietto? 3. In quale classe viaggia Barbara? 4. Perché corre Barbara? 5. Dove va Anna quando esce dalla stazione? 6. Chi è venuto in città? 7. Dove s'incontrano Maria e Anna? 8. Si vedono spesso Anna e Maria? 9. Dove dice che è stata Anna a Maria? 10. Ritornerà subito a Firenze da Venezia Barbara? 11. Chi è venuta a vedere Maria? 12. Da quanto tempo è a Firenze Anna? 13. Da quanto tempo è a... Lei? 14. Vola il tempo qui a scuola?

16

UNA LETTERA DA VENEZIA

Giovanni è nella sua stanza a casa sua. Ha ricevuto una lettera da Venezia. È di Barbara Pace. Giovanni apre la busta e legge.

Venezia, 10 aprile

Caro Giovanni,

5   volevo scrivere ieri l'altro ma non ho potuto perché ero troppo occupata. Quando arrivai a Venezia erano già le due, perché il treno era in ritardo. Alla stazione m'aspettava la mia amica Edith. Quando eravamo bambine io e Edith andavamo alla stessa scuola. Edith allora abitava con sua

10   zia perché i suoi genitori erano in Europa. Poi anche lei andò in Europa e non l'ho riveduta fino a qualche mese fa.

    Andammo subito all'albergo, in gondola. Era un pomeriggio magnifico, e il sole splendeva sul Canal Grande; era uno spettacolo incantevole che ricorderò sempre. Dopo cena,

mentre camminavamo in Piazza San Marco, incontrammo delle amiche di Edith che andavano al Lido. C'invitarono. Veramente io ero stanca e volevo ritornare all'albergo, ma andai al Lido lo stesso.

5   Il giorno dopo visitammo la chiesa di San Marco e il Palazzo dei Dogi. I mosaici di San Marco sono proprio meravigliosi. Era una bella giornata e sembrava estate. Ieri siamo andate all'isola di Murano così famosa per le vetrerie e oggi ho passato quasi tutta la giornata a fare delle spese.

10 Domani partirò per Trieste; voleva venire anche Edith ma oggi ha ricevuto una lettera da una signora che conosceva in America e che arriverà a Venezia fra due giorni. Peccato!

   Cosa c'è di nuovo a Firenze? Se mi scrive, il mio indirizzo a Trieste sarà: presso Baldini, Via San Giusto 25.

15   Saluti cordiali, Sua

                        Barbara

Vocabolario

NOUNS

l' **aprile** *m*.   April
il **bambino**   child, baby
la **busta**   envelope
il **Canal Grande**   the Grand Canal
   (*the largest Canal in Venice*)
la **cena**   supper
la **giornata**   day, whole day
   (*descriptive*)
la **gondola**   gondola;
   in gondola   in a gondola
il **Lido,** Lido, *a beach in Venice*
il **mosaico**   mosaic (pl. *mosaici*)
l' **isola**   island
   Murano *f.*   *an island near Venice*
      (*famous for its glass works*)
   Palazzo dei Dogi   Ducal Palace
   Piazza San Marco   St. Mark's
      Square (*main square in Venice*)
il **saluto**   greeting; **saluti**
   cordiali   kindest (best) regards
il **sole**   sun
lo **spettacolo**   spectacle
la **stanza**   room
la **vetreria**   glassworks

ADJECTIVES

caro   dear
cordiale   cordial

incantevole   enchanting
meraviglioso   marvelous
occupato   busy
stanco   tired

VERBS

ricevere   to receive
rivedere   to see again
splendere   to shine

OTHERS

facilmente   easily
ieri   yesterday
proprio   really, truly, indeed
quasi   almost

IDIOMS

cosa c'è di nuovo?   what's new?
fare delle spese   to shop
fino a   until
ieri l'altro (*also* l'**altro ieri**)   the day
   before yesterday
il **giorno dopo**   the next day
peccato!   too bad!
presso   in care of (*in addresses*)

Venezia

GRAMMATICA

I. **L'imperfetto** (The Past Descriptive Tense)

This tense is often called the imperfect. The past descriptive of the three model verbs is:

parlare *to speak*

Parlavo a Maria ogni giorno.	*I used to speak to Mary every day.*

parl-avo	I was speaking, used to
parl-avi	speak, spoke (habitually),
parl-ava	*etc.*
parl-avamo	
parl-avate	
parl-ạvano	

ripẹtere *to repeat*

Ripetevo le stesse cose.	*I was repeating the same things.*

ripet-evo	I was repeating, used to re-
ripet-evi	peat, repeated (habitually),
ripet-eva	*etc.*
ripet-evamo	
ripet-evate	
ripet-ẹvano	

capire *to understand*

Di sọlito non lo capivo.	*I usually didn't understand him.*

cap-ivo	I was understanding, used to
cap-ivi	understand, understood
cap-iva	(habitually), *etc.*
cap-ivamo	
cap-ivate	
cap-ịvano	

II. L'imperfetto di <u>avere</u>, <u>essere</u>

avere *to have*

Avevo i capelli neri.　　　*I used to have black hair.*

avevo　　　　　　　*I was having, used to have,*
avevi　　　　　　　　*had (habitually), etc.*
aveva

avevamo
avevate
avevano

essere *to be*

La mattina ero sempre a casa.　*I was (habitually) always at home in the morning.*

ero　　　　　　　　*I was, used to be, etc.*
eri
era

eravamo
eravate
erano

III. Uso dell'imperfetto (Use of Past Descriptive)

Like the present perfect and the past absolute, the past descriptive indicates a past time. However, while the first two tenses always indicate an action completed in the past (*what actually did happen*), the past descriptive does not, but is used instead as follows:

(1) To describe or express a state of being in the past (not what happened, but what *was*).

Era una bella giornata.　　*It was a beautiful day.*
Era giovane.　　　　　　*She was young.*

(2) To express an action going on in the past, in progress but not completed (not what happened, but *what was happening*).

Parlava quando sono entrata.　*He was speaking when I entered.*

Giovanni leggeva ad alta voce.	*John was reading* aloud.

(3) To express an habitual or regularly recurring action in the past (not what happened, but *what used to happen*, or *would happen regularly*).

Mi alzavo presto ogni mattina.	*I used to get up* early every morning.
Se era tardi, **restavo** a casa.	*If it was late, I stayed (would stay)* home.
Leggeva il giornale ogni giorno.	*He read* the paper every day.

(4) To express time of day in the past.

Ẹrano le sette.	*It was* seven o'clock.

IV. Paragone dei tempi passati (The Past Tenses Compared)

For a comparison of the present perfect, the past absolute and the past descriptive, study the following examples:

Arrivò in Itạlia **molto tempo fa.**	*He arrived* in Italy *long ago.*
È arrivato in Itạlia **recentemente.**	*He arrived* in Italy *recently.*
Arrivava in Itạlia nell'estate.[1]	*He used to arrive* in Italy in summer.
Non **voleva** scrịvere.	*He (usually) did* not *want* to write
Studiạvano quando **arrivai.**	*They were studying* when *I arrived.*
Gli **abbiamo detto** che lei **era** a casa.	*We told* him that *she was* at home.
Era molto giọvane quando sua madre **morì.**	*He was* very young when his mother *died.*

---

[1] **Nell'estate = in estate = d'estate.** The same is true for the other seasons: **nella primavera, in primavera, di primavera,** etc.

V. Gli avverbi e la loro formazione (Adverbs and Their Formation)

Most Italian adverbs are formed by adding **-mente** (equivalent to English -ly) to the feminine singular of the adjective.

ADJECTIVE		ADVERB	
chiaro	clear	**chiaramente**	clearly
vero	true	**veramente**	truly
recente	recent	**recentemente**	recently

If the last syllable of the feminine adjective is **-le** or **-re,** and it is preceded by a vowel, the final **-e** is dropped before **-mente** is added.

facile	easy	**facilmente**	easily
regolare	regular	**regolarmente**	regularly

San Marco, Venezia

ESERCIZI A. *Studiate l'imperfetto* (past descriptive) *dei verbi regolari.*

(1) *Sostituite all'infinito del verbo la forma corretta dell'imperfetto.*

1. Io *andare* al ristorante quando l'ho incontrata. 2. Le ragazze *divertirsi* in giardino. 3. L'impiegato *ricevere* molte lettere. 4. Loro ci *incontrare* tutti i giorni alle quattro. 5. Il suo indirizzo *essere* Via Roma 25. 6. La vostra amica *avere* molto denaro. 7. Il tempo *volare* quando io *essere* con Maria. 8. La lezione *essere* facile. 9. Noi non *ricordare* il suo nome. 10. Lei la *vedere* in Italia.

(2) *Mettete le frasi seguenti all'imperfetto.*

ESEMPIO: Essi *sono* a Napoli. — Essi *erano* a Napoli.

1. È tardi. 2. Il sole splende. 3. Mario lo aspetta. 4. Si alza sempre alle otto. 5. Ordiniamo del caffè. 6. Sono le undici di mattina. 7. Tu vuoi mangiare. 8. Lei non mi risponde. 9. Siete stanchi. 10. Scrivono una lettera tutte le domeniche. 11. Cosa c'è di nuovo? 12. Scrive a Barbara presso sua zia.

(3) *Ripetete gli esempi seguenti cambiando le parole indicate.*

a. Quand'ero ragazzo andavo a scuola a piedi.
1. noi 2. tu 3. essi 4. mio cugino 5. Lei 6. voi

b. Quando il treno arrivò mia zia l'aspettava.
1. tu 2. essi 3. voi 4. Lei 5. noi

c. *Mi sono divertito* mentre *ero* in Italia.
1. noi 2. Olga 3. voi 4. Carlo e Maria 5. tu

(4) *Fate i cambiamenti indicati.*

a. ESEMPIO: *Mi* piaceva andare al cinema.
           [tu] *Ti* piaceva andare al cinema.

1. Lei. 2. voi. 3. loro. 4. lui. 5. noi

b. ESEMPIO: *Gli* piacevano i mosaici.

1. noi. 2. io. 3. lei. 4. voi. 5. loro

B. *Sostituite all'infinito la forma corretta dell'imperfetto, del passato prọssimo o del passato remoto:*

1. Era una bella giornata e nella piazza *ẹsserci* molte persone.
2. Ieri, quando Maria *arrivare*, ero in salotto.
3. Quand'eri ragazzo *lavarsi* in poco tempo.
4. Sono le sette ma i nostri amici non *arrivare*.
5. Cinque anni fa Luisa *andare* in Itạlia.
6. Due anni fa dove *abitare* Lei?
7. Carlo, a che ora *alzarsi* oggi?
8. Voi *scrivere* una lẹttera tutti i giorni.
9. Il sole splendeva quando noi *ritornare* all'albergo.
10. Oggi *telefonare* a mia zia.

C. *Studiate la formazione degli avverbi (adverbs) in -mente. Trasformate i seguenti aggettivi in avverbi.*

1. possịbile   2. sicuro   3. breve   4. interessante
5. gentile   6. ụtile   7. squisito   8. magnịfico   9. favorẹvole   10. solo

D. *Traducete in italiano:*

1. The day before yesterday I was writing in the living room when Charles came. 2. He is a dear friend; we used to go to the same school when we were children. 3. He wanted to go to the movies. 4. I told him I could not go because I had to write a letter. 5. But he waited for me. It was two o'clock when we went out. 6. At the movies they had (trans. "there was") a very interesting travelogue, but I was tired and I did not enjoy myself. 7. Afterwards we stopped at the coffee shop to have (trans. "to take") a coffee ice. 8. While we were seated at the coffee shop Enzo passed by. He stopped and talked to us for ten minutes. 9. He wanted to go to London. 10. He asked me if I wanted to write a letter to one of my friends **(amici)**. 11. Gladly, I said; I will do it tomorrow. 12. Then we all got up from the table and we went home together. 13. While we walked, we talked of England.

14. I have never been in England. Too bad! I want to go to London soon.   15. Enzo was talking of Trafalgar Square when we arrived at my house. He wanted to go back to town, but I was tired.

DA IMPARARE A MEMORIA

Cosa c'è di nuovo a casa Sua?

È partito ieri l'altro e non tornerà fino a domani.

La lettera arrivò il giorno dopo ma io non ero a casa.

Quando scrive a Barbara, le scrive presso sua zia a Roma.

CONVERSAZIONE

Rispondete alle domande seguenti:

1. Scrive molte lettere Lei?   2. A che ora arrivò a Venezia la signorina Pace?   3. Chi l'aspettava alla stazione?   4. Come andarono all'albergo?   5. Era bello il Canal Grande?   6. Chi incontrarono le due ragazze quella sera in Piazza San Marco?   7. Che cosa visitò Barbara Pace il giorno dopo?   8. Perché Edith non poteva accompagnare Barbara a Trieste?   9. Quale sarà l'indirizzo di Barbara a Trieste?   10. Perché Giovanni aspettava una lettera di Barbara?   11. Per cosa è famosa l'isola di Murano?   12. Che cosa è un mosaico, Signorina?   13. È una bella giornata oggi?   14. Aspetta una lettera Lei? Da chi?

RIPETIZIONE 4

I. *Rispondete alle seguenti domande:*

1. Conosce Lei qualche persona in Italia? 2. Fa spesso un viaggio Lei? 3. Che ora è? 4. Vola il tempo durante la lezione d'italiano? 5. A che ora esce Lei la mattina? 6. Che cosa è la CIT? 7. Dov'è Murano? 8. Con chi abita Lei? 9. È una bella giornata oggi? 10. È stanco Lei ora? 11. È in Francia Lei ora? 12. Splende il sole oggi? 13. Lei preferisce la granita di caffè con panna o senza panna? 14. Esce Lei spesso con qualche amico? 15. Dove va Lei con un Suo amico?

II. *Ripetete facendo i cambiamenti indicati.*

a. Quando Carlo *lo* vede *gli* dà la mano.
   1. noi 2. voi 3. lei 4. essi 5. tu 6. io
b. Il professore *ci* parlò del suo viaggio.
   1. io 2. voi 3. Lei 4. essi 5. tu 6. noi

III. *Dite che ora è.*

ESEMPIO: 5,10 = Sono le cinque e dieci.

(1) 4,15 (2) 3,05 (3) 7,40 (4) 12 midnight (5) 11,45

Dite che ora era.

ESEMPIO: 6,20 = Erano le sei e venti.

(1) 8,30 (2) 2,00 (3) 9,18 (4) 10,55 (5) 12 noon

IV. *Ripetete facendo i cambiamenti indicati.*

Sono stato *in Francia*, ma non sono stato *a Parigi*.

1. Italia... Napoli 2. Inghilterra... Londra 3. Europa...

Madrid 4. Portogallo... Lisbona 5. Stati Uniti... Baltimora 6. Germania... Berlino 7. Russia... Mosca

(handwritten above: nel — before Madrid; negli — before Baltimora)

V. *Ripetete facendo i cambiamento indicati.*

  a. *È un mese* che non ci vediamo.
  1. un anno 2. tre giorni 3. cinque anni 4. dieci
  settimane

  (handwritten above: sono, sono, sono)

  b. *Ripetete l'esercizio di (a) secondo il modello "Non ci
  vediamo da un mese."*

VI. *Completate con un pronome relativo.*

1. Questa è la casa in _cui_ abita Anna. 2. Ho visitato
molte volte il Palazzo Ducale _che_ è a Venezia. 3.
Questo è il treno _che_ viene da Bologna. 4. La stazione
da _cui_ partiremo è nuova. 5. Dov'è l'impiegato con il
cui ha parlato? 6. Il cugino di Maria _che_ è a Messina.
7. Desidera parlare con la cameriera _che_ fu molto gentile. 8. Non sono queste le ragazze _che_ abitano da
queste parti?

(handwritten margin notes: che - who, that, which (never used w/ prepositions); cui - who, that, which (may be used only after prepositions); il quale, la quale - always preceded by definite article - used after preposition to avoid ambiguity; that which - quello che; di chi - whose; all reflexive verbs are conjugated w/ essere)

VII. *Ripetete facendo i cambiamenti indicati.*

  (a) *Passato remoto:*

  1. Quando io *bussare* la cameriera *aprire*. 2. Mio padre
  cambiarsi prima di uscire. 3. Enzo *passare* mentre
  eravamo al caffè. 4. Quando il cameriere *avvicinarsi*,
  loro *ordinare* delle granite di caffè. 5. L'amico lo
  invitare ad andare in gondola. 6. La signorina non
  trovarsi bene in Francia.

  (handwritten above: bussai, aprì; si fu cambiato; passò, si fu avvicinato; ordinarono; invitò; si fu trovato)

  (b) *Imperfetto indicativo:*

  1. Quando arrivarono alla stazione, *essere* mezzanotte.
  2. Lui non *riconoscere* mai nessuno. 3. Loro *bussare*
  alla porta quando io arrivai. 4. Le ragazze non *viaggiare* mai sole. 5. *Essere* le tre quando il treno arrivò.
  6. La vita *sembrare* incantevole a Firenze. 7. *Scendere*
  da un tassì quando io le chiamai. 8. Ogni pomeriggio
  io *andare* a un caffè e *leggere* il giornale.

  (handwritten above: era; riconosceva; bussavano; viaggiavano; erano; sembrava; scendeva; andavo; leggevo)

(c) *Presente indicativo:*

1. Noi *dovere* fare delle cose in città.   2. Tu non *potere* continuare a viaggiare.   3. Loro non *uscire* se è tardi.   4. Io *volere* certamente rivedere Venęzia.   5. Forse noi non *potere* fare colazione ora.   6. Loro *dovere* alzarsi presto oggi.   7. Noi *uscire* di casa alle otto.   8. *Volere* Lei mandare una cartolina?   9. *Volere* voi vedere i mosạici?   10. Noi *dovere* scrivere molte lęttere.

VIII.   *Traducete in italiano:*

1. Best regards to all my friends in Florence.   2. He was not smiling at us.   3. Life was enchanting in Venice.   4. They were sure that it was midnight.   5. Children always have a good time in a gondola.   6. The sun was shining on the Grand Canal; it was a beautiful day.   7. Day before yesterday I got up and I went immediately to see my father.   8. At least we can take a trip to France.   9. At three o'clock I was seated in the station.   10. She was changing when the maid knocked at the door.   11. I must go to the restaurant now; I have an appointment for lunch.   12. What is there on the menu today?   13. Many things: fish, chicken, soup, meat, cake, veal....   14. Enough, I want only soup, bread, mixed grill, and wine.   15. I am too busy and I cannot go shopping (*trans.* "to shop") until four o'clock.

ECONOMIA E INDUSTRIA

Fino a tempi recenti l'Italia era essenzialmente un paese agricolo, ma dopo la seconda guerra mondiale le industrie hanno fatto passi giganteschi. Oggi in Italia circa il 40 % (quaranta per cento) degli operai lavorano in una delle numerose industrie; il 25 % lavorano nei campi e il 35 % in altre occupazioni.

Molto importante in Italia è la coltivazione della vite, che è produzione primaria di molte regioni, e dell'olivo che è coltivato specialmente in Puglia, in Calabria, in Sicilia e in Toscana. L'esportazione del vino, dell'olio e anche del formaggio è di grande importanza per l'economia nazionale. Notevole è anche la coltivazione dei fiori in Liguria lungo la Riviera.

Isola di Murano (Venezia): Lavorazione del vetro.
In alcune operazioni le macchine hanno rimpiazzato gli artigiani.

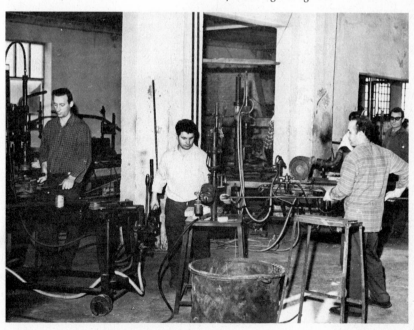

ECONOMIA E INDUSTRIA

Carrara: Cave di marmo

Mirafiori (Torino): Montaggio di automobili negli stabilimenti della Fiat

Come abbiamo detto, oggi l'industria italiana è in fase di espansione. L'industria è la fonte di quasi la metà del reddito nazionale e il suo progresso segna la transizione del Paese da un'economia tradizionalmente agricola a un'organizzazione di vita e di lavoro più moderna. Un simbolo di questo cambiamento nella vita italiana è la rete di autostrade e di superstrade che attraversano il paese in ogni direzione.

Molti sono i prodotti esportati dall'Italia: le automobili, le macchine da scrivere, le macchine da cucire, gli elettrodomestici, eccetera. E poi c'è una grande esportazione dei prodotti dell'artigianato italiano, quali le ceramiche di Faenza, gli articoli di paglia e di cuoio di Firenze, gli oggetti di vetro di Venezia, le mattonelle, eccetera. In fine, molto apprezzati all'estero sono la moda e il cinema italiani.

Faenza (Ravenna): Fabbrica di ceramiche. A Faenza c'è un importante Museo internazionale delle ceramiche.

Roma: Una sfilata dell'alta moda italiana.

Vocabolario

agricolo agricultural
apprezzare to appreciate
l' artigianato handicraft
l' artigiano craftsman
attraversare to cross
il cambiamento change
la cava quarry
la ceramica ceramics
coltivare to cultivate, to grow
la coltivazione f. cultivation
il cuoio leather
la direzione f. direction
l' economia economy
gli elettrodomestici electrical appliances
l' espansione f. expansion
esportare to export
l' esportazione f. export
essenzialmente essentially
l' estero: all'estero abroad
la fase f. phase
la fine: in fine finally

la fonte f. source
gigantesco gigantic
la guerra war
l' importanza importance
internazionale international
lavorare to work
la lavorazione f. manufacture
il lavoro work, working conditions
la macchina machine; macchina da cucire sewing machine; macchina da scrivere typewriter
il marmo marble
la mattonella tile
mondiale adj. world
il montaggio assembly
la mostra exhibition, show
notevole noteworthy, significant
l' occupazione f. occupation
l' oggetto object

l' olio oil
l' olivo olive tree
l' operaio workman
l' organizzazione f. organization
il passo step
primario primary, main
la produzione f. production
il progresso progress
quale such as
recente recent
il reddito revenue
il reparto section
la rete f. network
rimpiazzare to replace
segnare to mark
la sfilata di moda fashion show
lo stabilimento factory
tradizionalmente traditionally
la transizione f. transition
la vite f. grapevine

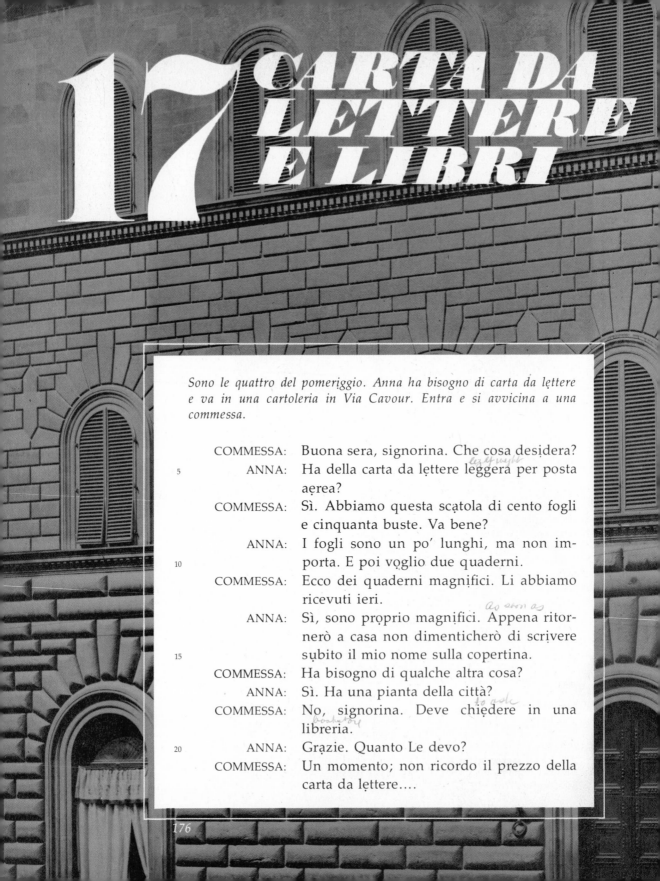

17 CARTA DA LETTERE E LIBRI

Sono le quattro del pomeriggio. Anna ha bisogno di carta da lettere e va in una cartoleria in Via Cavour. Entra e si avvicina a una commessa.

COMMESSA: Buona sera, signorina. Che cosa desidera?

5 ANNA: Ha della carta da lettere leggera per posta aerea?

COMMESSA: Sì. Abbiamo questa scatola di cento fogli e cinquanta buste. Va bene?

ANNA: I fogli sono un po' lunghi, ma non importa. E poi voglio due quaderni.

10

COMMESSA: Ecco dei quaderni magnifici. Li abbiamo ricevuti ieri.

ANNA: Sì, sono proprio magnifici. Appena ritornerò a casa non dimenticherò di scrivere subito il mio nome sulla copertina.

15

COMMESSA: Ha bisogno di qualche altra cosa?

ANNA: Sì. Ha una pianta della città?

COMMESSA: No, signorina. Deve chiedere in una libreria.

20 ANNA: Grazie. Quanto Le devo?

COMMESSA: Un momento; non ricordo il prezzo della carta da lettere….

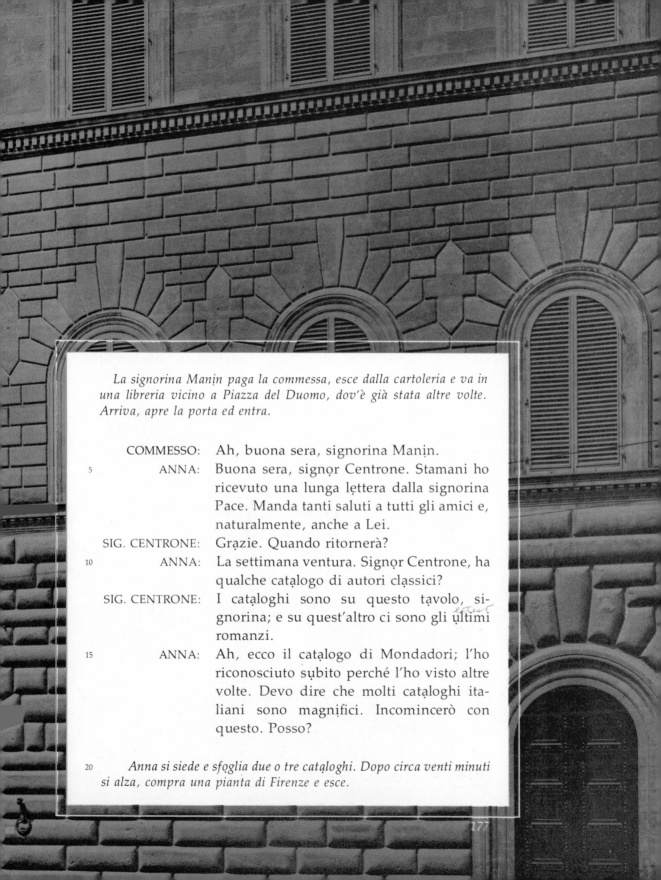

La signorina Manịn paga la commessa, esce dalla cartoleria e va in una libreria vicino a Piazza del Duomo, dov'è già stata altre volte. Arriva, apre la porta ed entra.

COMMESSO: Ah, buona sera, signorina Manịn.

5 ANNA: Buona sera, signọr Centrone. Stamani ho ricevuto una lunga lẹttera dalla signorina Pace. Manda tanti saluti a tutti gli amici e, naturalmente, anche a Lei.

SIG. CENTRONE: Grạzie. Quando ritornerà?

10 ANNA: La settimana ventura. Signọr Centrone, ha qualche catạlogo di autori clạssici?

SIG. CENTRONE: I catạloghi sono su questo tạvolo, signorina; e su quest'altro ci sono gli ụltimi romanzi.

15 ANNA: Ah, ecco il catạlogo di Mondadori; l'ho riconosciuto sụbito perché l'ho visto altre volte. Devo dire che molti catạloghi italiani sono magnịfici. Incomincerò con questo. Posso?

20 *Anna si siede e sfọglia due o tre catạloghi. Dopo circa venti minuti si alza, compra una pianta di Firenze e esce.*

177

Vocabolario

NOUNS

l' **autore** *m.*   author

la **carta**   paper; **carta da lettere** stationery

la **cartoleria**   stationery store

il **catalogo**   catalogue

il **commesso (-a)**   salesman (saleswoman)

la **copertina**   cover (*of a book, etc*)

il **foglio** (*pl.* **i fogli**)   sheet (*of paper*)

la **libreria**   bookstore

la **pianta**   map

la **posta**   mail; **posta aerea**   air mail

il **romanzo**   novel

la **scatola**   box

la **settimana**   week

ADJECTIVES

classico   classic

leggero   light (*in weight*)

tanto   much, so much

ultimo   latest, last

venturo   next

VERBS

chiedere   to ask

dovere   to owe

ringraziare   to thank

OTHERS

appena   as soon as

circa   about, approximately

stamani   this morning

IDIOMS

avere bisogno di   to need (*lit.* "to have need of")[1]

non importa   does not matter

qualche altra cosa   something else, anything else

la settimana ventura   next week

---

[1] The partitive formed with **di** plus the definite article cannot be used after expressions already containing **di.**

GRAMMATICA

I. **Plurale dei nomi e degli aggettivi in -co** (Plural of Nouns and Adjectives in **-co**)

If a noun or an adjective ends in **-co** and the stress falls on the syllable preceding it, in the plural it takes an **h** and retains the hard sound of the singular.

l'affresco	the fresco painting
gli affreschi	the fresco paintings
il fuoco	the fire
i fuochi	the fires
il rinfresco	the refreshment
i rinfreschi	the refreshments
bianco (*sing.*)	white
bianchi (*plur.*)	white
fresco (*sing.*)	fresh
freschi (*plur.*)	fresh
ricco (*sing.*)	rich
ricchi (*plur.*)	rich

The others form the plural in **-ci.**

il medico	the physician
i medici	the physicians
il meccanico	the mechanic
i meccanici	the mechanics
magnifico (*sing.*)	magnificent
magnifici (*plur.*)	magnificent
simpatico (*sing.*)	likeable
simpatico (*plur.*)	likeable

There are, however, a few exceptions, the most common of which are **amico**, *friend*, **nemico**, *enemy*, **greco**, *Greek*, whose plurals are **amici, nemici, greci.**

II. Plurale dei nomi e degli aggettivi in -go (Plural of Nouns and Adjectives in -go)

These usually take an **h** to retain the hard sound of the **g**.

il diạlogo	the dialogue	i diạloghi	the dialogues
il catạlogo	the catalogue	i catạloghi	the catalogues
lungo (*sing.*)	long	lunghi (*plur.*)	long
largo (*sing.*)	wide	larghi (*plur.*)	wide

(There are a few exceptions, among them nouns ending in -logo which refer to scientists: **geọlogi,** *geologists,* **radiọlogi,** *radiologists,* etc.)

III. Plurale dei nomi e degli aggettivi in -cia e -gia (Plural of Nouns and Adjectives in -cia and -gia)

These words drop the **i** in the plural, unless the **i** is stressed in the singular.

l'arạncia	the orange	le arance	the oranges
la quẹrcia	the oak	le querce	the oaks
mạrcia (*sing.*)	rotten	marce (*plur.*)	rotten
la valịgia	the suitcase	le valige	the suitcases
grịgia (*sing.*)	gray	grige (*plur.*)	gray

BUT

la farmacia	the drugstore	le farmacie	the drugstores
la bugia	the lie	le bugie	the lies

IV. Cambiamenti ortogrạfici nei verbi (Orthographic (Spelling) Changes in Verbs)

(1) Verbs whose infinitives end in -care and -gare add an **h** before **e** or **i**.

dimẹntico, dimẹntichi, dimẹntica, dimentichiamo, dimenticate, dimẹnticano (*I forget, etc.*)

pago, paghi, paga, paghiamo, pagate, pạgano (*I pay, etc.*)

dimenticherò, dimenticherài, dimenticherà, dimenticheremo, dimenticherete, dimenticheranno (*I will forget, etc.*)

pagherò, pagherai, pagherà, pagheremo, pagherete, pagheranno (*I will pay, etc.*)

(2) Verbs whose infinitives end in **-ciare** and **-giare** drop the **i** before an **e** or an **i**.

incomincio, incominci, incomincia, incominciamo, incominciate, incominciano (*I begin, etc.*)

mangio, mangi, mangia, mangiamo, mangiate, mangiano (*I eat, etc.*)

incomincerò, incomincerai, incomincerà, incominceremo, incomincerete, incominceranno (*I will begin, etc.*)

mangerò, mangerai, mangerà, mangeremo, mangerete, mangeranno (*I will eat, etc.*)

(3) Verbs whose infinitives end in **-cere** and **-scere** take an **i** before the **-uto** of the past participle.

piacere, *to please, to like:* piaciuto
conoscere, *to know:* conosciuto

ESERCIZI   A. IL PLURALE DEI NOMI E DEGLI AGGETTIVI IN **-CO** E **-GO**.

Ripetete gli esempi seguenti cambiando le parole indicate al plurale.

1. Carlo visita spesso *il giardino pubblico.* 2. Non dimenticheremo mai *il parco* di Roma. 3. Luigi è molto contento (*happy*) perché ha ricevuto *il pacco* della zia. 4. Questa libreria ha *un catalogo magnifico.* 5. Dalla finestra vediamo *il lago azzurro.* 6. Hai veduto *quel treno lungo?* 7. Conoscete *questo autore classico?* 8. Dobbiamo scrivere *al nostro amico italiano.* 9. Hanno ammirato (*admired*) molto *il*

monumento antico. 10. Ringrazierò gli amici per *il pesce fresco*. 11. *Lo svago* (diversion) della domenica. 12. *Il bosco* (forest) di pini (pines). 13. *Lo storico* (historian) greco. 14. *Il nemico* di Roma. 15. *Il giovane chirurgo* (surgeon). 16. *Il tango argentino*. 17. *Il medico ricco* (rich). 18. *Il lago* (lake) *largo* (wide). 19. *Il famoso filologo*. 20. *Il foglio bianco*.

B. IL PLURALE DEI NOMI E DEGLI AGGETTIVI IN -CIA E -GIA.

Cambiate le frasi seguenti al plurale.

1. La bugia non è sempre pronta. 2. L'arancia siciliana è squisita. 3. Era una giornata grigia. 4. Ecco la mia valigia! 5. In quella via c'è una bella farmacia. 6. La spiaggia (*beach*) italiana. 7. La treccia (*tress*) nera. 8. La nuova antologia.

C. *Studiate le forme irregolari dei verbi in* -care, -gare, -ciare, -giare, -cere, -scere. *Usando la frase italiana come modello traducete le frasi inglesi.*

1. Loro pagano il cameriere. *We are paying the waiter.*
2. Non la dimentico mai. *I will never forget her.*
3. La riconoscerò subito. *I recognized her at once.*
4. Oggi incominciamo il libro nuovo. *Tomorrow we will begin the new book.*
5. Pagate voi? *Are you (tu) paying?*
6. Viaggio con i miei compagni. *I will travel with my companions.*
7. Conosce molte persone. *He has met many persons.*
8. Assaggiano tutto. *We taste everything.*
9. Significa che non vogliono venire. *It will mean that they do not want to come.*
10. Chi spiega la lezione al ragazzo? *Who will explain the lesson to the boy?*
11. Pagano ogni giorno. *They will pay every day.*

D. *Traducete le frasi seguenti:*

1. In our lesson for today, Miss Manin, who is always writing long letters to her friends, needs some sta-

tionery.   2. She has to write a letter to her friend, Miss Pace, who is in France.   3. She wants to write her a very long letter.   4. She will begin it in the afternoon, but she will not finish it until tomorrow.   5. She knows one of the clerks; she met (*use* **conoscere**) him recently at the house of her friends Mario and George.   6. The first time she went to that bookstore the clerk said **(disse):** Good afternoon, Miss, what can I do for you (*trans:* "What do you wish?")?   7. May I see a few catalogues?   8. Gladly! They are on this table near the door.   9. This catalogue is not good; but these two white [ones] are magnificent.   10. What do you want to buy, one of the latest novels?   11. Yes, but I do not remember the name of the author.   12. Was it an American or a foreign author?   13. An Italian author . . . Valpolicella, I think.   14. It cannot be, Miss. Valpolicella is the name of a wine.   15. It does not matter, thank you just the same; I will come back some other (*trans.* "another") time.

DA IMPARARE A MEMORIA

Entrò in una cartoleria perché aveva bisogno di carta da lettere.

Se i piselli non sono buoni, prenderò qualche altra cosa.

Non importa se non posso studiare oggi. Studierò la settimana ventura.

CONVERSAZIONE

Rispondete alle seguenti domande:

1. Che ore sono quando Anna va in una cartoleria?   2. Di che cosa ha bisogno?   3. Deve essere leggera la carta per la posta aerea?   4. Che cosa vuole fare Anna appena ritornerà a casa?   5. Anche Lei scrive il Suo nome sulla copertina dei Suoi quaderni?   6. Scrive il Suo nome anche sui libri della biblioteca?   7. Ha bisogno di qualche altra cosa Anna?   8. Dove deve andare per comprare una pianta della città?   9. Che cosa non ricorda la commessa?   10. Dove va Anna quando esce dalla cartoleria?   11. Che cosa chiede nella libreria?   12. Sono sullo stesso tavolo i cataloghi e i romanzi?   13. Lei ha qualche romanzo italiano a casa Sua?   14. Quando abbiamo bisogno d'una pianta?

18
AGLI UFFIZI

«*Signorina, La vogliono al telefono,*» dice la cameriera alla signorina Manin che è in salotto dove scrive delle lettere.

«*Vengo subito, grazie,*» le risponde la signorina Manin. «*Finisco l'indirizzo su questa busta e vengo. È la terza lettera che scrivo oggi,*
5 *e per ora basta!*»

S'alza e va in sala da pranzo al telefono.

ANNA: Pronto! Chi parla?

MARIA: Pronto! Anna? Come va? Sono Maria.

ANNA: Oh, Maria, che bella sorpresa. Io sto bene; e tu
10 come stai?

MARIA: Bene, bene. Cosa fai stamani? Sei occupata? Io oggi vado agli Uffizi, vuoi venire con me?

ANNA: Oh, volentieri, ma aspettavo un'amica, Luisa Neroni…

15 MARIA: La conosco. Siamo vecchie amiche, perché non porti anche lei?

ANNA: Bene, porterò anche lei. A che ora c'incontriamo?

MARIA: Verso le due e mezzo o le tre, sotto i portici degli Uffizi.

20 ANNA: Benissimo, ciao!

MARIA: Ciao!

Sono ora quasi le tre e Anna e Luisa cercano Maria sotto i portici degli Uffizi che sono affollati. Luisa spiega ad Anna perché c'è tanta gente e perché ci sono tanti fiori e tante piante sotto i portici.

LUISA:	Questo è il mercato dei fiori, una vecchia usanza fiorentina; c'è ogni settimana, il giovedì, all'aperto sotto i portici degli Uffizi.
ANNA:	È uno spettacolo magnifico; quante piante e quanti fiori: garofani, rose, violette…
MARIA:	(*Le vede*) Finalmente! È un quarto d'ora che vi cerco.
LUISA:	Maria, ciao!
ANNA:	Maria, ciao!
MARIA:	Perché non ci avviamo verso il museo? C'è troppa gente qui.
ANNA:	È vero.
MARIA:	Naturalmente agli Uffizi non è possibile vedere tutto in un pomeriggio. Che cosa preferisci vedere?
ANNA:	*La Primavera* di Botticelli e il *Davide* di Michelangelo.
LUISA:	*La Primavera*, sì, ma non il *Davide* perché è all'Accademia di Belle Arti.
ANNA:	Non lo sapevo. Sarà per un'altra volta.
MARIA:	Hai notizie di Barbara?
ANNA:	Ho ricevuto una lunga lettera stamani. È la quinta lettera che ricevo da lei. Ritornerà mercoledì.

Mentre le ragazze parlano sono arrivate all'entrata degli Uffizi ed entrano.

185

Vocabolario

NOUNS

l' **Accademia di Belle Arti**
    Academy of Fine Arts
Sandro Botticelli (1445–1510)
    Florentine painter
Davide David
il **fiore** flower
il **garofano** carnation
la **gente**[1] people
il **mercato** market; **mercato
    all'aperto** open-air market
    mercato dei fiori flower market
Michelangelo Buonarroti (1475–
    1564) *Florentine artist*
la **notizia** news (*normally used in
    the plural, unless it means "a
    piece of news"*)
la **pianta** plant
il **portico** arcade
la **primavera** Spring
la **rosa** rose
la **sorpresa** surprise
gli **Uffizi** *a museum in Florence*
l' **usanza** custom
la **violetta** violet

ADJECTIVE

affollato crowded

VERBS

avviarsi to start out
cercare to look for; **cercare di +
    infinitive** to try
sapere to know
scritto (*p.p.* of **scrivere**) written

OTHERS

sotto under
verso about

IDIOMS

che...! what!, what a...!
che bella sorpresa! What a lovely
    surprise!
come va? how goes it?

[1] The noun *gente* takes a verb in the singular, but has a collective meaning.

La Vergine e il Divin Figlio (Giotto)

GRAMMATICA

I. Pronomi personali in funzione di complemento — forme toniche (The Disjunctive Pronouns: Stressed Forms)

SINGOLARE	**me**	me
	te	you (*familiar*)
	lui	him
	lei	her
	Lei	you (*polite*)
	sé	himself, herself, itself, yourself, (*polite*)
PLURALE	**noi**	us
	voi	you (*familiar*)
	loro	them
	Loro	you (*polite*)
	sé	themselves, yourselves (*polite*)

These pronouns are used as follows:

(1) As object of prepositions.

Enzo viaggia **con me.**	Enzo travels *with me*
Lei ha molti amici **fra noi.**	You have many friends *among us.*
Mario lo fa **per Lei.**	Mario is doing it *for you.*
Parla spesso **di te.**	He speaks often *of you.*
L'ha fatto **da sé.**	She did it *by herself.*
Studiano **da sé.**	They study *by themselves.*

(2) In place of the object pronouns for emphasis, contrast, or when the verb has two or more objects.

CONJUNCTIVE USE

Mi vede.	He sees me.
Ci riconoscono.	They recognize us.
L'invitò.	He invited her.

DISJUNCTIVE USE

Vede **me**.	He sees *me*.
Riconoscono **noi**, non **lui**.	They recognize *us*, not *him*.
Invitò **lei** e **me**.	He invited *her* and *me*.

II. Numeri ordinali (Ordinal Numerals through *Tenth*)

primo	1st	**sesto**	6th
secondo	2nd	**settimo**	7th
terzo	3rd	**ottavo**	8th
quarto	4th	**nono**	9th
quinto	5th	**decimo**	10th

Since ordinal numerals are adjectives, they must agree with the noun they modify. They usually precede the noun.

la **prima** lezione	the *first* lesson
la **terza** volta	the *third* time
i **primi** pochi minuti	the *first* few minutes

III. I giorni della settimana (Days of the Week)

lunedì, *Monday*	**venerdì**, *Friday*
martedì, *Tuesday*	**sabato**, *Saturday*
mercoledì, *Wednesday*	**domenica**, *Sunday*
giovedì, *Thursday*	

With the exception of **domenica**, which is feminine, all the others are masculine. Days of the week are not capitalized in Italian.

Il lunedì vado a scuola.	*On Mondays*, I go to school.
La domęnica non stųdia.	*On Sundays*, she does not study.
Parto **martedì**	*On Tuesday*, I am leaving.

Note that the English expressions *on Mondays, on Tuesdays, etc.* are rendered in Italian by the singular name of the day preceded by the definite article; and that *on Monday, on Tuesday, etc.* when only one day is meant (or when the word *"last"* or *"next"* is understood), are rendered by the name of the day without the article.

La Primavera (Botticelli)

ESERCIZI A. PRONOMI PERSONALI COMPLEMENTO (The disjunctive pronouns).

(1) *Ripetete gli esempi seguenti cambiando le parole indicate.*

a. Le ragazze visiteranno il mercato con *te*.
   1. lui   2. loro   3. lei   4. me   5. noi   6. voi
   7. Lei   8. Loro

b. La notizia è stata una sorpresa per *lui*.
   1. loro   2. lei   3. me   4. noi   5. voi   6. Lei
   7. Loro   8. te

c. I bambini ringraziarono *te* non *lui*.
   1. noi... voi   2. Loro... te   3. lei... me   4. Lei... loro
   5. lui... noi   6. loro... lei

(2) *Ripetete gli esempi seguenti cambiando le parole indicate.*

a. *L'autore* ha scritto le lettere da sé in italiano.
   1. lo studente   2. la signora   3. il padre   4. la zia
   5. lui   6. il Rettore   7. la cameriera   8. l'impiegato

b. *Le signorine* comprarono dei fiori per sé.
   1. loro   2. i genitori   3. i bambini   4. le signore
   5. le persone   6. le studentesse   7. gli stranieri
   8. gli amici

(3) *Sostituite ai pronomi in corsivo la forma corretta del pronome personale complemento*

a. *ti* parla   parla con ___te___
b. *mi hanno* scritto   hanno scritto a ___me___
c. *lo* vedono   vedono ___lui___
d. *ci* telefonano spesso   telefonano spesso a ___noi___
e. *le* scrivete spesso   scrivete spesso a ___lei___
f. *vi* ricorda (ricordare, *to remember*) sempre
   si ricorda sempre di ___voi___
g. *gli* ho parlato   ho parlato a ___lui___
h. *ci* accompagna Maria   Maria viene con ___noi___
i. ho ricevuto il *tuo* libro
   ho ricevuto il libro da ___te___

(4) *Ripetete gli esempi sostituendo al nome il pronome personale complemento.*

ESEMPIO: Sono andato al mercato con Maria.
Sono andato al mercato con lei.

a. È partito con Carlo. *lui*
b. Ha scritto al suo professore. *lui*
c. Ha mangiato con le amiche. *loro*
d. Cerca dei fiori per la signora. *lei*
e. Ci avviamo al mercato con i ragazzi. *loro*
f. È una sorpresa per i genitori. *loro*
g. Ha ricevuto una lettera da Barbara. *lei*
h. Ho bisogno di mia zia. *lei*

B. NUMERI ORDINALI (Ordinal numerals).
Ripetete sostituendo i numeri indicati.

a. Lunedì è il *primo* giorno di scuola.
(1) 3º (2) 5º (3) 8º (4) 6º (5) 4º (6) 7º (7) 10º
(8) 9º (9) 2º

b. Questa è la *terza* domenica dell'anno.
(1) 10ª (2) 8ª (3) 7ª (4) 2ª (5) 4ª (6) 9ª (7) 6ª
(8) 5ª (9) 1ª

c. Queste sono le *decime* parti.
(1) 8ᵉ (2) 3ᵉ (3) 7ᵉ (4) 2ᵉ (5) 4ᵉ (6) 1ᵉ (7) 5ᵉ
(8) 6ᵉ (9) 9ᵉ

d. I ragazzi della nostra scuola sono arrivati *noni*.
(1) 10ⁱ (2) 6ⁱ (3) 5ⁱ (4) 1ⁱ (5) 4ⁱ (6) 8ⁱ
(7) 3ⁱ (8) 7ⁱ (9) 2ⁱ

C. *Usando la frase italiana come modello traducete le frasi inglesi.*

1. Mercoledì incontrerò loro non voi. *On Tuesday I will meet her not him.*
2. Giovedì venturo pranzeremo all'aperto. *Next Friday they will dine outdoors.*
3. Sabato viaggeranno con lui per la prima volta. *On Monday they are going to travel with us for the third time.*

4. In Italia la domenica è il settimo giorno della settimana.

    In Italy Saturday is the sixth day of the week.

5. Il venerdì i ragazzi studiano da sé.

    On Sundays Louise studies by herself.

6. Questo è l'ultimo martedì del mese.

    This is the last Sunday of the month.

7. Ritorneranno venerdì.

    We will return on Thursday.

8. C'è un negozio qui vicino?

    Is there an arcade near here?

9. Che magnifici fiori! Quante violette!

    What enchanting colors! How many flowers!

10. Ci vestivamo quando sentimmo la notizia.

    You were getting dressed when you heard the news.

D. *Traducete in italiano:*

1. Have you ever seen the flower market? 2. Yes, this is my fourth visit; it is interesting, isn't it? 3. Yes, but I prefer the market near the Uffizi. 4. But I only need some flowers today. 5. Are the flowers for you? 6. No, they are not for me, they are for a girl; it is a surprise. 7. Oh, I understand; do you always buy flowers for her? 8. No, this is the first time; I met her Saturday. 9. And you are already sending her flowers? 10. I saw her for the second time on Sunday. She said (disse) to me, "Hello, how goes it?" Then she went to the movies with me. 11. What kind of (che) flowers are you going to buy? 12. I am not sure; on Monday I received a letter from her and on the stationery there were some violets, perhaps.... 13. Yes, you must buy violets for her. By the way, did you see her on Tuesday also? 14. Yes, and on Wednesday too, and I am seeing her today. 15. That will be the fifth time. Now I understand why you can't come with me to Fiesole.

DA IMPARARE
A MEMORIA

Che bella sorpresa! Oggi pranzeremo all'aperto.
A che ora c'incontriamo?
Ciao, Giulio, come va?
Il mercato è qui vicino.

CONVERSAZIONE

Rispondete alle seguenti domande:

1. Dov'è e che cosa fa la signorina Manin? 2. Perché Anna non risponde subito al telefono? 3. Dov'è il mercato dei fiori? 4. Che cosa sono gli Uffizi? 5. Chi telefona alla signorina Manin? 6. Quante lettere ha ricevuto Anna da Barbara? 7. Quando ritornerà Barbara? 8. C'è un altro museo a Firenze? 9. Quanto tempo restano le ragazze agli Uffizi? 10. C'è molta gente sotto i portici quando Maria arriva? 11. Ci sono musei nella nostra città? Dove sono? 12. Dov'è il Davide di Michelangelo? 13. È la Primavera di Botticelli dov'è? 14. Lei conosce il nome di alcuni fiori? Quali?

19
BEN TORNATA!

Ieri Giovanni ha ricevuto un telegramma da Parigi: «Parto stasera con
il treno delle ventitré. Arriverò domani, domenica, alle diciassette.
Barbara.» Oggi è domenica. Sono le quattro e quaranta del pomeriggio, e Giovanni va alla stazione a prendere Barbara. Quando arriva
5 alla stazione il grande orologio segna le quattro e cinquanta. Alla
stazione c'è molta gente: davanti alla biglietteria, nelle sale d'aspetto,
dappertutto. Ci sono impiegati, facchini, persone che partono, persone
che arrivano, valige e bagagli di tutte le specie. Giovanni finalmente
trova gli orari degli arrivi e delle partenze. Il treno di Barbara è in
10 orario. Infatti, dopo pochi minuti il treno arriva e Giovanni, che vede
Barbara fra la gente, la chiama ad alta voce: «Barbara, Barbara!»

BARBARA:	Oh, Giovanni, è venuto! Come sta?
GIOVANNI:	Bene, grazie. Ben tornata! Ha fatto buon viaggio?
15 BARBARA:	Sì, Sì. Da Parigi a Milano ho dormito quasi sempre. A Milano sono saliti degli artisti molto simpatici, e mi sono divertita un mondo.
UN FACCHINO:	Facchino, signore?
20 GIOVANNI:	No. (a Barbara) La valigia la porto io. Allora, si è divertita questi giorni?
BARBARA:	Molto. Ho veduto molte belle città, e ho riveduto la mia vecchia amica.

194

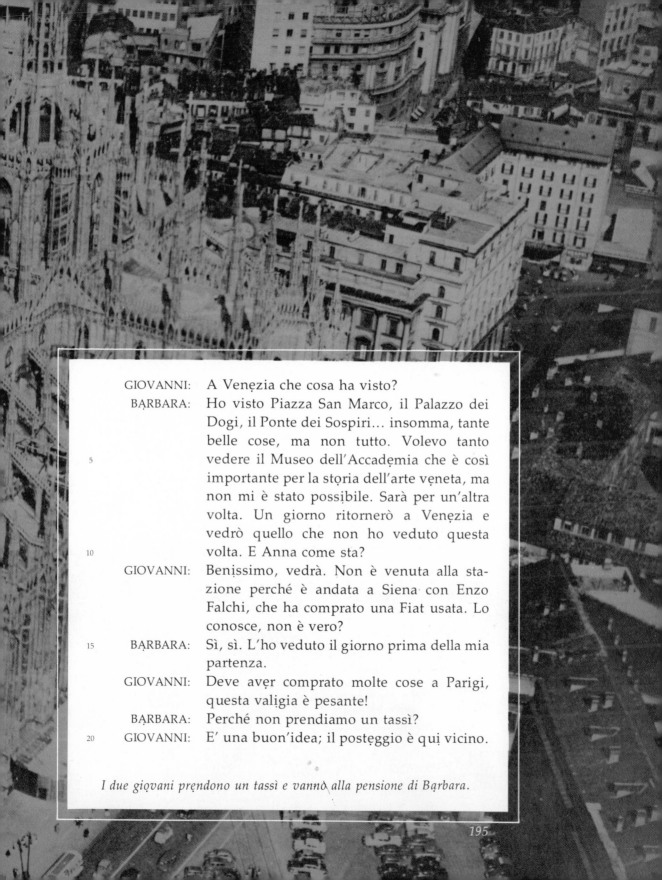

GIOVANNI: A Venẹzia che cosa ha visto?

BẠRBARA: Ho visto Piazza San Marco, il Palazzo dei Dogi, il Ponte dei Sospiri... insomma, tante belle cose, ma non tutto. Volevo tanto vedere il Museo dell'Accadẹmia che è così importante per la stọria dell'arte vẹneta, ma non mi è stato possịbile. Sarà per un'altra volta. Un giorno ritornerò a Venẹzia e vedrò quello che non ho veduto questa volta. E Anna come sta?

GIOVANNI: Benịssimo, vedrà. Non è venuta alla stazione perché è andata a Siena con Enzo Falchi, che ha comprato una Fiat usata. Lo conosce, non è vero?

BẠRBARA: Sì, sì. L'ho veduto il giorno prima della mia partenza.

GIOVANNI: Deve avẹr comprato molte cose a Parigi, questa valịgia è pesante!

BẠRBARA: Perché non prendiamo un tassì?

GIOVANNI: E' una buon'idea; il postẹggio è quị vicino.

I due giọvani prẹndono un tassì e vannọ alla pensione di Bạrbara.

Vocabolạrio

NOUNS

l' **arrivo** arrival
l' **artista** *m. and f.* artist
il **bagạglio** baggage[1]
il **facchino** porter
il **Musẹo dell'Accadẹmia** *a museum in Venice*
l' **orạrio** timetable
l' **orolọgio** clock, watch
Parigi *f.* Paris
la **partẹnza** departure
il **Ponte dei Sospiri** the Bridge of Sighs (*a famous bridge in Venice*)
il **postẹggio** taxi stand
la **sala d'aspẹtto** waiting room
Siẹna *a city south of Fiorence*
la **spẹcie** kind
il **telegramma** telegram
la **valigia** suitcase

ADJECTIVES

importante important
pesante heavy
pọco little; *pl.* few
simpạtico charming, pleasant, likeable

usạto used
vẹneto Venetian

VERBS

fatto (*p. p. of* **fare**) done
prẹndere to get, to meet
salire to climb, go up, get on (*train*) (conjugated with **ẹssere**)
segnare to indicate, to say (*of clocks*)

OTHERS

dappertutto everywhere
insọmma in short
stasera this evening, tonight

IDIOMS

bẹn tornato (-a, -i, -e)! welcome back!
divertirsi un mondo to have a great time
fare buọn viạggio to have a good trip
in orạrio on time (*of trains*)
prima (+ **di** before a noun) before; **prima della mia partẹnza** before my departure

---

[1] Although **bagaglio** has a collective meaning, its plural, **i bagagli**, is also used.

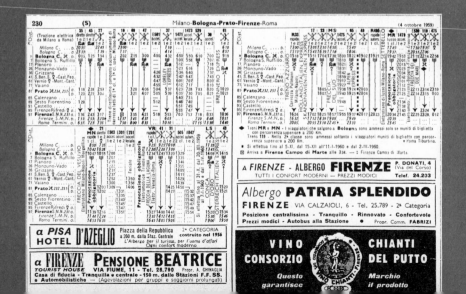

GRAMMATICA

I. **Plurale dei nomi e degli aggettivi** (continuazione)
(Plural of Nouns and Adjectives, *continued*)

(1) Masculine nouns and adjectives ending in unstressed **-io** have only one **i** in the plural.

il **figlio**	the *son*	i **figli**	the *sons*
un **vecchio** libro	an *old* book	dei **vecchi** libri	some *old* books

BUT

lo **zio**	the *uncle*	gli **zii**	the *uncles*

(2) Masculine nouns ending in **-a** (they are not too numerous), form the plural in **-i,** the typical masculine plural ending. Most of them are of Greek origin and exist in nearly identical form in English.

il **programma**	the *program*	i **programmi**	the *programs*
il **telegramma**	the *telegram*	i **telegrammi**	the *telegrams*
il **poeta**	the *poet*	i **poeti**	the *poets*

EXCEPTIONS: **il cinema, i cinema, il vaglia, i vaglia**

The student should learn these nouns as he meets them.

(3) Several nouns, which usually refer to professions, end in **-ista** in the singular. These nouns are masculine if they refer to a man, feminine if they refer to a woman. The masculine forms the plural in **-i,** the feminine in **-e.**

il **violinista**	the (man) violinist	(*Plural*) i **violinisti**	
la **violinista**	the (woman) violinist	(*Plural*) le **violiniste**	

(4) Nouns ending in: (a) an accented vowel (including the two monosyllables **il re,** *king,* and **il tè,** *tea*); (b) a consonant; (c) **-ie** (except **la moglie,** *wife,* whose plural is **le mogli**); (d) and nouns in **-i** are invariable.

la città	the city	le città	the cities
l'università	the university	le università	the universities
il re	the king	i re	the kings
lo sport	sport	gli sport	sports
il film	the film	i film	the films
la serie	the series	le serie	the series
la crisi	the crisis	le crisi	the crises

To the above must be added family names, which are also invariable.

la signora Rossi	Mrs. Rossi
i signori Rossi	Mr. & Mrs. Rossi
i fratelli Recchia	the Recchia brothers

II. Cambiamento di posizione del soggetto (Position of Subject in Emphatic Statements)

When the subject of a verb is especially stressed, it is placed after the verb.

Lo farò **io.**	*I* will do it.
Lo dice **lui.**	*He* says it.
L'ha mandato **Carlo.**	*Charles* sent it.

III. Uso speciale del pronome congiuntivo (Special Use of the Conjunctive Pronoun)

When, for emphasis, a noun object is placed before the verb the conjunctive pronoun which corresponds to the direct object is also expressed right after the noun object, and the subject follows the verb. In a negative sentence, **non** comes before the object pronoun.

Il telegramma lo manderà Maria.	Mary will send *the telegram*.
La carta da lẹttere la compro io.	I am buying *the stationery*.
La carta da lẹttere non la compro io.	I am *not* buying *the stationery*.

IV. Passato remoto e futuro di <u>vedere</u>

vedere *to see*

PASSATO REMOTO

Vidi il telegramma.	*I saw the telegram.*
vidi	I saw, *etc.*
vedesti	
vide	
vedemmo	
vedeste	
vịdero	

FUTURO

Lo vedrò all'università.	*I'll see him at the university.*
vedrò	I will see, *etc.*
vedrai	
vedrà	
vedremo	
vedrete	
vedranno	

ESERCIZI

**A. *PLURALE IRREGOLARE DI SOSTANTIVI E AGGETTIVI*
(Irregular plural of nouns and adjectives)**

Mettete le frasi seguenti al plurale.

a. 1. Il bagaglio è vicino alla porta. 2. Lo spẹcchio (*mirror*) è sulla tạvola. 3. Lo scenạrio era magnifico. 4. Mio figlio è in Svizzera. 5. Non conosceva nọstro zio. 6. Che cos'è quẹl ronzio (*buzzing*)? 7. Questọ addio (*good-bye*) è commovente (*moving*). 8. Mi piaceva quẹl vẹcchio libro. 9. Quest'abito grigio è nuovọ. 10. L'orạrio degli arrivi e delle partenze.

11. Il facchino scriveva su questo foglio. 12. Il mio amico non voleva vedere l'ultimo documentario. 13. Tuo cugino preferisce lo studio letterario.

b. 1. Quell'artista è violinista. 2. Ho bisogno di un tassì. 3. Mia zia è una brava pianista. 4. Il caffè di Piazza San Marco è nuovo. 5. Stasera vedrò quel simpatico artista. 6. Quel violinista e quella pianista sono amici. 7. In questa città non ci sono parchi. 8. Gli piace lo sport. 9. Il nome dell'artista è scritto sul programma. 10. L'artista italiana era simpatica. 11. In questo caffè non ci sono molti artisti. 12. Ho riconosciuto il nome del re d'Italia. 13. Quel film è molto interessante. 14. È un'analisi molto acuta. 15. Il signor Russo abita in questa via.

B. IL PASSATO REMOTO E IL FUTURO DI **VEDERE** (Past absolute and future of *vedere*).

Sostituite il passato remoto al presente indicativo del verbo **vedere.**

1. Non *vedo* il programma. 2. Gli artisti *vedono* il vecchio ponte. 3. La gente *vede* il treno. 4. Non *vediamo* i nostri bagagli. 5. *Vedete* dei tassì dappertutto. 6. *Vedi* quanta gente?

C. COSTRUZIONE IDIOMATICA (Idiomatic construction. Sections II and III of grammar).

Cambiate le frasi seguenti secondo l'esempio.

ESEMPIO: Io lo chiamerò. — Lo chiamerò io.

1. Stasera lei lo leggerà. 2. Voi comprerete i programmi. 3. Giorgio portava la valigia. 4. Noi lo abbiamo fatto. 5. Tu pagherai il tassì. 6. Le signore riceveranno i fiori. 7. Io chiamai il facchino. 8. L'artista leggeva il romanzo.

D. *Traducete le frasi seguenti:*

1. And so Barbara has returned from her long trip. 2. The day before her departure from Paris, she sent a telegram to John in Florence. 3. John wanted to go to the station to meet Barbara with Miss Manin, but Anna was in Siena

with her friend Enzo. 4. Barbara arrived on Sunday in the afternoon. 5. On Sunday John got up late; he ate at noon, and then, since **(dato che)** he did not have any plans until four o'clock, he went to Piazza della Repubblica. 6. There were many people everywhere, but he found a table at one of the cafés, and he sat down. 7. At three thirty he called the waiter, paid the check, and went to the station. 8. The train was on schedule. In fact it arrived at four. 9. Barbara saw many cities, however she wishes to return to Venice, to Milan, and to Paris. 10. Barbara did not have much baggage; she had only one suitcase. 11. They did not go to Barbara's boarding house on foot because it was far from the station. 12. John called one of the taxis which were near the station. 13. This evening many friends will go to see (trans. to find) Barbara. When they see her, they will say "Welcome back!" 14. Tomorrow Barbara and John will have lunch with some artists whom Barbara met (*use* **conoscere**) on the train **(in treno).** 15. Barbara says that they will have a good time because those artists are very charming.

Ben tornata, signorina, ha fatto buon viaggio?
Il treno era in orario, siamo arrivati alle due.
Prima di colazione ho telefonato a Olga.

CONVERSAZIONE

Rispondete alle domande seguenti:

1. Che cosa ha ricevuto Giovanni? 2. Da dove ha mandato un telegramma Barbara? 3. Come viaggia da Parigi a Firenze Barbara? 4. Arriva la mattina dopo la partenza Barbara? 5. C'è uno studente in questa classe che ha fatto il viaggio da Parigi a Milano? 6. C'è una stazione in questa città? 7. Ha veduto tutto Barbara a Venezia? 8. Ha potuto vedere il Museo dell'Accademia? 9. Perché voleva vedere quel museo? 10. È venuta alla stazione Anna? Perché? 11. Chi ha conosciuto in treno Barbara? 12. Che giorno è oggi? 13. Che ora segna ora il Suo orologio, signor...? 14. Che ora segnava l'orologio della stazione, signorina...?

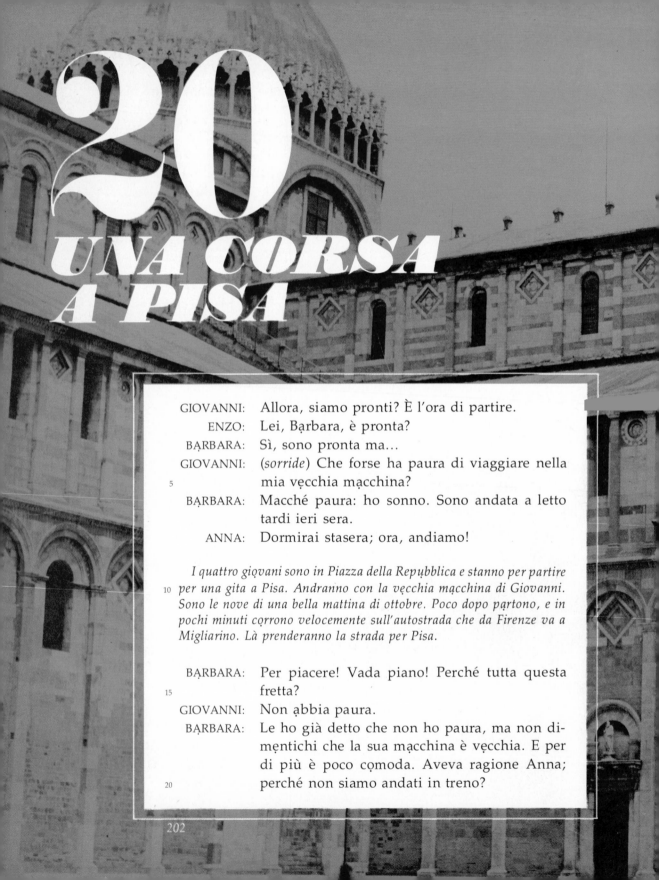

20

UNA CORSA A PISA

GIOVANNI:	Allora, siamo pronti? È l'ora di partire.
ENZO:	Lei, Barbara, è pronta?
BARBARA:	Sì, sono pronta ma…
GIOVANNI:	(*sorride*) Che forse ha paura di viaggiare nella mia vecchia macchina?
BARBARA:	Macché paura: ho sonno. Sono andata a letto tardi ieri sera.
ANNA:	Dormirai stasera; ora, andiamo!

I quattro giovani sono in Piazza della Repubblica e stanno per partire per una gita a Pisa. Andranno con la vecchia macchina di Giovanni. Sono le nove di una bella mattina di ottobre. Poco dopo partono, e in pochi minuti corrono velocemente sull'autostrada che da Firenze va a Migliarino. Là prenderanno la strada per Pisa.

BARBARA:	Per piacere! Vada piano! Perché tutta questa fretta?
GIOVANNI:	Non abbia paura.
BARBARA:	Le ho già detto che non ho paura, ma non dimentichi che la sua macchina è vecchia. E per di più è poco comoda. Aveva ragione Anna; perché non siamo andati in treno?

202

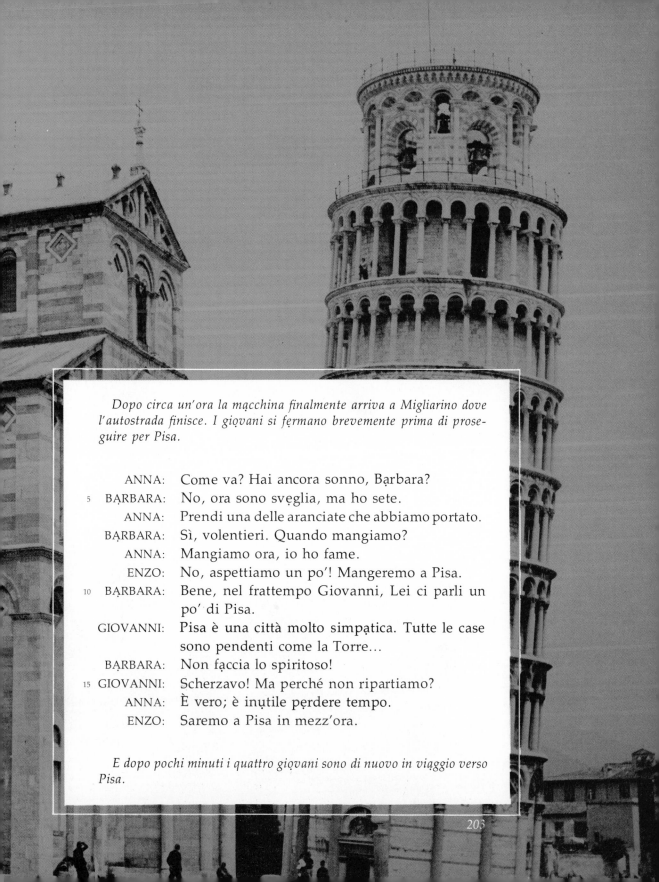

Dopo circa un'ora la mạcchina finalmente arriva a Migliarino dove l'autostrada finisce. I giọvani si fẹrmano brevemente prima di proseguire per Pisa.

ANNA: Come va? Hai ancora sonno, Bạrbara?
5 BẠRBARA: No, ora sono svẹglia, ma ho sete.
ANNA: Prendi una delle aranciate che abbiamo portato.
BẠRBARA: Sì, volentieri. Quando mangiamo?
ANNA: Mangiamo ora, io ho fame.
ENZO: No, aspettiamo un po'! Mangeremo a Pisa.
10 BẠRBARA: Bene, nel frattempo Giovanni, Lei ci parli un po' di Pisa.
GIOVANNI: Pisa è una città molto simpạtica. Tutte le case sono pendenti come la Torre…
BẠRBARA: Non fạccia lo spiritoso!
15 GIOVANNI: Scherzavo! Ma perché non ripartiamo?
ANNA: È vero; è inụtile pẹrdere tempo.
ENZO: Saremo a Pisa in mezz'ora.

E dopo pochi minuti i quattro giọvani sono di nuovo in viạggio verso Pisa.

203

Vocabolario

NOUNS

l' **aranciata**   orangeade
l' **autostrada**   freeway, highway
la **corsa**   race, fast trip
la **fretta**   hurry
il **giovane**   youth, young man; **i
   quattro giovani**   the four
   young people
il **letto**   bed
la **macchina**   car, automobile
   Migliarino f.   *a town near Pisa*
l' **ottobre** m.   October
   Pisa   *a city in Tuscany*

ADJECTIVES

comodo   comfortable; **poco
   comodo**   not very comfortable
inutile   useless
pendente   leaning
sveglio   awake

VERBS

andranno (*fut. of* **andare**)   they
   will go
correre   to speed
fermarsi   to stop
perdere   to lose; to waste (*time*)
proseguire   to go on
ripartire   to leave again

OTHERS

brevemente   briefly
di nuovo   again
ieri sera   last night
piano   slowly
un po' (*abbreviation of* **poco**)   a
   little while
velocemente   rapidly, fast
verso   toward

IDIOMS

avere paura (di) + infinitive   to be
   afraid
avere ragione   to be right
avere sonno   to be sleepy
essere l'ora (di)   to be time (to)
essere in viaggio   to be traveling,
   to be on one's way
**fare lo spiritoso (la spiritosa, gli
   spiritosi, le spiritose)**   to joke,
   to clown
in treno   by (on the) train
macché!   nonsense! **macché
   paura!**   nonsense, I'm not
   afraid!
nel frattempo   meanwhile
per di più   furthermore
per piacere   please

GRAMMATICA

I. **L'imperativo** (The Imperative)

FIRST CONJUGATION: **parlare** *to speak*

(tu) **Parla ad alta voce!** *Speak up (aloud)!*

(tu)	**parl-a**	speak
(Lei)	**parl-i**	speak
(noi)	**parl-iamo**	let us speak
(voi)	**parl-ate**	speak
(Loro)	**parl-ino**	speak

SECOND CONJUGATION: **ripetere,** *to repeat*

(tu) **Ripeti questa parola!** *Repeat this word!*

(tu)	**ripet-i**	repeat
(Lei)	**ripet-a**	repeat
(noi)	**ripet-iamo**	let us repeat
(voi)	**ripet-ete**	repeat
(Loro)	**ripet-ano**	repeat

THIRD CONJUGATION: **dormire** *to sleep;* **finire** *to finish*

(tu) **Dormi in questo letto!** *Sleep in this bed!*

(tu)	**dorm-i**	sleep
(Lei)	**dorm-a**	sleep
(noi)	**dorm-iamo**	let us sleep
(voi)	**dorm-ite**	sleep
(Loro)	**dorm-ano**	sleep

(tu) **Finisci, è un ordine!** *Finish, it's an order!*

(tu)	**fin-isci**	finish
(Lei)	**fin-isca**	finish
(noi)	**fin-iamo**	let us finish
(voi)	**fin-ite**	finish
(Loro)	**fin-iscano**	finish

The imperative is used in direct commands and its usage in Italian is much the same as in English. Subject pronouns are not used with the imperative. Note that in the second and third conjugations the forms for **tu, noi,** and **voi** are the same as for the present indicative. In the first conjugation, the forms for **noi** and **voi** only are the same as for the present indicative forms.

II. L'imperativo: <u>avere</u>, <u>essere</u> (The Imperative: **avere, essere**)

avere *to have*

(tu) **Abbi pazienza!** *Have patience! Be patient!*

(tu)	**abbi**	have
(Lei)	**abbia**	have
(noi)	**abbiamo**	let us have
(voi)	**abbiate**	have
(Loro)	**abbiano**	have

essere *to be*

(tu) **Sii buono!** *Be good!*

(tu)	**sii**	be
(Lei)	**sia**	be
(noi)	**siamo**	let us be
(voi)	**siate**	be
(Loro)	**siano**	be

III. L'imperativo negativo (The Negative Imperative)

The negative imperative of the familiar singular **(tu)** is an infinitive.

(tu)	**Non parlare.**	Do not speak.
(tu)	**Non leggere.**	Do not read.

BUT

(Lei)	**Non scriva.**	Do not write.
(voi)	**Non aprite.**	Do not open.
(Loro)	**Non rispondano.**	Do not answer.

IV. Alcuni imperativi irregolari (Some Irregular Imperatives)

	fare			venire	
(tu) **Fa' presto!** *Hurry up!* (Lit. *Do quickly!*)			(tu) **Vieni subito!** *Come at once!*		

faccio
fai
fa
facciamo
fate
fanno

	fare			venire	
(tu)	**fa'**	do	(tu)	**vieni**	come
(Lei)	**faccia**	do	(Lei)	**venga**	come
(noi)	**facciamo**	let us do	(noi)	**veniamo**	let us come
(voi)	**fate**	do	(voi)	**venite**	come
(Loro)	**facciano**	do	(Loro)	**vengano**	come

vengo
vieni
viene
vengono

andare

(tu) **Va' a casa!** *Go home!*

(tu)	**va'**	go
(Lei)	**vada**	go
(noi)	**andiamo**	let us go
(voi)	**andate**	go
(Loro)	**vadano**	go

vado
vai
va
vanno

Pisa

ESERCIZI **A.** *Studiate le forme dell'imperativo. Ripetete gli esempi seguenti cambiando le parole indicate.*

a. *Abbi* pazienza!
   1. (noi)   2. (Lei)   3. (voi)   4. (Loro)

b. *Andiamo* a casa!
   1. (Loro)   2. (voi)   3. (tu)   4. (Lei)

c. Non *fate* gli spiritosi!
   1. (Lei)   2. (tu)   3. (noi)   4. (Loro)

d. *Vengano* presto!
   1. (voi)   2. (noi)   3. (tu)   4. (Lei)

e. *Siate* in orario!
   1. (Loro)   2. (Lei)   3. (tu)   4. (noi)

B. *Ripetete gli esempi cambiando le parole indicate.*

a. Carlo, *prendi* il telegramma!
   1. mandare   2. leggere   3. finire   4. scrivere
   5. aprire

b. Cari giovani, non *telefonate*, è inutile!
   1. correre   2. chiamare   3. ringraziare   4. aspettare
   5. partire

c. Signori, *parlino* ora!
   1. camminare   2. spiegare   3. mangiare   4. rispondere   5. ringraziare

d. Amici, *partiamo* stasera!
   1. venire   2. finire   3. andare   4. arrivare   5. passare

e. Signorina, per favore, *scriva* a Suo zio!
   1. telefonare   2. sorridere   3. parlare   4. rispondere
   5. aprire

C. *Cambiate le frasi seguenti alla forma negativa dell'imperativo:*

a. sorridi al bambino
b. partite presto
c. viaggiamo in macchina
d. venga qui

e. vạdano in treno *non vadano*
f. parli di Pisa *non parli*
g. prendi un'aranciata *non prendere*
h. sii pronta alle tre *non essere*
i. fạccia lo spiritoso *non faccia*
j. aspettiamo il treno *non*

D. *Sostituite all'infinito del verbo la forma corretta dell'imperativo.*

1. Per favore, Carlo, *leggere* questo libro! 2. Signore, *ẹssere* gentile, *parlare* con lui! 3. È tardi; per favore, ragazzi, *andare* a letto! 4. Signorina Bianchi, non *parlare* ad alta voce! 5. Ragazzo, non *chiamare* l'impiegato! 6. Bambine, *leggere* lentamente quando vi ascolto. 7. Giovanni, non *venire* a casa tardi. 8. Abbiamo ancora tempo, *mandare* un telegramma a Giovanni! 9. Signọr Verdi, L'ascolterò ma non *avvicinarsi*! 10. Signori viaggiatori, *aspettare* nella sala d'aspetto fino alle quattro!

E. *Usando la frase italiana come modello, traducete le frasi inglesi.*

1. La strada da Pisa a Firenze è breve.
   The highway from Rome to Venice is long.

2. Sono svẹglie, ma hanno ancora sonno.
   I am awake but I am still sleepy.

3. Stavate per partire mentre loro dormịvano.
   I was about to leave while he was sleeping.

4. Abbiamo ragione; la Torre Pendente è a Pisa.
   You are right; the leaning tower is in Pisa.

5. I giorni sẹmbrano lunghi.
   The trip seems short.

6. L'altra sera sono andati a letto tardi.
   Last night they went to bed early.

7. Fa sempre lo spiritoso.
   They are always clowning.

8. Che bell' autostrada!
   What beautiful surprises!

9. Se ripartirete vi seguirà.
   If you (Lei) leave again, they will follow you.

10. La mạcchina correva velocemente verso Pisa.
    The trains were traveling fast toward Pisa.

F. *Traducete le frasi seguenti:*

1. Are you afraid to **(di)** go to Pisa in an old car? 2. No, I am not afraid but it does not seem very comfortable to me. 3. Don't be afraid; we will take the highway, and we shall be in Pisa in two hours. 4. Is Enzo coming with us? 5. No, he went to bed late last night, and he is sleepy this morning. 6. Too bad! It is a beautiful morning, isn't it? 7. Yes! Let us go now, it is already nine o'clock. 8. Why don't we go on the **(in)** train? 9. I was right; you are afraid. 10. What did you say? Please speak slowly! 11. Come here, please! I said that you are afraid. 12. It's not true. But first, let us eat something. 13. No, let us eat at Viareggio. I know a restaurant there. 14. Please be good, I am hungry and I am thirsty now. 15. All right; there is a coffee shop in that square; come with me!

DA IMPARARE A MEMORIA

Non abbia paura! L'autostrada è buona.
Nessuno può avere sempre ragione.
Vado a letto presto perché ho sonno.
I miei amici sono in viaggio per l'America.
Mio zio viaggia sempre in treno.

CONVERSAZIONE

Rispondete alle domande seguenti:

1. Come vanno a Migliarino i nostri amici, in treno? 2. Lei ha mai veduto una macchina italiana? 3. Perché ha sonno Barbara? 4. Lei a che ora va a letto? 5. Va piano Giovanni sull'autostrada? 6. Dove finisce l'autostrada? 7. Proseguono immediatamente per Pisa? 8. Lei quando ha sete che cosa prende? 9. Quando mangia Lei? 10. Viaggia spesso su un'autostrada Lei? Dove? 11. Dov'è Pisa? 12. Per che cosa è famosa Pisa? 13. Quando viaggia in treno Lei? 14. Ha una macchina Lei? È vecchia?

RIPETIZIONE 5

I. *Rispondete alle seguenti domande:*

1. Quando Lei ha bisogno di carta da lettere dove va?
2. Quando abbiamo bisogno della pianta di una città?
3. Lei ricorda qualche autore classico italiano? 4. Quali fiori preferisce Lei? 5. Quali sono i giorni della settimana? 6. Che ore sono ora? 7. Quale giorno della settimana preferisce Lei? Perché? 8. Dove troviamo gli arrivi e le partenze dei treni? 9. Signor _____, quali persone e quali cose vediamo alla stazione? 10. Quando abbiamo bisogno di un facchino? 11. C'è solamente un'università in questa città? 12. Lei va mai a letto tardi? 13. Quando Lei va a letto tardi, ha sonno il giorno dopo? 14. Signorina _____, parli brevemente di un viaggio che Lei ha fatto.

II. *Mettete al plurale le frasi seguenti:*

1. Questo foglio è molto bianco. 2. Preferisco leggere un autore classico. 3. Ho comprato un vecchio libro. 4. Questo è un nuovo cinema. 5. Non sono mai stato in quella farmacia. 6. Quell'artista americana è molto famosa. 7. Per andare alla stazione abbiamo bisogno di un tassì. 8. Questa non è la mia valigia, la mia valigia è quella. 9. Non hanno veduto l'ultimo documentario. 10. Ho fotografato quella quercia. 11. Ho letto un libro interessante sul re d'Italia. 12. Quel violinista ha suonato (**suonare,** to play) alla Scala. 13. Le poesie di questo poeta classico sono molto difficili. 14. Ho comprato questo catalogo in quella cartoleria. 15. Questa è una vera bugia.

III. *Ripetete la frase facendo i cambiamenti indicati.*

Se Giovanni non può telefonare, *telefonerò io.*
1. tu   2. Lei   3. Maria   4. noi   5. lei   6. voi   7. loro

IV. *Ripetete la frase facendo i cambiamenti indicati.*

Questa è la *seconda* volta che mi parla.
(1) 1ª   (2) 8ª   (3) 3ª   (4) 4ª   (5) 10ª   (6) 7ª   (7) 5ª

V. *Ripetete la frase facendo i cambiamenti indicati.*

Maria mi telefona sempre *il martedì.*
1. on Sundays   2. on Saturdays   3. on Wednesdays   4. on Fridays.

VI. *Traducete in italiano:*

1. We will pay the waiter.   2. They will eat at six o'clock.
3. They recognized me (*present prefect*) at once.   4. (**tu**)
You are eating little.   5. I will see them tomorrow.   6.
They will see me tomorrow.   7. She saw (*past absolute*)
him yesterday.   8. We saw her two days ago.

VII. *Ripetete facendo i cambiamenti indicati.*

a.   Parla di me, non di *noi.*
     1. tu   2. lui   3. voi   4. lei   5. Loro
b.   Lo fanno per *voi.*
     1. io   2. tu   3. loro   4. egli   5. ella

VIII. *Dite a qualcuno* (someone) *in italiano*

ESEMPIO: di leggere un libro.
          (*Lei*) Legga questo libro.

1. (*Lei*) di essere pronto alle due.   2. (*tu*) di essere pronto
alle due.   3. (*voi*) di aprire il telegramma.   4. (*tu*) di
aprire il telegramma.   5. (*Lei*) di fare questa lezione.
6. (*tu*) di fare attenzione.   7. (*voi*) di avere pazienza.
8. (*Lei*) di non fare lo spiritoso.   9. (*tu*) di venire a
colazione.   10. (*Loro*) di parlare piano.   11. (*Loro*) di
andare a visitare il museo.   12. (*tu*) di essere buono.

IX. *Sostituite all'infinito del verbo la forma corretta dell'imperativo.*

1. *(Lei) Finire* questa lettera prima delle sei! 2. *(tu) Mandare* un telegramma, non *mandare* una lettera! 3. *(Loro) Venire* a casa mia! 4. *(tu) Essere* buono; *andare* in una cartoleria e *comprare* della carta per me! 5. *(Lei)* Non *perdere* quel libro, non è mio! 6. *(noi)* Non *gridare* (to shout), *parlare* sotto voce! 7. *(tu) Studiare* un po' prima di mangiare! 8. *(noi)* Non *dimenticare* di ringraziare il professore! 9. *(voi) Ripetere* la parole nuove! 10. *(Loro) Prendere* un quaderno e *scrivere* queste frasi!

X. *Sostituite all'infinito del verbo la forma corretta del verbo.*

1. Lunedì venturo noi *incominciare* la nuova lezione. 2. Domani sera Giovanni *mangiare* a casa nostra. 3. L'ho veduta ieri ma non la *riconoscere*. 4. Quando il cameriere porterà il conto noi lo *pagare*. 5. Partiranno domani mattina e li *vedere* domani sera.

XI. *Traducete in italiano:*

1. I want a box of light stationery for air mail. 2. There were about fifteen people in the bookstore. 3. She does not remember how much she owes me. 4. My friend Louise bought this novel for me. 5. On Sundays they get up late. 6. Let us go to bed! I am sleepy. 7. We will see what they want to do. 8. When I am not at home, do not open (*tu*) the door. 9. *(Lei)* Come with me! Let us go to the movies! 10. Let us go to a restaurant! I am hungry and I am thirsty.

XII. *Scrivete frasi originali per ciascuna di queste espressioni* (Write original sentences for each of the following expressions):

1. non importa 2. fare un giro 3. in orario 4. avere paura 5. fare lo spiritoso

La Galleria di Milano—il centro della vita sociale della città

LA VITA CITTADINA

Una delle parole italiane che ormai fa parte del vocabolario internazionale è *galleria*. C'è una galleria a Roma, a Milano, a Napoli, a Genova e in molte altre città italiane. Un'altra parola italiana internazionale è *piazza*. Anche il più piccolo paese italiano ha una piazza. Le grandi città hanno molte piazze e alcune sono famose per la loro bellezza, come per esempio Piazza San Marco a Venezia, Piazza Navona a Roma, Piazza del Plebiscito a Napoli, Piazza dei Miracoli a Pisa, Piazza della Signoria a Firenze, e tante altre.

La piazza di solito è il centro del paese o della città e, se la città è grande, la piazza è il centro di un rione. Qui si svolge la vita sociale dei cittadini. Gli Italiani «vivono», nel vero senso della parola, nelle loro città. Le piazze e le strade sono per gli abitanti come un'estensione della loro casa. Nei piccoli borghi gli artigiani portano il loro lavoro sulla strada. Nelle grandi città ogni piazza ha un caffè all'aperto e i ristoranti spesso mettono i loro tavoli sulle strade o sulle piazze. E tanto nelle grandi città come nei piccoli paesi c'è sempre una piazza o una strada dove ha luogo la passeggiata la sera o la domenica. Alla passeggiata s'incontrano gli amici di tutto il paese, o del rione della città, e perfino della città stessa. Mentre passeggiano, parlano di politica o di sport, e poi si fermano al caffè preferito per l'espresso o per l'aperitivo.

Basta pensare a Piazza San Marco. È come un grande salotto dove sembra che tutti i Veneziani e tanti turisti si ritrovano per passare un'ora o due insieme.

Vocabolario

l' **artigiano** artisan
il **borgo** small town
il **cittadino** citizen
la **conversazione** conversation
  domenica Sunday; **la domenica** on Sunday
l' **estensione** extension
  internazionale international
il **lavoro** work
  Marco Mark

il **miracolo** miracle
il **paese** country, town, village
la **parte** part; **fare parte di** to be part of
  passeggiare to promenade, to walk
  perfino even
il **plebiscito** plebiscite
la **politica** politics
il **rione** neighborhood

ritrovarsi to meet (*one another*)
il **senso** sense, meaning
la **Signoria** *the government of medieval Florence*
  sociale social
  stesso itself
  svolgersi to unfold
  tanto...come both...and
il **tavolo** table

Conversazione in un piccolo paese

Caffè all'aperto presso l'antica arena romana a Verona

LA VITA CITTADINA

21 LA VIGILIA DI NATALE

È la vigilia di Natale, e le vie di Firenze sono affollate come le vie di tutte le altre città d'Italia. Ma anche se le vie, i tram e i filobus sono pieni di gente, non sono così affollati come i negozi, specialmente le pasticcerie. Anche le chiese sono piene di persone che vanno da una

5 chiesa all'altra per visitare i presepi. Per festeggiare il Natale, tutte le chiese hanno un presepio che rappresenta la nascita di Gesù in una grotta con i Re Magi, gli angeli, eccetera. Fra le persone che vanno in giro per la città, ci sono anche Barbara e Anna. Le troviamo davanti alla vetrina di una grande pasticceria dove guardano i dolci.

10 ANNA: Com'è bello quel panettone! Hai mai assaggiato il panettone, Barbara?

BARBARA: Sì, ma di tutti i dolci italiani di Natale preferisco il torrone. Il panettone mi sembra più bello che buono. E tu?

15 ANNA: Io preferisco il panforte; trovo che il panforte è più buono del torrone.

BARBARA: Sono buoni tutti e due. Perché non entriamo in questa pasticceria e non compriamo dei dolci?

20 ANNA: No, andiamo in un'altra qui vicino. Conosco una delle commesse.

BARBARA: Benissimo. E poi andiamo a vedere il presepio di Santa Maria Novella, vuoi?

ANNA: Certamente. Ecco l'altra pasticceria.

25 COMMESSA: Buon giorno; buon giorno, signorina Manin. Ha veduto quanta gente?

ANNA: Sì, sì, dappertutto è lo stesso. Senta, ci dia due torroni e un panforte grande.

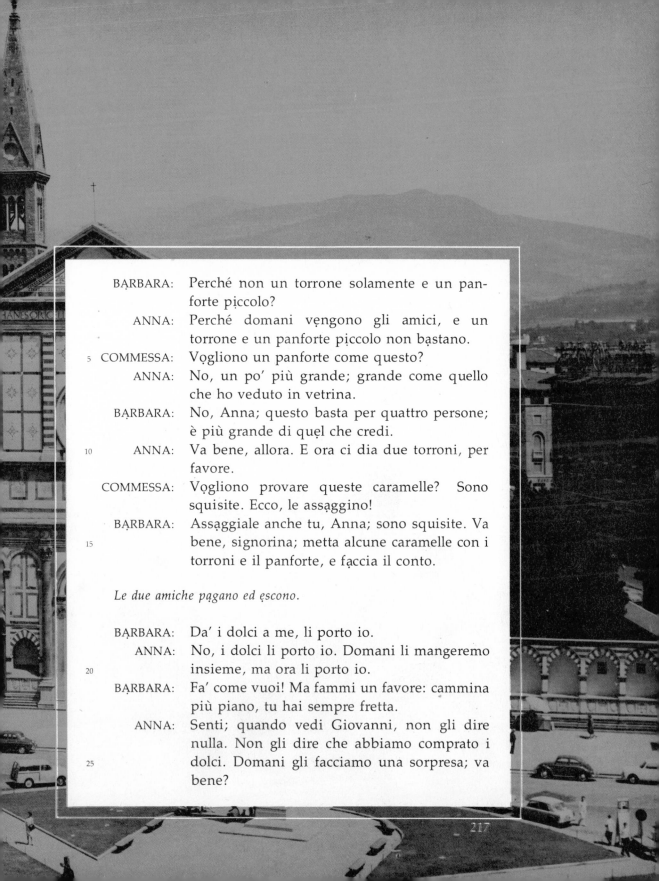

BARBARA:	Perché non un torrone solamente e un panforte piccolo?	
ANNA:	Perché domani vengono gli amici, e un torrone e un panforte piccolo non bastano.	
5 COMMESSA:	Vogliono un panforte come questo?	
ANNA:	No, un po' più grande; grande come quello che ho veduto in vetrina.	
BARBARA:	No, Anna; questo basta per quattro persone; è più grande di quel che credi.	
10 ANNA:	Va bene, allora. E ora ci dia due torroni, per favore.	
COMMESSA:	Vogliono provare queste caramelle? Sono squisite. Ecco, le assaggino!	
BARBARA:	Assaggiale anche tu, Anna; sono squisite. Va bene, signorina; metta alcune caramelle con i torroni e il panforte, e faccia il conto.	

Le due amiche pagano ed escono.

BARBARA:	Da' i dolci a me, li porto io.	
ANNA:	No, i dolci li porto io. Domani li mangeremo insieme, ma ora li porto io.	
BARBARA:	Fa' come vuoi! Ma fammi un favore: cammina più piano, tu hai sempre fretta.	
ANNA:	Senti; quando vedi Giovanni, non gli dire nulla. Non gli dire che abbiamo comprato i dolci. Domani gli facciamo una sorpresa; va bene?	

217

Vocabolario

NOUNS

l' **angelo**   angel
la **caramella**   a piece of (hard) candy; normally used in the plural
il **dolce**   sweet, dessert
il **favore**   favor
Gesù   Jesus
la **grotta**   grotto, cave
la **nascita**   birth
il **Natale**   Christmas
il **panettone**   *an Italian cake, somewhat like sweet raisin bread*
il **panforte**   *a kind of hard fruit cake, usually eaten in Italy at Christmas time*
la **pasticceria**   pastry shop, sweet shop
il **presepio**   manger, Nativity Scene
i **Re Magi**   the Magi, the Three Wise Men
il **torrone**   *an Italian nougat candy*
la **vetrina**   display window

ADJECTIVES

pieno (di)   full (of), filled (with)

VERBS

festeggiare   to celebrate
guardare   to look, look at (*English "at" is contained in the Italian verb.*)
rappresentare††   to represent
provare   to try

OTHER

eccetera (*abbreviated* **ecc.**)   and so on, etc.

IDIOMS

andare in giro (per)   to go around
avere fretta   to be in a hurry
fare il conto   to add up the total
fare una sorpresa (a) + *a person*   to surprise a person
tutti e due   both

L'adorazione dei Re Magi (Ghirlandaio)

GRAMMATICA

I. Imperativi irregolari (Continuazione)

dare

(tu) **Da' questo libro a Maria!**
Give this book to Mary!

(tu)	**da'**	give
(Lei)	**dia**	give
(noi)	**diamo**	let's give
(voi)	**date**	give
(Loro)	**diano**	give

stare

(tu) **Sta' a Firenze un'altra settimana!**
Stay in Florence another week!

(tu)	**sta'**	stay
(Lei)	**stia**	stay
(noi)	**stiamo**	let's stay
(voi)	**state**	stay
(Loro)	**stiano**	stay

dire

(tu) **Di' a Carlo che arriverò domenica!**
Tell Charles I'll arrive next Sunday!

(tu)	**di'**	tell, say
(Lei)	**dica**	tell, say
(noi)	**diciamo**	let's tell, say
(voi)	**dite**	tell, say
(Loro)	**dicano**	tell, say

II. I pronomi personali con l'imperativo (Conjunctive Pronouns with the Imperative)

(1) The conjunctive pronouns, we have learned, almost always precede a conjugated verb. But they precede or follow the imperative forms as will be explained below.

(a) They precede all forms of command (imperative) of **Lei** and **Loro.**

Ecco il mio libro, **lo** legga (non **lo** legga).	Here is my book, read *it* (do not read *it*).
Signorina, ecco le caramelle, **le** assaggi (non **le** assaggi).	Miss, here is the candy, taste *it* (do not taste *it*).
Questi dolci non sono buoni, signori, non **li** comprino.	These sweets are not good, gentlemen, do not buy *them.*

(b) They follow the affirmative imperative forms of **tu, noi, voi** and are directly attached to the verb. (**Loro** is the only exception and is not attached to the verb.)

Alzati, è tardi!	*Get up,* it is late!
Ecco il mio libro, **leggetelo.**	Here is my book, *read it.*
Alziamoci, è tardi!	*Let us get up,* it is late!
Questo è il torrone che ho comprato, Maria; **assaggialo.**	This is the nougat I bought, Mary; *taste it.*
C'è un vecchio presepio; **mostriamolo loro.**	There is an old Nativity Scene; let us *show it to them.*

(c) They usually precede the negative forms of **tu, noi,** and **voi,** but one comes across instances in which they follow.

Non ti vestire (or: **non vestirti**), è ancora presto.	*Do not get dressed,* it is still early.
Non vi avvicinate (or: **non avvicinatevi**), sono raffreddato.	*Do not come near me,* I have a cold.

(2) In combining with a monosyllabic imperative (**da', fa', sta', di', va'**), the initial consonant of the conjunctive pronoun is doubled (**gli** being the only exception).

Ecco il mio libro; **dallo** a Maria!	Here is my book; *give it* to Mary.
Fammi questo favore!	*Do me* this favor.

BUT

Quando vedi Giovanni, **dagli** questo libro!	When you see John, *give him* this book!

III.   Comparativo (Comparison)

(1)   Comparison of Equality. The English *as* (*so*) . . . *as* is translated by **così . . . come** (also: by **tanto . . . quanto**). It should be noted, however, that the first part of the comparison is usually omitted, unless it is needed for emphasis.

Questa chiesa è **bella come** quella.	This church is *as beautiful as* that one.
Queste caramelle sono **dolci come** il miele.	This candy is *as sweet as* honey.

BUT

Questo torrone **non è così dolce come** credevo.	This nougat *is not as sweet as* I thought.

(2)   Comparison of inequality: *more* (or *less*) . . . *than*. *More* is translated by **più;** *less* by **meno**. *Than* is translated as follows:

(a) by **di** when the comparison is made between two people, animals, or things.

Lisa è più bella **di** sua sorella.	Lisa is more beautiful *than* her sister.
Giovanni è più alto **di** me.	John is taller *than* I.
I gatti mangiano meno **dei** cani.	Cats eat less *than* dogs.
Questo panettone è più buono **di** quello.	This cake is tastier *than* that one.

(b) by **di** before numerals.

Parla più **di** due lingue.	She speaks more **than** two languages.

(c) by **che** when the comparison concerns the same subject and is made between two nouns, two adjectives, two verbs or two adverbs.

A Venęzia ci sono più ponti **che** canali.	In Venice there are more bridges *than* canals.
È più ricca **che** bella.	She is more rich *than* beautiful.
Mi piace più nuotare **che** camminare.	I like more (better) swimming *than* walking.
L'ạria è più buona quị **che** là.	The air is better here *than* there.
Quẹl presępio è meno bello da vicino **che** da lontano.	That Nativity Scene is less beautiful from close *than* from far.

(d) by **di quẹl che** before a conjugated verb, namely when *than* introduces a clause.

È più vicino **di quẹl che** sembra.	It is nearer *than it seems.*
È più alta **di quẹl che** credevo.	She is taller *than I thought.*

ESERCIZI A. *Studiate le forme dell'imperativo di* **dare, stare, dire,** *e la posizione dei pronomi con l'imperativo.*

(1) *Ripetete facendo i cambiamenti indicati.*

a. [Lei] *Dia* il torrone a me, non lo *dia* a Maria.
   1. Loro 2. voi 3. noi 4. tu

b. [Tu] *Sta'* qui, non *entrare* nella pasticceria.
   1. voi 2. Lei 3. noi 4. Loro

c. [Lei] Per favore mi *dica* che ore sono.
   1. tu 2. voi 3. Loro 4. Lei

d. [Noi] *Vestiạmoci*, la colazione è pronta.
   1. Lei 2. tu 3. Loro 4. voi

e. [Noi] *Facciạmogli* una sorpresa.
   1. tu 2. Lei 3. voi 4. Loro

f. [Loro] *Si fẹrmino* un momento.
   1. tu 2. voi 3. noi 4. Lei

(2) *Mettete all'imperativo le frasi seguenti.*

Esempio: (Lei) ~~Le dice~~ che è presto.
~~Le dica~~ che è presto.

... ch... non mi ha visto. 2. Tu non gli
dici che non ha visto. 3. Lo *compreremo* oggi. [*compreremolo*] 4.
Non lo compreremo domani. 5. Lo *scrivete* sulla busta. [*scrivetelo*]
6. Loro ... sulla busta. 7. Gli *dici* che lo [*diglie*]
aspetto. 8. Lei *dice* che io l'aspetto. [*dica*] 9. Voi vi
vestite subito. 10. Lei s'*alza* alle nove. [*alzi*] 11. Lo *dici* a [*dillo*]
me, non lo dici a Maria. 12. Lei *sta* a casa nostra, [*stia*]
non sta a casa di Carlo. 13. Lo *festeggiate* oggi, non [*Lei festeggi* / *festeggilo*]
lo festeggiate domani. 14. Loro le *fanno* una sorpresa
domani sera. 15. ... *ringrazieremo* appena li vedremo.

B. IL COMPARATIVO (Comparison of Adjectives).

(1) *Completate le frasi seguenti con la forma corretta del comparativo di uguaglianza.* (**così ... come; tanto ... quanto**)

1. Questo vino ... è *così* buono *come* quello. 2.
Questa bambina ... *così* bionda (*blond*) *come* sua
sorella. 3. Questi libri sono *tanto* interessanti *quanto*
quelli. 4. La Torre Pendente di Pisa non è *tanto* alta
... la Torre del Mangia di Siena. 5. Questo ragazzo
non è ... alto ... credevo. 6. Quella sala è *così*
grande ... mi ha detto Carlo.

(2) *Completate le frasi seguenti con la forma corretta del comparativo di maggioranza e di minoranza.* (**più ...; meno ...**)

1. Questo vino è più buono *di* quello. 2. Questo
caffè è meno cattivo *di* quello. 3. La nostra cameriera
è meno gentile ... la vostra. 4. A Roma ci sono più
chiese ... palazzi. 5. Questa torre è più alta *che*
quella. 6. C'erano meno *di* venti persone per le vie.
7. C'erano più *di* mille piccioni (*pigeons*) in Piazza
San Marco. 8. Barbara parla più lingue *di* Anna.
9. I cani (*dogs*) ... più fedeli (*faithful*) *dei* i gatti (*cats*).
10. Nelle città ci sono più automobili *che* biciclette.

11. Mario è meno studioso . . . intelligente. 12. Quel ragazzo dorme più . . . credi. 13. Quei signori viaggiano meno . . . credete. 14. Maria è più bella . . . Luisa. 15. Le due ragazze hanno più amici . . . crediamo. 16. Questa chiesa è più antica . . . la chiesa di Santa Lucia. 17. In quella pasticceria ci sono più signori . . . signore. 18. Ci sono meno libri in questo studio . . . in quello. 19. A Venezia ci sono più . . . quattrocento ponti. 20. Quella commessa è più buona . . . simpatica.

(3) *Formate dei comparativi con le parole in parentesi.*

Esempio: utile (cane, gatto) Il cane è più utile del gatto.

1. affollato (biblioteca, chiesa). 2. sinfonia (pianisti, violinisti). 3. mi piace (pesce, carne). 4. musica (moderna, classica). 5. giardino (rose, garofani). 6. cordiale (commessa, cameriere). 7. piacere (studiare, viaggiare). 8. Mario (studioso, intelligente). 9. feroce (*ferocious*) (gatto, leone *m*). 10. buono (minestra, torta).

C. *Traducete in italiano:*

1. The week before Christmas stores are more crowded in America than in Italy. 2. Everybody writes cards to his friends. We all have more friends than we think. 3. In Italy also, people write cards to their friends. 4. In Italy, at Christmas, people go to visit the churches where they can see the magnificent Nativity Scenes. 5. Many Italian families buy a "panettone" for the Christmas dinner (*dinner*, **pranzo**). 6. Two years ago two of my friends, John and Barbara, were in Rome at Christmas and wanted to shop together. 7. The streetcars, the shops and the streets were full of people. 8. They were walking in one of the important streets, and they were looking at the display windows. 9. "Let us not go into this shop," said Barbara; "let us go to a shop I know. It is larger than this one, and they have more things." 10. Where is it? Is it on this street? 11. No, it is near the station. Let us ask
(a) that lady where we can take a streetcar that goes to the

station.   12. Pardon me, madam; please tell us, is there a streetcar here that goes near the station?   13. No, but there is a trackless trolley; it is number (*trans.* "the number") nineteen.   14. Thank you. Look, Barbara, here is number nineteen. Let us get on!   15. How many people! This trolley is not as crowded as number twenty-one, but, after all, all trolleys are crowded on (**la**) Christmas week.

DA IMPARARE A MEMORIA

La domęnica Luisa spesso va in giro per la città.
Cameriere, mi fa il conto per favore?
Volevamo fare una sorpresa a Maria, ma non era a casa.

CONVERSAZIONE

Rispondete alle seguenti domande:

1. La vigilia di Natale sono affollate solamente le strade?
2. Perché in Italia molte persone vanno da una chiesa all'altra?
3. Che cosa rappresenta il presępio?   4. Lei ha mai veduto un presępio?   5. Perché Barbara e Anna entrano in una pasticceria?   6. Lei conosce qualche dolce italiano?   7. Chi di voi ha comprato dolci italiani in un negozio italiano di questa città?   8. C'è un dolce di Natale quị in America?   9. Perché non bastano un torrone e un panforte pịccolo?   10. Per quante persone basterà il panforte che comprano?   11. Che cosa assạggiano le due ragazze?   12. Lei ha mai provato le caramelle italiane?   13. Con chi mangeranno i dolci che hanno comprato le due signorine?   14. Perché non vọgliono dire niente ai loro amici?

ALLA POSTA

Manca un quarto alle sei e Bạrbara cammina in fretta verso la posta.
La posta chiude alle sei e Bạrbara ha molte lẹttere che vuole impostare.
Entra e mentre aspetta il suo turno allo sportello dove vẹndono i
francobolli, un giọvane le dice: — Quante lẹttere! Lei deve avere molti
5 *ammiratori!*

BẠRBARA:	Enzo!
ENZO:	Scherzavo, Bạrbara, ma ha tante lẹttere!
BẠRBARA:	Certo che ne ho tante; sono lẹttere di Natale.
ENZO:	Ah, ora capisco; ne ha mandata una anche a
10		me?
BẠRBARA:	No, a Lei non gliela mando perché gli auguri
	glieli farò personalmente. Lei non ne manda?
ENZO:	No, mi dispiace. È una simpatica usanza, ma
	io non la sẹguo.
15 IMPIEGATO:	Lei, signorina, desịdera…
BẠRBARA:	Per favore mi dia dei francobolli per gli Stati
	Uniti.
IMPIEGATO:	Quanti ne vuole?
BẠRBARA:	Novantacịnque francobolli per posta aẹrea, e
20		ottantaquattro per posta regolare.
IMPIEGATO:	Scusi, ha detto che ne vuole novantacịnque
	per posta aẹrea, e ottantaquattro per posta
	regolare?
BẠRBARA:	Sì. (*a Enzo*) Anche in Itạlia mandate tante
25 | | lẹttere per Natale, non è vero? |

ENZO: Sì, ogni anno ne mandiamo sempre di più. Ma, come ho detto, non è un'usanza che io seguo.

BARBARA: (*all'impiegato*) Questa lettera la voglio mandare raccomandata.

IMPIEGATO: Benissimo. Ecco i francobolli ed ecco la ricevuta.

BARBARA: Grazie. Enzo, sia buono, m'aiuti ad attaccare i francobolli alle buste.

ENZO: Subito; ma prima devo comprare anch'io un francobollo.

Dopo un quarto d'ora Barbara e Enzo hanno finito ed escono.

BARBARA: Ho dimenticato di comprare un francobollo espresso, ma non importa. Lo comprerò più tardi.

ENZO: Fino a poco tempo fa vendevano i francobolli, il sale e le sigarette solamente in negozi speciali chiamati Sale e Tabacchi.

BARBARA: È interessante. Perché?

ENZO: (*ride*) È molto semplice. La vendita del sale e del tabacco era monopolio dello stato in Italia, e così il sale e il tabacco li vendevano solamente in negozi speciali chiamati Sale e Tabacchi.

227

Vocabolario

NOUNS

l' **ammiratore** *m.*   admirer
l' **espresso**   special delivery letter
il **francobollo**   stamp; **franco-**
   bollo espresso   special delivery stamp
il **monopolio**   monopoly
la **posta**   post office
la **ricevuta**   receipt
   Sali e Tabacchi   salt and
   tobacco store; **il sale**   salt; **il**
   tabacco   tobacco
la **sigaretta**   cigarette
lo **stato**   state
la **vendita**   sale

ADJECTIVES

raccomandato   registered (*of mail*)
regolare   regular
speciale   special

VERBS

aiutare (a) + infinitive to help
attaccare   to attach, to put
chiudere   to close (p.p. **chiuso**)
impostare   to mail
ridere   to laugh
vendere   to sell

OTHERS

personalmente   personally

IDIOMS

certo che   to be sure
fare gli auguri a una persona   to
   offer one's best wishes
sempre più (sempre di più   when
   used at the end of a sentence)
   more and more

GRAMMATICA

I. **Il pronome congiuntivo <u>ne</u>** (The Conjunctive Pronoun **ne**)

(1) The pronoun **ne** is used when referring back to a noun modified by the preposition **di** plus an article, or by the preposition **di** alone. Its meaning, therefore, is *of it, of him, of her, of them, some of it, some of them, any, a few, etc.*, according to the meaning of the antecedent.

Vuole **del pane.**	He wants *some bread.*
Ne vuole.	He wants *some of it.*
Vuole **del vino?**	Do you want *some wine?*
No, non **ne** voglio.	No, I do not want *any.*
Parliamo **di Giorgio.**	We are speaking *of George.*
Ne parliamo.	We are speaking *of him.*
Ha parlato **del viaggio.**	He has spoken *of the trip.*
Ne ha parlato.	He has spoken *of it.*

(2) In English *of it, of them,* etc., is often not expressed. The Italian equivalent **ne** MUST ALWAYS BE EXPRESSED.

Ne ho sei.	I have six (*of them*).
Quanto **ne** vuole?	How much do you want (*of it*)?
Ne compriamo molti.	We buy many (*of them*).

(3) The position of **ne** in the sentence is the same as that of any other conjunctive pronoun. When **ne** is used with a compound tense in place of a direct object, the past participle agrees with it in number and gender.

Parla**ne** a Giovanni.	Speak *of it* to John.
Ne ho visti molti.	I have seen many (*of them—books*).
Ne ho assaggiata una.	I have tasted one (*of them—cakes*).

II. I verbi con il dọppio oggetto (Double Object of Verbs)

When a verb has two object pronouns, contrary to English usage the indirect object comes before the direct, and both precede or follow the verb according to the rules given for a single object pronoun. (See Lessons 6, 13 and 21.) Note, however, that the indirect object pronouns:

(a) **mi, ti, si, ci, vi,** when followed by the direct object pronouns **lo, la, li, le, ne,** change the final **-i** to **-e** and become respectively **me, te, se, ce, ve.**

Ci danno un libro.	They give *us* a book.
Ce lo danno.	They give *it to us.*
Mi parla.	He speaks *to me.*
Me ne parla.	He speaks *of it to me.*
Vi legge la lẹttera.	He reads *you* the letter.
Ve la legge.	He reads *it to you.*
Non **c'è** pane.	*There is* no bread.
Non **ce n'è.**	*There isn't any.*
Ci sono molti libri.	*There* are many books.
Ce ne sono molti.	*There* are many (*of them*).
Mi sono lavato le mani.	I washed *my* hands.
Me le sono lavate.	I washed *them.*
(*voi*) Leggẹte**ci** la lẹttera.	Read the letter *to us.*
(*voi*) Leggẹte**cela.**	Read *it to us.*
Cọmpra**mi** un orạrio.	Buy *me* a timetable.
Cọmpra**melo.**	Buy *it for me.*

(b) **gli, le,** when followed by the direct object pronouns **lo, la, li, le, ne,** become **glie** and combine with the following pronoun: **glielo, gliela, glieli, gliele, gliene.**

Gli parlo **dell'Itạlia.**	I speak *to him of Italy.*
Gliene parlo.	I speak *of it to him.*
Le scrivo **queste lẹttere.**	I write *her these letters.*
Gliele scrivo.	I write *them to her.*

(*Lei*) Spieghi la lezione **a Gio-** \
    vanni. \
(*tu*) Spiega la lezione **a Gio-**   Explain the lesson *to John.* \
    vanni.

(*Lei*) **Gliela** spieghi. \
(*tu*) Spiega**gliela.**   Explain *it to him.*

(c)   **Loro** (*to you, to them*) always follows the verb.

Ne parlo **loro.**   I speak *of it to them.* \
Ne parlo **Loro.**   I speak *of it to you.*

(*tu*) Da' **la lettera ai tuoi**   Give *the letter to your friends.* \
    amici. \
(*tu*) Dal**la loro.**   Give *it to them.*

ESERCIZI   A. *Studiate l'uso del pronome **ne*** (the conjunctive pronoun **ne**).

    (1) *Ripetete le frasi seguenti sostituendo le parole indicate, e sostituendo poi ai sostantivi il pronome **ne**.*

        ESEMPIO: Ho comprato *del pane.* \
                Ne ho comprato.

        1. della carta 2. del vino 3. dei libri 4. del caffè
5. dei francobolli 6. delle sigarette 7. del panforte
8. del torrone 9. dei fiori 10. delle violette 11. dei romanzi 12. dei cataloghi 13. delle buste 14. della panna.

    (2) *Ripetete sostituendo **ne** alle parole in corsivo* (in italics).
1. Maria ha *dei fratelli.* 2. Non abbiamo *sigarette americane.* 3. Ha Lei *dei cugini?* 4. Quanti *soldi* aveva Lei? 5. Desidera alcuni *libri.* 6. Impareremo tre *di queste poesie.* 7. Ha parlato *di Giovanni?* 8. Scriviamo quattro *lettere!* 9. Quanto *pane* vuole? 10. Abbiamo comprato venti *francobolli?* 11. Imposta Lei *delle lettere?* 12. Quanti *espressi* desidera? 13. Quante *buste* vogliono? 14. Quanti *libri* avete letto? 15. Non hai più *assegni?*

B. *Studiate la forma e la posizione dei pronomi oggetti e di termine: forme doppie* (Direct and indirect object pronouns: double forms).

(1) *Ripetete le frasi seguenti sostituendo le parole indicate, e sostituendo poi ai sostantivi i pronomi corrispondenti.*

Esempio: Maria mi ha dato *il francobollo.*

Maria me l'ha dato.

a. Carlo mi ha mandato *un pacco.*
   1. i soldi 2. la carta 3. il torrone 4. i bagagli

b. Ti abbiamo comprato *un libro.*
   1. una cravatta 2. un abito 3. le sigarette 4. i francobolli

c. Gli ho mandato *il giornale.*
   1. la lettera 2. le camicie 3. il pacco 4. i fiori

d. Le ordineranno *una rivista.*
   1. un giornale 2. un caffè 3. un'aspirina 4. un'aranciata

e. Avete mandato loro *una lettera.*
   1. un telegramma 2. un espresso 3. una rivista 4. i giornali

(2) *Ripetete la frase facendo i cambiamenti indicati.*

Esempio: *Mi* parlava *di Carlo.*

Me ne parlava.

1. *Ti* parlava *di Carlo.* 2. *Gli* parlava *di suo padre.*
3. *Ci* parlava *dell'Italia.* 4. *Le* parlava *della scuola.*
5. *Vi* parlava *di Enzo.* 6. Parlava *loro della sua famiglia.*
7. Non c'erano *francobolli.* 8. *Vi* vendeva *delle sigarette.*

C. *Sostituite i pronomi ai complementi oggetti e di termine.*

Esempio: L'impiegato *mi* ha dato tre *ricevute.*

L'impiegato me ne ha date tre.

1. Ho fatto gli auguri a lui. 2. Ci sono sempre più vendite. 3. Mio padre mi manderà una lettera raccomandata.
4. Non vendere i francobolli a Enzo! 5. Mi parli di Giorgio! 6. Ha spiegato le ragioni a Luisa. 7. Ci scriva una lettera. 8. Le parli del viaggio! 9. Non dimenticare, manda un telegramma a Giovanni.

D. *Traducete in italiano:*

1. In Italy they do not send many Christmas cards, but in America we send many.   2. It is a nice custom but we do not follow it.   3. Enzo went to the post office this morning.   4. There was an American lady who was buying stamps.   5. Did she buy many (of them)?   6. Yes, she bought eighty or ninety; special delivery stamps, regular mail stamps and air mail stamps.   7. What did the clerk say?   8. Nothing. He sold them to her.   9. Did he know her?   10. No. But he helped her to put the stamps on the envelopes.   11. Really? He must be a special clerk.   12. Well, she was a very beautiful lady!   13. Now I understand!—Well, I must go to the tobacco store; I need some cigarettes.   14. I have some; they are American, my sister sent them to me.   15. But you have only three. However, if you wish, I will take one. Thank you.

DA IMPARARE A MEMORIA

È tardi e devo fare gli auguri agli amici.

Le città sono sempre più affollate.

Dobbiamo impostare una raccomandata.

CONVERSAZIONE

1. Mandano molte cartoline di Natale in Italia?   2. Le sembra simpatica questa usanza?   3. Perché Enzo non segue quest'usanza?   4. Che cosa è un Sali e Tabacchi?   5. Chi aveva il monopolio del tabacco e del sale in Italia?   6. C'è il monopolio del sale e del tabacco negli Stati Uniti?   7. Cosa dice l'impiegato quando Barbara compra tanti francobolli?   8. Che cosa dà l'impiegato quando mandiamo una lettera raccomandata?   9. Barbara ha mandato una cartolina di Natale anche a Enzo?   10. Perché?   11. A chi fa gli auguri Lei per Natale?   12. Che ora è ora?   13. È vicina a casa Sua la posta?   14. Che cosa ha dimenticato Barbara?

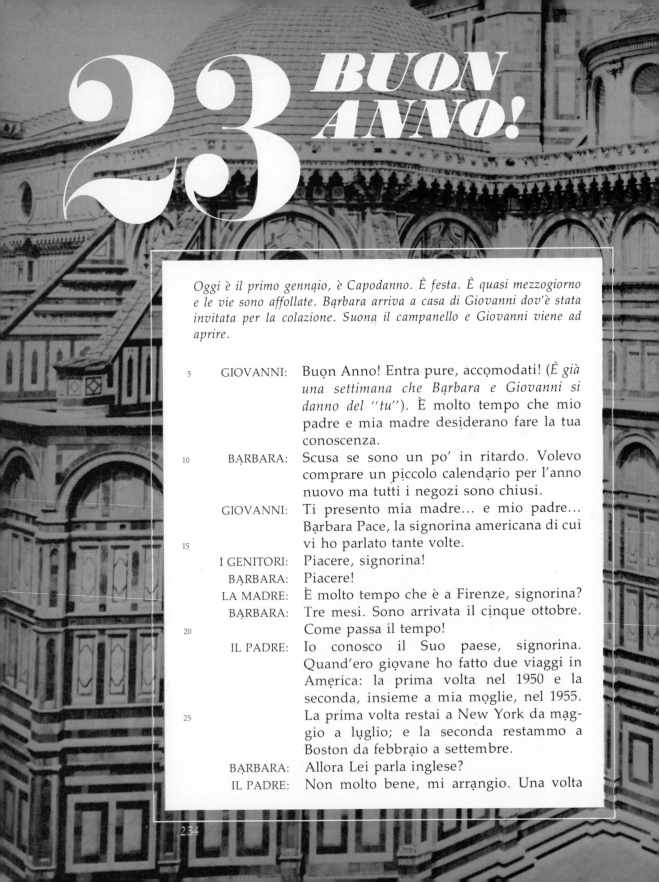

23 BUON ANNO!

Oggi è il primo gennaio, è Capodanno. È festa. È quasi mezzogiorno e le vie sono affollate. Barbara arriva a casa di Giovanni dov'è stata invitata per la colazione. Suona il campanello e Giovanni viene ad aprire.

5   GIOVANNI: Buon Anno! Entra pure, accomodati! (*È già una settimana che Barbara e Giovanni si danno del "tu"*). È molto tempo che mio padre e mia madre desiderano fare la tua conoscenza.

10   BARBARA: Scusa se sono un po' in ritardo. Volevo comprare un piccolo calendario per l'anno nuovo ma tutti i negozi sono chiusi.

    GIOVANNI: Ti presento mia madre... e mio padre... Barbara Pace, la signorina americana di cui
15   vi ho parlato tante volte.

    I GENITORI: Piacere, signorina!
    BARBARA: Piacere!
    LA MADRE: È molto tempo che è a Firenze, signorina?
    BARBARA: Tre mesi. Sono arrivata il cinque ottobre.
20   Come passa il tempo!

    IL PADRE: Io conosco il Suo paese, signorina. Quand'ero giovane ho fatto due viaggi in America: la prima volta nel 1950 e la seconda, insieme a mia moglie, nel 1955.
25   La prima volta restai a New York da maggio a luglio; e la seconda restammo a Boston da febbraio a settembre.

    BARBARA: Allora Lei parla inglese?
    IL PADRE: Non molto bene, mi arrangio. Una volta

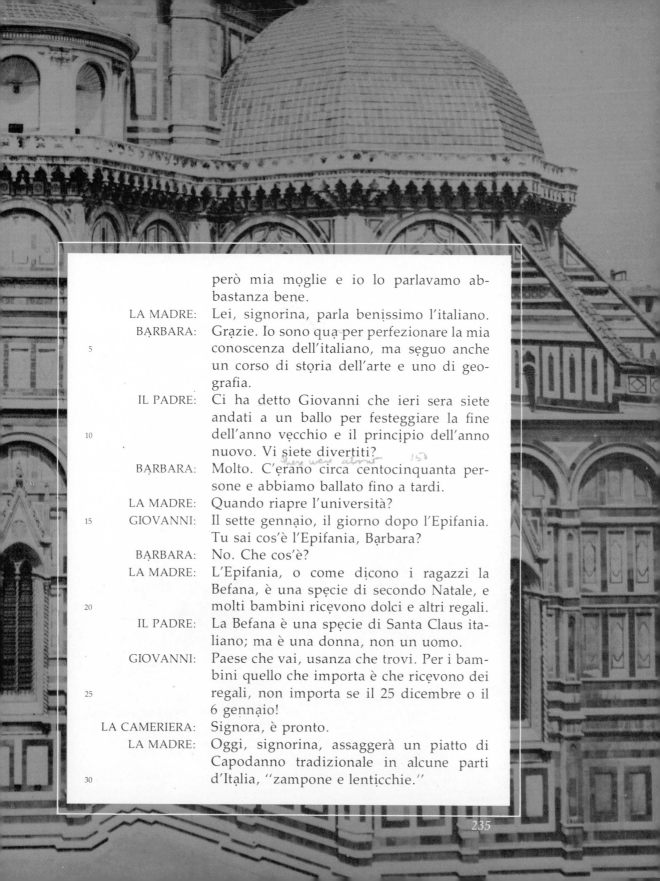

però mia moglie e io lo parlavamo abbastanza bene.

LA MADRE: Lei, signorina, parla benissimo l'italiano.

BARBARA: Grazie. Io sono qua per perfezionare la mia conoscenza dell'italiano, ma seguo anche un corso di storia dell'arte e uno di geografia.

IL PADRE: Ci ha detto Giovanni che ieri sera siete andati a un ballo per festeggiare la fine dell'anno vecchio e il principio dell'anno nuovo. Vi siete divertiti?

BARBARA: Molto. C'erano circa centocinquanta persone e abbiamo ballato fino a tardi.

LA MADRE: Quando riapre l'università?

GIOVANNI: Il sette gennaio, il giorno dopo l'Epifania. Tu sai cos'è l'Epifania, Barbara?

BARBARA: No. Che cos'è?

LA MADRE: L'Epifania, o come dicono i ragazzi la Befana, è una specie di secondo Natale, e molti bambini ricevono dolci e altri regali.

IL PADRE: La Befana è una specie di Santa Claus italiano; ma è una donna, non un uomo.

GIOVANNI: Paese che vai, usanza che trovi. Per i bambini quello che importa è che ricevono dei regali, non importa se il 25 dicembre o il 6 gennaio!

LA CAMERIERA: Signora, è pronto.

LA MADRE: Oggi, signorina, assaggerà un piatto di Capodanno tradizionale in alcune parti d'Italia, ''zampone e lenticchie.''

Vocabolario

NOUNS

il **ballo** dance, ball
il **calendario** calendar
il **Capodanno** New Year's Day
la **donna** woman
l' **Epifania** (*also* **la Befana**)
  Epiphany, January 6th
la **fine** end
la **geografia** geography
la **lenticchia** lentil
la **madre** mother
il **marito** husband
il **piatto** dish
il **principio** beginning
il **regalo** present, gift
l' **uomo** man (*pl.* **gli uomini**)
lo **zampone** a large pork sausage

ADJECTIVES

agitato excited, nervous
chiuso closed
tradizionale traditional

VERBS

accomodarsi to make oneself
  comfortable, to come (go) in

arrangiarsi to manage, to get by
ballare to dance
perfezionare to perfect
riaprire to re-open
scusare to excuse, pardon

OTHERS

abbastanza enough

IDIOMS

Buon Anno! Happy New Year!
darsi del tu (Lei, voi) to address
  each other as tu (Lei, voi)
è festa it is a holiday
entra (entri, entrate, *etc.***) pure**
  come right in
fare la conoscenza (di) to meet,
  make the acquaintance (of)
Paese che vai, usanza che trovi
  (*proverb*) ''When in Rome, do
  as the Romans do''
piacere! How do you do! Happy
  to meet you!

La Vergine (Leonardo da Vinci)

GRAMMATICA

I. Numeri Cardinali (Continuazione)

100 cento	200 duecento	1200 mille duecento
101 cento uno	300 trecento	1500 mille cinquecento
102 cento due	400 quattrocento	2000 due mila
103 cento tre	500 cinquecento	100.000 cento mila
110 cento dieci	600 seicento	1.000.000 un milione
121 cento ventuno	700 settecento	2.000.000 due milioni
130 cento trenta	800 ottocento	1.000.000.000 un miliardo
143 cento quarantatré	900 novecento	2.000.000.000 due miliardi
	1000 mille	

Numerals above one hundred are often written as one word: **centoquattro, trecentocinquanta, milleduecento,** etc. Note that Italians use a period instead of a comma when dividing numerals into groups.

II. Uso dei numeri cardinali (Use of Cardinal Numerals)

(1) We saw (Lesson 9, section I, 2) that the English *one* is not translated before **cento;** the same is true of **mille,** which means *one thousand.* Note that **mille** has the irregular plural **mila.**

(2) The English *eleven hundred, seventeen hundred, twenty-four hundred, etc.,* are always broken down into *thousands and hundreds.*

Quest'automobile costa **tre mila novecento dollari.**   This car costs *thirty-nine hundred dollars.*

(3) **Milione** and its plural, **milioni** unless followed by another numeral, take the preposition **di.**

La nostra biblioteca ha **un milione di** libri.	Our library has *one million* books.
Quella città ha due **milioni d'**abitanti.	That city has *two million* inhabitants.

BUT

La nostra città ha un **milione seicento mila** abitanti.	Our city has *one million six hundred thousand* inhabitants.

III. Date (Dates)

(1) When used alone, the year requires the definite article.

Il mille novecento cinquantasette.	1957
Nel mille trecento ventuno.	*in* 1321

(2) In Italian a date which includes the month, the day and the year is expressed in this order: *day, month, year.* Except for the first day of the month, which is always **il primo,** the other days are expressed by the cardinal numerals. Note that the English *on* is translated by the definite article.

Partiremo **il primo luglio,** mille novecento ottanta.	We shall leave *on July 1,* 1980.
Colombo arrivò in America **il dodici ottobre,** mille quattrocento novantadue.	Columbus arrived in America *on October 12,* 1492.

(3) The expression *What's today's date?* is **Quanti ne abbiamo oggi?** And the answer is either **Oggi ne abbiamo . . .** or **Oggi è il....**

Oggi ne abbiamo tre (*or:* **Oggi è il** tre).	*Today is* the third.
Ieri ne avevamo dieci (*or:* **Ieri era il** dieci).	*Yesterday was* the tenth.

IV. I mesi dell'anno (The Months of the Year)

The names of the months of the year are all masculine nouns and they are not capitalized.

gennaio	January	**maggio**	May	**settembre**	September
febbraio	February	**giugno**	June	**ottobre**	October
marzo	March	**luglio**	July	**novembre**	November
aprile	April	**agosto**	August	**dicembre**	December

V. Le stagioni dell'anno (The Seasons of the Year)

la primavera	Spring	**l'autunno**	Fall
l'estate	Summer	**l'inverno**	Winter

Primavera and **estate** are feminine, **autunno** and **inverno** are masculine. In the Spring, in the Summer, etc. are best translated **in primavera, in estate, in autunno, in inverno.**

VI. Presente indicativo di <u>sapere</u>

sapere to know

So perché non studi.	*I know why you do not study.*
so	I know, I can (*i.e.*, know how)
sai	
sa	
sappiamo	
sapete	
sanno	

Whereas **conoscere** means *to know a person, to be acquainted with, to meet,* **sapere** means *to know a fact, to know how (to do something).*

La conosco molto bene, **l'ho conosciuta** a Roma.	*I know her very well, I met her* (became acquainted with her) in Rome.
Mia madre **non conosce** Genova.	My mother *does not know* Genoa.
Sa quando parte?	*Do you know* when she is leaving?
Non so guidare.	*I do not know how* to drive.
Non sanno nuotare.	*They do not know how* to swim.

ESERCIZI A. *Studiate i numeri cardinali.*

(1) *Contate per dieci (by tens) fino a cento.* dieci venti, trenta, quaranta, cinquanta, sessanta settanta ottanta novanta cento

(2) *Contate per cinque da cinquanta a cento.*

(3) *Dite in italiano:*

21; 31; 41; 51; 61; 71; 81; 91; 101; 1001.

(4) *Dite in italiano:*

11; 22; 33; 44; 55; 105; 116; 123; 132; 169; 189; 200; 203; 212; 245; 299; 304; 444; 509; 636; 719; 822; 954; 1000; 1265; 1492; 1957; 2500; 3725; 6035; 12.478; 875.632; 1.065.119; 5.000.000.

B. *Studiate il modo di esprimere la data. Dite in italiano:*

1. May 10th. 2. March 1st. 3. June 14th. 4. February 28th. 5. August 5th. 6. December 31st. 7. July 4th. 8. On October 22nd, 1821. 9. In 1920. 10. On January 3rd, 1960. 11. "What is today's date?" — Today is the 5th. 12. Tomorrow will be the 6th. 13. Yesterday was the 4th. 14. In 1970. 15. On April 16, 1877. 16. May 24th. 17. On November 2nd. 18. On September 27, 1766. 19. In 1975. 20. On August 10, 1973.

C. *Completate le frasi seguenti con il presente indicativo di* **sapere** *o di* **conoscere.**

1. Noi non _____ quando partiranno. 2. La _____ bene, infatti ho ballato con lei molte volte. 3. Enzo non _____ quante cartoline ha ricevuto per Natale. 4. Non hanno ancora comprato il biglietto (*ticket*) perché non _____ se Barbara partirà con loro. 5. _____ benissimo che abita in Via Roma, ma non ricordo il numero. 6. Parla bene il francese, ma non lo _____ scrivere. 7. Gli ho aperto (p.p. of **aprire**) la porta perché ha detto che _____ mio padre. 8. Loro proprio non _____ mai quello che fanno. 9. Io _____ che Maria _____ bene i signori Martini, ma non _____ quando ha fatto la loro conoscenza. 10. Mia madre vuole _____ se abbiamo ballato all'aperto.

D. *Traducete in italiano:*

1. Do you know at what time Barbara will get there (*arrive*)? 2. She told me at three o'clock, but I see that it is already three-twenty. Well, you know how girls are! Let us wait until three-thirty. 3. When I saw her this morning she was very excited. 4. Because tonight John will take her to that dance for foreign students? 5. Yes, but

especially because tomorrow she will have lunch at John's house, and she will meet his parents. She has not met them yet. 6. It is not true! She met them on January 1st, on New Year's Day (*translate*, "on the first day of the year")! 7. You are right, I didn't remember. Then, she was excited for some other reason: perhaps for that dance. 8. Perhaps, but that is not a good reason. John took her to a dance for foreign students on New Year's Eve. 9. Wait, here is Barbara. 10. Where is she? I do not see her. Did she go into the stationery store? 11. No, no; she is getting off (*to get off* = **sçendere da**) that streetcar. Do you see her? 12. Yes, but she is not alone, she is with a man. 13. Who is he? Do you know him? 14. I do not know him either (*translate*, "not even I"). I know that she has an aunt in Rome, but . . . 15. Yes, but she is not with her aunt now; she is with a man, not with a woman. . . . Look! We must be blind (*blind*, **cieco**), it is John!

<table>
<tr><td>DA IMPARARE
A MEMORIA</td><td>Oggi è il primo gennaio, Buon Anno!
Domani non veniamo a scuola perché é fèsta.
In Italia molti bambini ricevono i regali il
    sei gennaio. Paese che vai, usanza che trovi!
Piacere di conoscerLa, è molto tempo che desi-
    deravo fare la Sua conoscenza!</td></tr>
</table>

CONVERSAZIONE

Rispondete alle seguenti domande:

1. Perché non c'è nessuno per le vie la mattina di Capodanno? 2. Anche Lei va a letto tardi la vigilia di Capodanno? 3. Perché Barbara è andata a casa di Giovanni? 4. Perché Giovanni va ad aprire la porta? 5. Perché è in ritardo Barbara? 6. Perché non ha comprato il calendario? 7. Perché molte persone comprano un calendario alla fine dell'anno? 8. Quando Le presentano un signore o una signora italiana, che cosa dice Lei? 9. Quanti viaggi ha fatto in America il padre di Giovanni? 10. Lei ha mai fatto un lungo viaggio? Dove? 11. Quante persone c'erano al ballo? 12. Quando ricevono regali molti bambini italiani? Perché? 13. Sono tradizionali in tutta l'Italia lo zampone e le lenticchie? 14. Abbiamo un piatto tradizionale di Capodanno negli Stati Uniti?

24 LA CHIESA DI SANTA CROCE

Il professore d'arte ha portato i suoi studenti a visitare la chiesa di Santa Croce. Il professore e gli studenti sono nella grande piazza in cui si trova la chiesa, e il professore ha appena incominciato a parlare.

IL PROFESSORE: Sono certo che molti di Loro hanno già
5 veduto questa chiesa, ma non importa. Vi
sono delle cose che è bene vedere più di
una volta. La chiesa di Santa Croce è una
chiesa molto antica. Il poeta fiorentino
Dante, di cui vediamo la statua in questa
10 piazza, veniva spesso in questa chiesa
dove c'erano degli eccellenti maestri. Naturalmente la chiesa oggi non è come era nel
secolo di Dante. Allora era più piccola e
più semplice. L'interno della chiesa di
15 Santa Croce è molto bello e importante,
non solo artisticamente, ma anche perché
vi sono le tombe di molti grandi Italiani:
Michelangelo, Niccolò Machiavelli, Galileo
Galilei, Gioacchino Rossini, ecc. C'è anche
20 un cenotafio, cioè una tomba vuota, in
onore di Dante. Nel 1302, quando Dante
aveva trentasette anni, andò in esilio, e
morì a Ravenna dove è sepolto. Quando
Dante lasciò Firenze aveva già scritto molto,
25 ma non aveva ancora finito la *Divina Com-*

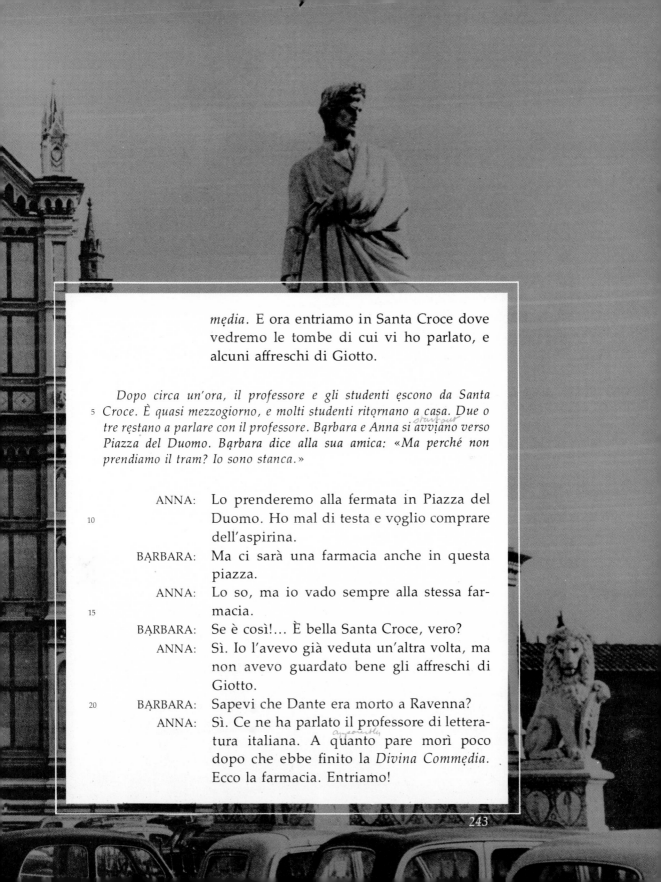

mẹdia. E ora entriamo in Santa Croce dove
vedremo le tombe di cui vi ho parlato, e
alcuni affreschi di Giotto.

Dopo circa un'ora, il professore e gli studenti ẹscono da Santa
5 *Croce. È quasi mezzogiorno, e molti studenti ritọrnano a casa. Due o*
tre rẹstano a parlare con il professore. Bạrbara e Anna si avvịano verso
Piazza del Duomo. Bạrbara dice alla sua amica: «Ma perché non
prendiamo il tram? Io sono stanca.»

ANNA: Lo prenderemo alla fermata in Piazza del
10 Duomo. Ho mal di testa e vọglio comprare
dell'aspirina.

BẠRBARA: Ma ci sarà una farmacia anche in questa
piazza.

ANNA: Lo so, ma io vado sempre alla stessa far-
15 macia.

BẠRBARA: Se è così!... È bella Santa Croce, vero?

ANNA: Sì. Io l'avevo già veduta un'altra volta, ma
non avevo guardato bene gli affreschi di
Giotto.

20 BẠRBARA: Sapevi che Dante era morto a Ravenna?

ANNA: Sì. Ce ne ha parlato il professore di letteratura italiana. A quanto pare morì poco
dopo che ebbe finito la *Divina Commẹdia.*
Ecco la farmacia. Entriamo!

Vocabolario

NOUNS

l' **affresco**   fresco painting
l' **aspirina**   aspirin
il **cenotafio**   cenotaph
la **Divina Commedia,**   the *Divine Comedy, Dante's main work*
la **farmacia**   drugstore, pharmacy
la **fermata**   stop (*streetcar, bus*)
l' **interno**   interior
la **letteratura**   literature
il **maestro**   teacher
il **mal di testa**   headache
l' **onore** *m.*   honor
il **poeta**   poet
Ravenna   *a city in Northern Italy*
il **secolo**   century
la **statua**   statue
la **tomba**   tomb, grave

ADJECTIVES

antico   ancient

artistico   artistic
sepolto   buried
vuoto   empty

VERBS

lasciare   to leave (*a person, place or thing*)
morire   to die; *p.p.* **morto** (*conjugated with* **essere**)
trovarsi††   to be located

OTHERS

appena   just
solo   only

IDIOMS

andare in esilio   to go into exile
a quanto pare   apparently
se è così   in that case

Piazza Santa Croce

GRAMMATICA

I. **Il trapassato prossimo e il trapassato remoto** (The Past Perfect Tense)

As in English, the past perfect is used in Italian to express what **had taken place.** Italian has, however, two past perfects.

(1) One past perfect (*trapassato prossimo*) is formed with the **past descriptive of the auxiliary verb** plus the past participle of the verb which is being conjugated.

(a) **avere parlato** *to have spoken*

Avevo parlato ad alta voce. *I had spoken aloud.*

avevo		I had	
avevi		you had	
aveva		he had	
	parlato		spoken
avevamo		we had	
avevate		you had	
avevano		they had	

(b) **essere arrivato (-a)** *to have arrived, come*

Ero arrivato (-a) presto. *I had come early.*

ero		I had	
eri	arrivato (-a)	you had	
era		he had	
			arrived
eravamo		we had	
eravate	arrivati (-e)	you had	
erano		they had	

(a) Sapevo che **avevano comprato** una casa. I knew that *they had bought* a house.

(b) **Era arrivato** alle tre. *He had arrived* at three o'clock.

The *trapassato prossimo* is used also in a secondary clause— usually introduced by **quando,** *when;* **dopo che,** *after;* and **appena,** *as soon as* — WHEN THE MAIN VERB IS IN THE PAST DESCRIPTIVE.

Appena avevano finito di leggere una rivista, ne compravano un'altra.	*As soon as they had finished reading a magazine they bought (they would buy) another one.*
Tutti i giorni, **quando aveva finito di studiare,** andava in giardino.	*Every day, when he had finished studying, he went into the garden.*

(2) The other past perfect (*trapassato remoto*) is formed with the **past absolute of the auxiliary verb** and the past participle of the verb which is being conjugated.

(a) **avere parlato** *to have spoken*

Appena ebbi parlato, uscii. *As soon as I had spoken, I went out.*

ebbi		I had	
avesti		you had	
ebbe		he had	
	parlato		spoken
avemmo		we had	
aveste		you had	
ebbero		they had	

(b) **essere arrivato (-a)** *to have arrived*

Dopo che fui arrivato (-a), mangiai. *After I had come, I ate.*

fui		I had	
fosti	arrivato (-a)	you had	
fu		he had	
			arrived
fummo		we had	
foste	arrivati (-e)	you had	
furono		they had	

The *trapassato remoto* is used ONLY in a secondary clause— usually introduced by **quando,** *when;* **dopo che,** *after;* and **appena,** *as soon as*—WHEN THE MAIN VERB IS IN THE PAST ABSOLUTE.

Quando ebbe finito la lezione, andò al cinema.	*When she had finished* the lesson, she went to the movies.
Appena fu arrivato, telefonò a casa.	*As soon as he had arrived,* he telephoned home.

II. Gli avverbi di luogo <u>ci</u> e <u>vi</u> (Adverbs of Place: **ci** and **vi**)

Ci and **vi** (they are interchangeable, but the latter is not common in everyday speech) are used as unstressed adverbs of place, and mean *there, here.* They are used to refer to a place already mentioned in the sentence, and they precede or follow the verb according to the rule already given for **ci** and **vi** as conjunctive pronouns (see Lessons 6, 13 and 21).

Conosce molte persone qui a Los Angeles: **ci** viene tutti gli anni.	He knows many people here in Los Angeles; he comes *here* every year.
Sono andati alla stazione; andiamo**ci** anche noi.	They went to the station; let us go *there* too.

III. L'età (Age)

a.   In Italian *to be . . . years old* is expressed by **avere . . . anni.**

Ho diciotto **anni.**	*I am* eighteen (*years old*).
Mia sorella **ha** sette **anni** e tre mesi.	My sister *is* seven *years* and three months *old.*
Quanti **anni ha** Lei? (*also:* **Che età ha** Lei?** *lit.* "What age have you?")	How *old are you?*
Quanti **anni ha** Maria? (*also:* **Che età** ha Maria?)	How *old is* Mary?

b.   In Italian *to be born* is expressed by **essere nato (-a).**

Quando è **nato (-a)** Lei?	When *were you born?*
Sono nato (-a) nel 1947.	*I was born* in 1947.

c. The past absolute of **nạscere** (*to be born*), **nạcque** (third person singular) and **nạcquero** (third person plural) is used only in historical reference.

Quando **nạcque** Dante?	When *was* Dante *born?*
Dante e Boccạccio **nạcquero** in Toscana.	Dante and Boccaccio *were born* in Tuscany.

IV. Il presente indicativo di <u>dire</u>

dire *to say, tell*

Dico che è una stạtua antica. *I say it's an ancient statue.*

dico	*I say, I tell, etc.*
dici	
dice	
diciamo	
dite	
dịcono	

ESERCIZI A. *Studiate il presente indicativo del verbo* **dire**. *Ripetete facendo i cambiamenti indicati.*

    a. [io] *Dico* che se è così ci *vado* volentieri.
       1. Egli 2. noi 3. voi 4. tu 5. loro

    b. [lui] *Dice* che *aveva studiato* la letteratura italiana.
       1. io 2. noi 3. tu 4. voi 5. essi

B. *Studiate il trapassato prọssimo e il trapassato remoto (past perfects).*

  (1) *Mettete le frasi seguenti al trapassato prọssimo.*

  ESẸMPIO: *Ha finito di studiare.*

          Aveva finito di studiare.

  1. *L'ha lasciata* a casa. 2. *Sono ritornati* dall'università. 3. Non *ha studiato* la letteratura americana. 4. *Hanno comprato* un'antica stạtua. 5. Lo *conosciamo*, *l'abbiamo conosciuto* a Venẹzia. 6. *Siamo andati* là per pochi giorni. 7. Li *abbiamo lasciati* alla stazione. 8. *Si è avviato* verso l'interno. 9. *Mi sono trovato* solo. 10. *Hanno ballato* per due ore. 11. *Hai suonato* il campanello. 12. *Ho fatto* la conoscenza di Carlo. 13. *Avete aiutato* gli amici? 14. *Hanno attaccato* i francobolli. 15. *Ho spesso parlato* a te.

(2) *Completate le frasi seguenti con la forma corretta del trapassato remoto.*

 Esempio: Quando *finire* di mangiare, andò a scuola.
 Quando ebbe finito di mangiare, andò a scuola.

1. Appena *arrivare*, andarono all'albergo. 2. Dopo che *finire* la colazione, andò in biblioteca. 3. Appena il treno *partire*, Maria ritornò a casa. 4. Quando *studiare* la letteratura americana, studiò la letteratura italiana. 5. Appena Maria *avviarsi*, gli altri la seguirono. 6. Dopo che *scusarsi*, lasciò la stanza. 7. Dopo che *suonare* il campanello, aspettò. 8. Quando *avvicinarsi*, le salutai. 9. Quando *ordinare* la colazione, telefonò a sua cugina. 10. Appena *cambiare* l'assegno, comprò il biglietto.

(3) *Completate le frasi seguenti con la forma corretta del trapassato prossimo.*

 Esempio: Quando andavo a scuola, appena *finire* gli esami ritornavo a casa.
 Quando andavo a scuola, appena avevo finito gli esami ritornavo a casa.

1. Quand'eravamo ragazzi, appena *finire* di mangiare, andavamo a scuola. 2. Tutti i giorni, quando Maria *studiare* l'italiano, studiava il francese. 3. A quanto pare, quando Carlo era a Roma, dopo che *pranzare*, andava a prendere un espresso. 4. Quando andavi a un ricevimento appena *riconoscere* un amico lo salutavi?

C. L'AVVERBIO **CI**

(1) *Ripetete facendo i cambiamenti indicati.*

 Esempio: *Andavo a scuola* tutti i giorni.
 Ci andavo tutti i giorni.

1. *Andavamo al cinema* tutte le domeniche. 2. *Andava a Firenze* ogni estate. 3. *Andiamo al bar* ora! 4. *Non vada a vedere* quel film, non è bello. 5. *Ritornate a casa* insieme. 6. *Salite in macchina.* 7. *Passavamo al caffè* spesso. 8. *Siamo scesi in sala da pranzo.*

(2) *Completate le frasi con l'avverbio di luogo* **ci**.

1. Mi hanno detto che quel ristorante è buono, ___ci___ andrò domenica. 2. Quand'ero ragazzo andavo spesso al cinema, ___ci___ andavo tutti i sabati. 3. Sono partiti per la spiaggia (*beach*) prima di noi, e ___ci___ arriveranno prima di noi. 4. Era una bella collina verde, ma il sole non ___ci___ splendeva mai.

D. *Studiate il modo di esprimere l'età.*

(1) *Rispondete alle domande seguenti:*

a. Se Maria è nata nel 1930 quanti anni ha?

ESEMPIO: nel 1938?
            nel 1938 Maria ha otto anni

1. nel 1942? 2. nel 1950? 3. nel 1931? 4. nel 1970? 5. nel 1964?

b. Se la maestra era nata nel 1920 quanti anni aveva?

ESEMPIO: nel 1930?
            nel 1930 la maestra aveva dieci anni

1. nel 1950 2. nel 1963 3. nel 1971 4. nel 1972 5. nel 1943

c. Se tuo padre è nato nel 1935 quanti anni avrà?

ESEMPIO: nel 1985
            nel 1985 avrà cinquanta anni

1. nel 1989 2. nel 1979 3. nel 1988 4. nel 1991 5. nel 1983

(2) *Rispondete alle domande seguenti.*

1. Quando è nato Lei? 2. Quando è nato Suo padre? 3. Quando nacque Dante? 4. In che anno nacque Giorgio Washington?

E. *Traducete in italiano:*

1. Many of the students had already seen the church of Santa Croce, but they were glad to (**contenti di**) go there with the art professor. 2. They did not all go together to

Piazza Santa Croce, but when they arrived there, they found that the professor was waiting for them in front of the church. 3. When they had all arrived, the professor began to speak of the history of the church. 4. It is a very ancient church, and in it (there) are the tombs of many great Italians. 5. The professor spoke to them of Dante's statue, which is in the square, and of his cenotaph, which is in the church. 6. A cenotaph is an empty tomb. Dante is not buried in Florence; he is buried in Ravenna, where he died. 7. Dante went into exile in 1302. He wanted to return to Florence, but he never returned there. 8. In Santa Croce there are many interesting things, but Barbara says that she prefers Giotto's frescoes. 9. When the professor and the students came out of the church, it was almost noon. 10. Some of the students went home on the streetcar, but Barbara and Anna started out towards Piazza del Duomo on foot. 11. Anna wanted to go to a drugstore in order to buy some aspirin; she had a headache. 12. Do you know how old the art professor is, Barbara? 13. No, but he must be young. He probably is thirty-two or thirty-three. 14. Apparently he has two little children, but he never speaks of them. 15. I did not know it.

DA IMPARARE A MEMORIA

Dante andò in esilio e non ritornò più a Firenze.
A quanto pare Dante voleva ritornare a Firenze.
Quanti anni ha? Non ricordo quando è nato.

CONVERSAZIONE

Rispondete alle domande seguenti:

1. Dove ha portato i suoi studenti il professore d'arte? 2. Che cosa c'è nella piazza davanti alla chiesa? 3. Lei sa che cosa ha scritto Dante? 4. In che anno morì Dante? 5. Morì a Firenze? 6. Che cosa c'è in Santa Croce? 7. Chi di Loro sa quanti anni aveva Michelangelo quando morì? 8. Lei conosce qualche affresco di Giotto? 9. Perché Barbara e Anna vanno a Piazza del Duomo? 10. Quando prendiamo l'aspirina? 11. Quanti anni avrà Lei nel 1990? 12. Che cosa significa la parola *affresco*? 13. Che cosa compriamo in una farmacia? 14. In che anno andò in esilio Dante?

I. *Rispondete alle domande seguenti:*

1. Che cosa rappresenta un presępio ? 2. Quando andiamo in una pasticceria? 3. Che cosa è il torrone? 4. Fino a poco tempo fa dove compravano le sigarette in Italia? 5. Quando andiamo alla posta? 6. Quando diciamo «*piacẹre*»? 7. Quando ricẹvono dei regali molti bambini italiani? 8. Quanti giorni ci sono fra Natale e l'Epifania? 9. Perché Dante è sepolto a Ravenna? 10. Quanti anni aveva Dante quando morì?

II. ESERCIZI

A. *Using the* Lei *form of address, ask someone to:*

1. give you a stamp 2. not to give them a stamp 3. give us a stamp 4. not to stay here 5. tell you when he (or: she) is coming 6. tell them when he (or: she) is coming

B. *Using the* tu *form of address, ask someone to:*

1. give you a cigarette. 2. give us two cigarettes 3. not to give them cigarettes 4. not to stay here 5. tell you when he (or: she) is leaving 6. tell you when John and Mary are leaving

C. *Mettete all'imperativo le frasi seguenti:*

1. Gli facciamo un regalo. 2. Le (*a Luisa*) diamo un libro. 3. Noi facciamo loro i regali. 4. Noi stiamo qui. 5. Non gli diciamo niente.

III. *Completate le frasi seguenti in italiano:*

1. Dice che il pane è buono, ma (*he never eats any*). 2.
(*Let us speak of it*) a suo marito. 3. Hanno una zia in Italia,
ma (*they never speak about her*). 4. Io ho tre fratelli; Lei
(*how many do you have*)? 5. È una bella cravatta, (*who gave
it to you*)? 6. Mia madre (*sent it [f.] to me*) per Natale.
7. (*I spoke of it to them*) stamani.

IV. NUMERI

Dite questi numeri in italiano:

(1) 120;   (2) 215;   (3) 318;   (4) 480;   (5) 509;   (6) 765;
(7) 890;   (8) 910;   (9) 1215;   (10) 1960;   (11) 2.319;
(12) 42.875;   (13) 3.500.000.

V. *Rispondete in italiano a queste domande:*

1. In che anno è nato (-a) Lei? 2. Quanti ne abbiamo
oggi? 3. Che giorno della settimana era ieri? 4. Che
giorno della settimana sarà domani? 5. Che età ha Suo
padre? 6. In che anno è nato Suo padre? 7. In che mese
è nato (-a) Lei? 8. Qual è la data del Suo compleanno
(*birthday*)? 9. Quando nacque Abramo Lincoln?

VI. *Leggete le date seguenti:*

1. Il 20 febbraio 1964. 2. Il 5 maggio 1821. 3. Il 1 agosto
1787. 4. Il 2 giugno 1945. 5. Il 12 ottobre 1492. 6. Il 4
luglio 1776.

VII. *Traducete in italiano:*

1. They did not know that Rome has more than two million inhabitants (**abitanti**). 2. She was already in Naples;
she had arrived the day before. 3. As soon as I had
finished the letter to my father, I went to buy a stamp.
4. January 1st is the first day of the year; it is a holiday.
5. Apparently, he does not know the literature of this century. 6. In 1908, when she came (**venne**) to America, she

was very young; she was either six or seven years old.   7.
They left in haste; they did not greet anybody.   8. This
cake is delicious; do you want some?   9.   Let us go into this
store; it is not as crowded as that one.   10. He studies
more than I thought; he studies more than I.   11. They
invited us to a dance, but we did not go there.   12. In a
year there are more weeks than months.

VIII. *Scrivete frasi originali per ciascuna di queste espressioni* (Write
original sentences for each of the following expressions):

1. fare una sorpresa.   2. avere fretta.   3. fare gli auguri.
4. in fretta.   5. darsi del tu.   6. fare la conoscenza.   7. se
è così.   8. a quanto pare.

1. Facciamo una sorpresa per il compleanno di Vincenzo
2. Perché hai sempre fretta?
3. Ti auguri ti farò personalmente
4. Lei cammina in fretta verso il negozio
5. Non darsi del tu
6. Desidero fare la tua conoscenza
7. Se è così fa gli auguri
8. A quanto pare sappiamo più di quel che crediamo

LE FESTE ITALIANE

Festa del Redentore a Venezia—La regata

Data la diversità di costumi e di usanze nelle varie regioni e città italiane, è naturale che anche le feste in Italia siano numerose e diverse.

Processione per la prima comunione in un piccolo paese siciliano

Di solito le feste sono o religiose, o civili e di carattere nazionale, o fiere locali che hanno luogo il giorno del santo protettore, o fiere annuali generalmente di carattere industriale e commerciale. Le più importanti fra quest'ultime sono la Fiera Campionaria di Milano e la Fiera del Levante di Bari. Ma le feste religiose sono le più numerose e le più pittoresche. Ogni paese o città ha un santo protettore e naturalmente ogni santo ha il suo giorno e la sua festa. Tra le feste non proprio religiose la più interessante è il Carnevale a cui partecipa quasi l'intera popolazione. Il Carnevale di Viareggio in Toscana, sul Mar Tirreno, è molto conosciuto.

Tra le feste religiose le più pittoresche sono la festa del Redentore a Venezia con la famosa regata delle gondole, e la Festa dei Ceri a Gubbio. Tra le più popolari è la Festa della Madonna di Piedigrotta a Napoli con il concorso per la migliore canzone di carattere popolare.

Per i turisti però le feste che offrono gli spettacoli più attraenti sono la Festa del Palio a Siena con la corsa di cavalli, e la Giostra del Saracino ad Arezzo, dove in costume e con armi medioevali i concorrenti fanno sfoggio della loro abilità equestre e militare. Quello che certamente non manca nelle feste italiane è la varietà e il numero.

Vocabolario

l' **abilità** ability
annuale annual
l' **arme** weapon
attraente attractive
campionario sample (*adj.*)
il **cavallo** horse
il **cero** candle
civile civic
la **comunione** communion
il **concorrente** competitor
il **concorso** competition
il **costume** custom, costume
la **dama** checkers
dato given
equestre equestrian

la **festa** festival
il **giuoco** game
Giostra del Saracino Joust of the Saracen
Gubbio *a town in central Italy*
industriale industrial
intero entire
il **Levante** Near East
locale local
Madonna di Piedigrotta Our Lady of Piedigrotta
militare military
naturale natural
numeroso numerous

partecipare to participate
la **pedina** checker
pittoresco picturesque
la **popolazione** population
la **processione** procession
il **protettore** patron
la **Quaresima** Lent
il **Redentore** Saviour
la **regata** regatta
lo **sfoggio: fare sfoggio** to display
siano (*subj.*) are
il **suono** sound
il **tamburo** drum
l' **usanza** habit, usage
vivente living

Il suono dei tamburi invita i Fiorentini al giuoco del calcio in Piazza della Signoria.

Partita di Dama con pedine viventi. Questa partita ha luogo a Castelvetro per la festa del santo.

Donne in costumi locali di Albano

25
LEZIONE DI GEOGRAFIA

Barbara è a letto con un terribile raffreddore. La sua amica Anna è venuta a farle una visita.

ANNA: Buon giorno, Barbara, come ti senti?

BARBARA: Non molto bene!

5 ANNA: Mi dispiace! Cos'hai?

BARBARA: Sono raffreddata. È una seccatura!

ANNA: Lo so. Guarda, ecco gli appunti che volevi. E ora scusa se vado via ma come sai fra mezz'ora c'è la lezione di storia dell'arte.

10 BARBARA: Va' pure! Grazie degli appunti.

ANNA: Ti pare! Ciao, ti telefono stasera.

Rimasta sola la povera Barbara prende gli appunti della lezione di geografia che la sua amica le ha portato, e fra uno starnuto e l'altro, cerca di leggerli.

15 «In una delle più piccole città d'Italia una persona può, nella stessa giornata, sciare, nuotare nel mare, fare un giro in un aranceto, mangiare in un albergo che una volta era un convento medioevale, o sedere all'aperto e godere lo spettacolo di un famoso vulcano coperto di neve.

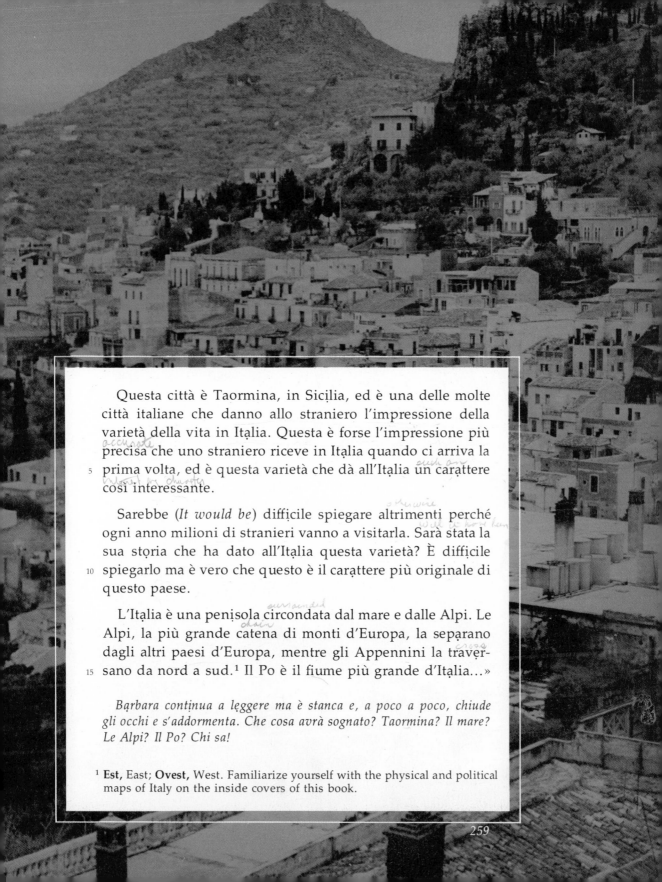

Questa città è Taormina, in Sicilia, ed è una delle molte città italiane che danno allo straniero l'impressione della varietà della vita in Italia. Questa è forse l'impressione più precisa che uno straniero riceve in Italia quando ci arriva la prima volta, ed è questa varietà che dà all'Italia un carattere così interessante.

Sarebbe (*It would be*) difficile spiegare altrimenti perché ogni anno milioni di stranieri vanno a visitarla. Sarà stata la sua storia che ha dato all'Italia questa varietà? È difficile spiegarlo ma è vero che questo è il carattere più originale di questo paese.

L'Italia è una penisola circondata dal mare e dalle Alpi. Le Alpi, la più grande catena di monti d'Europa, la separano dagli altri paesi d'Europa, mentre gli Appennini la traversano da nord a sud.[1] Il Po è il fiume più grande d'Italia...»

Barbara continua a leggere ma è stanca e, a poco a poco, chiude gli occhi e s'addormenta. Che cosa avrà sognato? Taormina? Il mare? Le Alpi? Il Po? Chi sa!

[1] **Est,** East; **Ovest,** West. Familiarize yourself with the physical and political maps of Italy on the inside covers of this book.

259

Vocabolario

NOUNS

le **Alpi** the Alps
gli **Appennini** the Apennines
l' **appunto** note
l' **aranceto** orange grove
il **carattere** character
la **catena** chain
il **convento** convent, monastery
il **fiume** river
l' **impressione** *f.* impression
il **monte** mountain
la **neve** snow
il **nord** north
l' **occhio** eye
la **penisola** peninsula
il **raffreddore** cold
la **Sicilia** Sicily
lo **starnuto** sneeze
il **sud** south
la **varietà** variety
il **vulcano** volcano

ADJECTIVES

circondato surrounded
originale original
povero poor
terribile terrible

VERBS

addormentarsi to fall asleep
rimasto (*p.p. of* **rimanere**)
 remained (*conjugated with* **essere**)
sciare to ski
sentirsi to feel
separare to separate
sognare to dream, to dream of
traversare†† to cross

OTHERS

altrimenti otherwise

IDIOMS

andar via to go away, to leave
a poco a poco little by little
coperto (di) covered (with)
cos' hai? what is the matter with
 you?
essere raffreddato (-a) to have a
 cold
è una seccatura it's a bore
fare una visita (a) + *a person* to
 visit, pay a visit (to)
grazie di thanks for
va' pure go ahead, feel free to go

Il Teatro Romano di Taormina

GRAMMATICA

I. Il superlativo relativo (The Relative Superlative)

(1) The relative superlative, which indicates a quality in relation to other people and things, is formed by placing the definite article before the comparative of inequality. Thus, "*the most* interesting (beautiful, etc.), the tall*est* (great*est*, etc.)" is translated by **il più, la più, i più, le più** plus adjective; or, if the idea of *least* is implied, by **il meno, le meno** plus the adjective.

adverbs remain invariable

Roma è **la più grande** città d'Italia.	Rome is *the largest city* in Italy.
Questa è **la** storia **meno interessante** del libro.	This is *the least interesting* story in the book.

(2) Notice that in a relative superlative construction the English preposition *in* is rendered in Italian by **di**.

(3) When the superlative follows the noun the definite article is omitted.

Giovanni è **il più giovane** studente della classe.	John is *the youngest* student in the class.

BUT

Giovanni è lo studente **più giovane** della classe.

II. Il futuro anteriore (The Future Perfect Tense)

(a) **avere parlato (ripetuto, capito, etc.),** *to have spoken (repeated, understood, etc.)*

Gli avrò parlato prima di lunedì. *I will have spoken to him before Monday.*

avrò		I will have spoken (repeated,
avrai		understood, etc.)
avrà		
	parlato (ripetuto,	
	capito, etc.)	
avremo		
avrete		
avranno		

(b) ẹssere andato (-a) (partito, uscito, etc.), *to have gone*
(*left, gone out, etc.*)

Sarà partito prima di mezzanọtte. *He probably left before*
midnight.

sarò		I will have gone, *etc.*
sarai	andato (-a)	
sarà		

saremo	
sarete	andati (-e)
saranno	

The future perfect is used according to the rules given for the future. Just as probability in the present is expressed by the simple future, probability in the past is expressed by the future perfect.

Gli darò il libro quando **l'avrò finito.**	I will give him the book when *I have finished it.*
Sarà partito di mattina.	*He probably left* in the morning.
L'avranno letto sul giornale.	*They must have read it* (*they probably read it*) *in the newspaper.*

III. Futuro anteriore di avere, ẹssere

avere avuto *to have had*

Ne avrò avuto abbastanza. *I will have had enough* [*of it*].

avrò		I will have had, *etc.*
avrai		
avrà		
	avuto	
avremo		
avrete		
avranno		

ẹssere stato *to have been*

Quando Maria arriverà a Venẹzia, ci sarò stato una settimana.
When Mary gets to Venice, I will have been there a week.

sarò		I will have been, *etc.*
sarai	stato (-a)	
sarà		
saremo		
sarete	stati (-e)	
saranno		

IV. I pronomi con l'infinito (Conjunctive Pronouns and the Infinitive)

Conjunctive pronouns always follow the infinitive and, with the exception of **Loro, loro** (*to you, to them*), are directly attached to it. In such cases the infinitive drops the final **-e.**

È venuto per **vederla.**	He has come in order *to see her.*
Siamo venuti per **parlarLe.**	We came *to talk to you.*
Non posso **parlare loro** oggi.	I cannot *speak to them* today.
Ha telefonato per **spiegarglielo.**	He telephoned to *explain it to you* (Lei).
Vọgliono **vẹndercene** cinque.	They want *to sell us* five (of them).
Vọglio **vẹnderne loro** due.	I want *to sell them* two (of them).

ESERCIZI A. FUTURO ANTERIORE (Future perfect)

Studiate le forme del futuro anteriore. Cambiate il verbo delle frasi seguenti dal futuro sẹmplice al futuro anteriore.

1. Si addormenterà presto. 2. Sogneranno il mare. 3. Traverseremo il parco. 4. Sarete famosi. 5. Avrà poco tempo. 6. Scierò per molte ore. 7. Cercherai di lẹggerlo. 8. Maria separerà i libri dai quaderni. 9. Giorgio saluterà le signore. 10. Mi aiuteranno. 11. Si addormenteranno presto. 12. Andranno via senza l'ombrello. 13. Non so

quanti anni avrà. 14. Le telefonerà da casa. 15. Balleranno fino a mezzanotte. 16. Traverserà l'aranceto. 17. Ci sarà molta neve sui monti. 18. Continueremo a leggere fino a mezzanotte.

B. *Ripetete gli esempi seguenti sostituendo ai complementi la forma pronominale.*

Esempio: Maria desidera parlare *di questo a lei.*
Maria desidera parlargliene.

1. Cercarono di vedere Maria. 2. Volevano aiutare la ragazza. 3. Dove dobbiamo mettere il libro? 4. Non è possibile parlare di questo a Lei. 5. Non hanno voluto lasciare gli appunti a te. 6. Saranno venuti al ricevimento per presentare la signora al professore. 7. Devi mandare ai compagni almeno sette cartoline. 8. È molto difficile spiegare le lezioni a voi. 9. Vuole riscuotere tre o quattro assegni. 10. Non avrà voluto vendere la macchina a me.

C. IL SUPERLATIVO RELATIVO (The relative superlative).

Mettete le frasi seguenti al superlativo.

Esempio: Questo è *un lungo fiume d'Italia.*
Questo è il più lungo fiume d'Italia.

1. Roma è una grande città d'Italia. 2. Quello è un palazzo famoso della città. 3. È un corso interessante dell'università. 4. Abbiamo visto un documentario originale. 5. La Sicilia è un'isola grande del Mediterraneo. 6. Le Alpi sono un'alta catena di monti dell'Europa. 7. Per uno straniero questa è un'impressione fantastica dell'Italia. 8. È un'antica letteratura europea. 9. Capri è una delle isole piccole del Mediterraneo. 10. Il Vesuvio era un vulcano attivo d'Italia.

D. *Traducete le frasi seguenti:*

1. Did you go to the geography lecture today? 2. No. I had a cold and I did not get up. It was probably an interesting lecture. 3. Yes, the most original that Professor Bianchi has (**abbia**) given this year. 4. Truly? Do you want to tell (speak to) me about it? 5. Here are my notes,

take them: you can read them at home. 6. I am sorry but I haven't time. Please tell (speak to) me about it. 7. He told us that near Taormina there are the most famous orange groves in the south, and that there is a hotel which used to be a medieval monastery. 8. You said also chains of mountains; is there one near Taormina? 9. No, he was speaking of the Alps, the largest chain of mountains in Europe; they separate Italy from the other countries. 10. Yes, of course! And isn't there another chain that crosses Italy from north to south? 11. Those are the Apennines; you have probably forgotten the name. 12. Of course, I remember now. Did Professor Bianchi speak of the other cities of Italy? 13. No, he was about to speak to me of the variety of life in Italy, but.... 14. But what? Did you fall asleep in class? 15. No, I did not fall asleep, but I closed my eyes (trans. "the eyes") a little.

<table>
<tr><td>DA IMPARARE
A MEMORIA</td><td>Nell'inverno le Alpi sono coperte di neve.
Leggevo, ma a poco a poco mi sono addormentato.
Che seccatura questo raffreddore!</td></tr>
</table>

CONVERSAZIONE   *Rispondete alle domande seguenti:*

1. Sa Lei il nome del vulcano vicino a Taormina? 2. Chi sa se ci sono altri vulcani in Italia? 3. Va spesso a sciare Lei? 4. Ci sono monti coperti di neve vicino alla Sua città? 5. Quali monti traversano l'Italia da nord a sud? 6. Qual è l'impressione più precisa che uno straniero riceve in Italia? 7. Quali monti separano l'Italia dal resto dell'Europa? 8. Di che colore sono i Suoi occhi? 9. Di che colore sono gli occhi della signorina alla Sua destra? 10. Perché Barbara era a letto? 11. Che cosa leggeva fra uno starnuto e l'altro? 12. Che cosa le ha portato Anna? 13. Lei prende mai appunti, signor..? Quando? 14. Perché sarà stata stanca Barbara?

Giovanni, Enzo, Barbara e Anna si sono alzati presto per andare a giocare a tennis. Oggi è domenica e non hanno lezioni. Non sono andati tutti insieme però, e Anna ed Enzo arrivano al campo di tennis diversi minuti prima dei loro amici. Si siedono su una panchina e 5 *continuano a parlare.*

ANNA: Sono molti anni che Lei gioca al tennis?

ENZO: Sì, ma non lo gioco molto bene. Mi piacerebbe giocare una volta alla settimana, ma non è sempre possibile.

10 ANNA: Ho notato che agl'Italiani lo sport piace molto.

ENZO: È vero; tutti gli sport, ma specialmente le corse di biciclette, di motociclette, di automobili, e soprattutto il calcio. Come in altri paesi europei e dell'America del sud il calcio in Italia ha più 15 «tifosi» di qualsiasi altro sport. Penso che sarà lo stesso in Francia.

ANNA: Sì, è proprio così. A proposito, due settimane fa Barbara ed io siamo andate a una partita di calcio.

20 ENZO: Le è piaciuta?

ANNA: Molto. Avrei preferito andare al cinema, ma Barbara non aveva mai veduto una partita di calcio. Come sa, negli Stati Uniti gli studenti

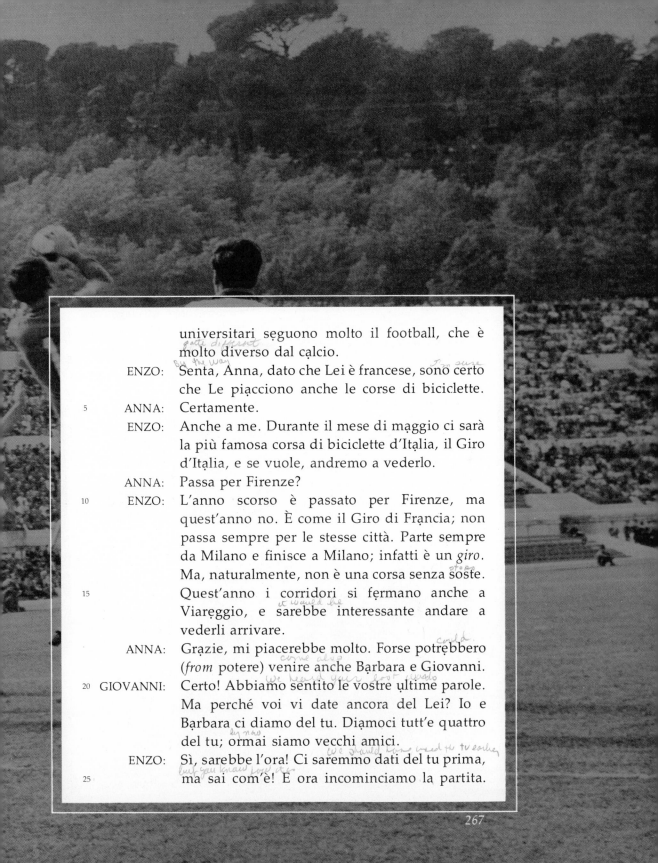

universitari seguono molto il football, che è molto diverso dal calcio.

ENZO: Senta, Anna, dato che Lei è francese, sono certo che Le piacciono anche le corse di biciclette.

5 ANNA: Certamente.

ENZO: Anche a me. Durante il mese di maggio ci sarà la più famosa corsa di biciclette d'Italia, il Giro d'Italia, e se vuole, andremo a vederlo.

ANNA: Passa per Firenze?

10 ENZO: L'anno scorso è passato per Firenze, ma quest'anno no. È come il Giro di Francia; non passa sempre per le stesse città. Parte sempre da Milano e finisce a Milano; infatti è un *giro*. Ma, naturalmente, non è una corsa senza soste.

15 Quest'anno i corridori si fermano anche a Viareggio, e sarebbe interessante andare a vederli arrivare.

ANNA: Grazie, mi piacerebbe molto. Forse potrebbero (*from* potere) venire anche Barbara e Giovanni.

20 GIOVANNI: Certo! Abbiamo sentito le vostre ultime parole. Ma perché voi vi date ancora del Lei? Io e Barbara ci diamo del tu. Diamoci tutt'e quattro del tu; ormai siamo vecchi amici.

ENZO: Sì, sarebbe l'ora! Ci saremmo dati del tu prima,
25 ma sai com'è! E ora incominciamo la partita.

Vocabolario

NOUNS

la **bicicletta** bicycle
il **calcio** soccer
il **campo** field; **campo di tennis**
 tennis court
il **corridore** racer
la **motocicletta** motorcycle
la **panchina** bench
la **partita** match, game; **partita**
 di calcio soccer game
la **sosta** stop, pause
lo **sport** sport
gli **Stati Uniti** United States
il **tifoso** sports fan

ADJECTIVES

europeo European
scorso last; **l'anno scorso** last
 year
universitario of the University

VERBS

notare†† to notice

OTHERS

dato che since
durante during
ormai now, by now
qualsiasi altro any other
soprattutto above all

IDIOMS

dare del Lei (del tu, del voi) a una
 persona to address someone
 with the Lei (tu, voi) form of
 address
giocare†† **a** [or **al**] **tennis** to play
 tennis
sarebbe l'ora! it is high time!
tutt'e quattro (e tre, *etc***)** all four
 (three, etc)
una volta alla settimana once a
 week

Il Giro d'Italia

GRAMMATICA

I. Il condizionale (The Conditional Tense)

In general the conditional translates the English auxiliary verb *would*. In Italian the stem of the conditional is the same as the future and, as in the future, verbs of the first conjugation change the **a** of the infinitive ending to **e.** The endings are identical for all three conjugations.

parlare *to speak*

Gli parlerei del calcio, ma non è qui. *I would speak to him about soccer, but he isn't here.*

parler-ei	I would speak, *etc.*
parler-esti	
parler-ebbe	
parler-emmo	
parler-este	
parler-ebbero	

ripetere *to repeat*

Ripeterei volentieri lo stesso ballo. *I would gladly repeat the same dance.*

ripeter-ei	I would repeat, *etc.*
ripeter-esti	
ripeter-ebbe	
ripeter-emmo	
ripeter-este	
ripeter-ebbero	

capire *to understand*

È una mụsica che non capirei. *It's a music that I wouldn't understand.*

capir-ei	I would understand, *etc.*
capir-esti	
capir-ebbe	
capir-emmo	
capir-este	
capir-ẹbbero	

L'inviterei volentiẹri, ma non è in città.	*I would* gladly *invite him,* but he is not in town.
Quando **ritornerebbe?**	When *would you come back?*

II. Il condizionale di <u>avere</u>, <u>ẹssere</u> (Conditional: **avere, ẹssere**)

avere *to have*

Io non avrei paura. *I wouldn't be afraid.*

avrei	I would have, *etc.*
avresti	
avrebbe	
avremmo	
avreste	
avrẹbbero	

ẹssere *to be*

Ne sarei sicuro. *I would be sure of it.*

sarei	I would be, *etc.*
saresti	
sarebbe	
saremmo	
sareste	
sarẹbbero	

III. Il condiziònale passato (The Conditional Perfect Tense)

(a) **avere parlato (ripetuto, capito, avuto,** etc.**),** *to have spoken, (repeated, understood, had,* etc.*)*

Ne avrei parlato a Maria, ma era già uscita. *I would have spoken to Mary about it, but she had already left.*

avrei		
avresti		
avrebbe		I would have spoken, *etc.*
avremmo	} parlato	
avreste		
avrebbero		

(b) **ẹssere arrivato (-a) (partito, uscito,** etc.**),** *to have arrived (left, gone out, etc.)*

Sarei arrivato (-a) più presto, ma il treno era in ritardo. *I would have arrived earlier, but the train was late.*

sarei		
saresti	} arrivato (-a), etc.	I would have arrived, *etc.*
sarebbe		

saremmo	
sareste	} arrivati (-e)
sarẹbbero	

The conditional perfect, though ordinarily translated as above, also renders the simple English conditional (would speak, would understand, etc.) in certain cases. For example, when the simple English conditional depends on a verb of saying, telling, informing, etc., and expresses a future in past time, Italian expresses the idea with the conditional perfect.

Gli ho detto che gli **avrei telefonato** alle nove.   I told him that *I would telephone* him at nine o'clock.

NOTE: For further uses of the conditional, see Lesson 33.

ESERCIZI   A.   IL CONDIZIONALE (The conditional).

(1) *Studiate le forme del condizionale. Ripetete gli esempi seguenti cambiando il verbo dal presente indicativo al condizionale presente.*

1. Io mi alzo presto. 2. Essi sono in ritardo. 3. Lei è in Itạlia. 4. Noi siamo cari amici. 5. Tu hai una bicicletta nuova. 6. A lui piạcciono le corse. 7. Loro

hanno pochi soldi. 8. Loro giocano a tennis. 9.
Maria nota gli sbagli. 10. Noi notiamo ogni cosa.
11. Voi cercate un appartamento. 12. La casa ha
cinque stanze. 13. Mi addormento subito. 14. Loro
capiscono poco il francese.

(2) *Cambiate il verbo in parentesi al condizionale presente.*

1. (Ballava) volentieri ma non sa ballare. 2. Preferirei
quel cameriere perché so che mi (serve) bene. 3. Ci
(piaceva) andare in Italia tutti gli anni. 4. Devo restare
a casa tutta la giornata, altrimenti (preferisco) studiare
in biblioteca. 5. La (aiutera) ma non ha tempo. 6.
(Mi sedevo) volentieri su questa panchina. 7. Dove
(metto) questi fiori? 8. Lo (chiamano) spesso, ma non
è mai a casa. 9. A che ora (partite) voi? 10. Non
credo che lo (dimenticherà).

B. IL CONDIZIONALE PASSATO

(1) Studiate le forme del condizionale passato (the conditional perfect). Cambiate le frasi seguenti dal condizionale presente al
condizionale passato:

1. Scherzerei volentieri. 2. Loro scherzerebbero
volentieri. 3. Scherzeremmo volentieri. 4. Lei scher-
zerebbe volentieri. 5. Ritornerebbe presto. 6.
Ritorneresti presto. 7. Ritornerei presto. 8. Sareb-
bero all'albergo. 9. Lui sarebbe a Roma. 10. Mi
piacerebbe andarci.

(2) Nella sezione A(1) ripetete gli esempi cambiando il verbo dal
presente indicativo al condizionale passato.

C. *Traducete le frasi seguenti:*

1. One of the most famous races in Italy is the Tour of the
Peninsula. 2. It is a bicycle race which starts in Milan, in
the north, and passes through many cities. 3. Many
racers from all parts of Italy and of Europe go to this Italian
race. 4. In the United States we do not have many bicycle
races, but we have some famous automobile races. 5. Another fine (**bello**) sport that Italians like is soccer. I would
like to see a fine soccer game! 6. Do you like tennis?

7. Yes, but I live too far from the university, and near my house there are no tennis courts. 8. I, instead, play tennis every Sunday. On Sunday morning I get up early, and I go to play with an old friend. 9. Did you say that you play every Sunday? 10. Yes, every Sunday of the year. 11. Last summer I would have preferred to remain home. 12. Do you have a friend who has a swimming pool? My sister and I like to swim. 13. No, I go with some friends to the beach (seaside, **mare**). It is not very far. We leave early and we return late. 14. Why don't we sit down on this bench for a few minutes? It is still early, and the other students have not arrived yet. 15. It's an excellent idea. By the way, what time is it?

DA IMPARARE
·A MEMORIA

Ci conosciamo da molto tempo; diamoci del tu.
Mi piace giocare a[l] tennis due volte alla settimana.

CONVERSAZIONE

Rispondete alle domande seguenti:

1. Perché si sono alzati presto i nostri quattro amici? 2. Arrivano tutti insieme? 3. Enzo gioca al tennis anche durante l'estate? 4. Che sport preferisce Lei? 5. Quali sono due degli sport che preferiscono in Italia? 6. Enzo dice che a Anna devono piacere le corse di biciclette, perché? 7. Conosce una famosa corsa d'automobili? 8. Lei sa quando ha luogo la corsa di automobili di Indianapolis? 9. Passa sempre per le stesse città il Giro d'Italia? 10. Si danno ancora del Lei Barbara e Giovanni? 11. Le piacerebbe giocare al tennis? 12. Dove potrebbero venire anche Barbara e Giovanni? 13. Le piacerebbe vedere una partita di calcio? 14. Si sarebbe divertito Lei alla partita?

27
CARNEVALE

	ANNA:	Sbrigati! Fra poco arriveranno Enzo e Giovanni.
	BARBARA:	Prendo i guanti e sono pronta. Porti l'impermeabile tu?
5	ANNA:	Sì, sarà meglio. Non piove più ora, ma tira vento e non si sa mai.
	BARBARA:	A proposito, come si chiama il ballo di stasera?
	ANNA:	Si chiama «Veglione»; durerà quasi tutta la notte. Oggi è martedì grasso, l'ultimo giorno di Carnevale.
10		
	BARBARA:	Ho letto che in Italia il Carnevale ebbe una splendida tradizione a Venezia, Roma, Torino e Firenze. A Firenze durante il Rinascimento si facevano mascherate su carri come quelle che oggi si fanno a Viareggio.
15		
	ANNA:	Credi che i nostri costumi piaceranno agli amici?
	BARBARA:	Ne sono sicura; vedrai come saranno sorpresi.
	ANNA:	Chi sa che costumi avranno comprato loro...
20	BARBARA:	Il campanello! Saranno loro...

Infatti la cameriera viene a chiamarle. Barbara è vestita da

Arlecchino e Anna da Colombina. Le due ragazze ẹntrano in salotto dove Enzo e Giovanni le aspẹttano.

ENZO: Cạspita, come siete belle! Sembrate due mạschere della Commẹdia dell'Arte.

5 BẠRBARA: E voi chi siete?

GIOVANNI: Chi siamo? Non si vede? Io sono Pulcinella e Enzo è Pantalone.

BẠRBARA: Veramente si direbbe che sembri un pagliạccio.

GIOVANNI: Grạzie tanto! Be', è Carnevale e come si dice,
10 «A Carnevale ogni scherzo vale!»

ENZO: Allora, si va?

ANNA: Sì, sì, andiamo! Fa ancora freddo?

ENZO: Sì, molto. Sono sicuro che nevicherà.

GIOVANNI: Macché! Che tempo strano; ieri faceva quasi
15 caldo.

BẠRBARA: Si vede che anche il tempo festẹggia il Carnevale e scherza anche lui.

ENZO: Le mạschere! Non le dimentichiamo!

ANNA: Non avẹr paura! Non si può andare al Veglione
20 senza mạschera.

I quattro giọvani ẹscono, a braccetto, e si avvịano verso l'albergo dove avrà luogo il Veglione.

Vocabolạrio

NOUNS

il **Carnevale** Carnival
il **carro** cart
la **Commẹdia dell'Arte** *impro-vised comedy of XVIth and XVIIth centuries in Italy*
il **costume** costume
il **guanto** glove
l' **impermeạbile** *m.* raincoat
il **martedì grasso** (*lit. "fat Tues-day"*) Shrove Tuesday (*last day of Carnival*)
la **mạschera** mask
la **mascherata** masquerade
il **pagliạccio** clown
il **Rinascimento** Renaissance
lo **scherzo** joke
il **Veglione** all-night dance

ADJECTIVES

sorpreso surprised
strano strange

VERBS

durare (*conjugated with* **ẹssere**) to last
sbrigarsi to hurry
valere to be worth

IDIOMS

a braccetto arm in arm
a Carnevale ogni scherzo vale! (*proverb*) "At Carnival time any joke is permissible."
cạspita! goodness!
fare caldo to be warm (*weather*)
fra pọco shortly, in a little while
si vede che evidently
vestito da dressed as

OTHERS

Arlecchino Harlequin
Colombina Columbine
Pantalone Pantaloon
Pulcinẹlla Punch, Punchinello

Carnevale a Capri

GRAMMATICA

I. **Uso del riflessivo in senso generale** (The Reflexive Used in a General Sense)

(1) In English we express an indefinite subject either by such words as *one, they, people, we, etc.*, or by the passive voice.

> *One* must not read here.
> *They* say that he will come.
> These books *are* easily *read*.

(2) In Italian such constructions are best translated as follows:

(a) The indefinite or generic subject (*one, they, people*, etc.) should be translated by **si** and the 3rd person singular of the active verb. If the indefinite subject has a direct object plural, **si** and the 3rd person plural of the active verb should be used.

Non **si** deve lęggere quị.	*One* must not read here.
Si dice che ritornerà.	*People* say he will return.
Si mangiava molto pane allora.	*One used to eat much bread then.*
Si dicẹvano molte cose.	*One used to say many things.*

(b) The English passive voice *may* be translated by **si** and the 3rd person singular of the active voice if the subject is singular, by **si** and the third person plural if the subject is plural.

Questo **libro si legge** facilmente.	This *book* is easily *read*.
Queste **cose si fanno** facilmente.	These *things* are easily *done*.
Si sono scritti molti **libri** quest'anno.	Many *books* have *been written* this year.

All reflexive verbs are conjugated with **ẹssere** (last example).

II. La forma passiva (The Passive Voice)

(1) In Italian the passive voice is much less common than in English. The passive voice in Italian as in English is formed by the verb **ẹssere** and the past participle of the verb which is being conjugated, so that the past participle agrees in gender and number with the subject to which it refers.

Il leone è molto **temuto.**	*The lion is* much *feared.*
La lezione è letta da ogni studente.	*The lesson is read* by each student.
Maria sarà stata avvertita.	*Mary will have been warned.*
Questi assegni sono stati mandati da mio cugino.	*These checks have been sent* by my cousin.
I delegati fụrono ricevuti dal Papa.	*The delegates were received* by the Pope.

(2) When no specific agent is expressed, Italian uses the reflexive construction explained above (I,2).

Quị **si parla italiano.**	Italian *is spoken here.*
In quẹl ristorante **si cạntano canzonette popolari** tutte le sere.	In that restaurant *popular songs are sung* every evening.

III. Il tempo (The Weather)

(1) **Fare** in weather expressions.

Che tempo **fa?**	How *is* the weather?
Fa bel tempo.	*It is* fine weather.
Fa cattivo (or: brutto) tempo.	*It is* bad weather.
Ha fatto caldo (molto caldo) oggi.	*It has been* warm (hot) today.
Farà freddo domani?	*Will it be* cold tomorrow?
Faceva sempre fresco.	*It was* always cool.

NOTE: In the preceding examples **it** is an impersonal subject and is not translated into Italian.

CAPITOLO 27

(2)   Some other impersonal verbs and expressions that denote weather conditions.

piovere	to rain	Piove.	It is raining.
nevicare	to snow	Pioveva.	It was raining.
tirare vento	to be windy	Nevica.	It is snowing.
grandinare	to hail	Tira vento.	It is windy.
lampeggiare	to flash (of lightning)	Grandina.	It is hailing.
		Lampeggia.	It is lightning.
tuonare	to thunder	Tuona.	It is thundering.

These verbs are conjugated with either **essere** or **avere**.

È (or **Ha**) piovuto.	It rained.
È (or **Ha**) nevicato.	It snowed.

EXCEPTION

Ha tirato vento.	It was windy.

IV.   Imperfetto di fare, dire

fare *to make, do*

Facevo troppe cose.	*I was doing too many things.*
facevo	I was doing (making), used to
facevi	do (make), *etc.*
faceva	
facevamo	
facevate	
facevano	

dire *to say; to tell*

Dicevo una preghiera.	*I was saying a prayer.*
dicevo	I was saying (telling), used to
dicevi	say (tell), *etc.*
diceva	
dicevamo	
dicevate	
dicevano	

ESERCIZI

A. *Studiate la voce passiva* (the passive voice). *In italiano la voce passiva è usata solamente quando l'agente è espresso* (expressed). *Cambiate le frasi seguenti dalla voce attiva a quella passiva.*

ESĘMPIO: La sarta *fa* il costume.

Il costume è fatto dalla sarta.

1. Maria ha lavato i guanti bianchi. 2. Gli studenti presenteranno la commędia. 3. Il maestro spiegò le regole difficili. 4. I poeti scrivono molte poesie. 5. Tu hai venduto questo impermeabile. 6. L'impiegato esamina il passaporto. 7. Voi cambierete l'assegno. 8. Molta gente vedrà la partita. 9. Lo noteranno molte persone. 10. Il Rettore li riceve. 11. Nessuno la vedrà. 12. L'impiegato presentò loro gli assegni.

B. IL RIFLESSIVO IMPERSONALE (The reflexive used in a general sense). USO SPECIALE DEL **SI** RIFLESSIVO.

(1) *Cambiate le frasi seguenti dalla forma personale alla forma impersonale.*

ESĘMPIO: In Itąlia *pąrlano* italiano.

In Itąlia *si parla* italiano.

1. Come *dįcono* questa frase in inglese? 2. In questo negozio *vęndono* molti impermeąbili. 3. *Festęggiano* il martedì grasso in Ạmęrica? 4. Al Veglione *ballạrono* fino alle due. 5. *Schęrzano* troppo in questa classe. 6. *Dįcono* che ritornerà in estate. 7. *Vędono* sųbito che questo costume non vale niente. 8. A questa domanda *rispondęvano* così. 9. A casa di Anna *parlạvano* sempre francese. 10. Quando fa caldo non *dormiamo* bene.

(2) *Nelle seguenti frasi impersonali cambiate l'infinito del verbo alla forma corretta del presente indicativo.*

1. Si *dire* molte cose. 2. Non si *dovere* scherzare troppo. 3. Si *fare* così. 4. Queste parole si *pronunziare* lentamente. 5. Al Veglione si *portare* le mąschere. 6. A scuola si *studiare*. 7. Queste cose si *capire* immediatamente. 8. Si *dire* che domani pioverà. 9. Non si *potere* andare al Veglione senza mąschera. 10. Sa Lei come si *fare* un costume?

C. ESPRESSIONI DI TEMPO (The weather).

Completate le frasi seguenti.

1. Se piove diciamo che _fa cattivo_ tempo. 2. Quando c'è il sole diciamo che _fa bel_ tempo. 3. Se non fa né caldo né freddo diciamo che _fa fresco_. 4. Il contrario di fa freddo è _fa caldo_. 5. Se le finestre di casa sbattono (*rattle*), è evidente che _tira vento_. 6. Quando usciamo di casa e vediamo che le vie sono bagnate (*wet*), diciamo che _è piovuto_. 7. In inverno generalmente fa _freddo_, mentre in estate _fa caldo_. 8. Se guardiamo dalla finestra e vediamo le persone con l'ombrello in mano è evidente che _piove_. 9. Se le vie, le piazze e le colline sono bianche diciamo che _nevica_ o, anche, che _ha nevicato_. 10. Quando _fa cattivo_ preferisco studiare in biblioteca, ma quando _fa bel tempo_ preferisco studiare in giardino. 11. Mio padre diceva che quando era ragazzo, durante il mese di agosto _faceva molto caldo_ sempre così _caldo_ che andava in piscina tutti i giorni.

D. *Ripetete gli esempi seguenti cambiando le parole indicate.*

   a. *Diceva* che in gennaio fa sempre freddo.
      1. io   2. loro   3. noi   4. tu   5. voi
   b. Non ricordo cosa *facevamo* però *scherzavamo*.
      1. tu   2. io   3. essi   4. voi   5. Lei

E. *Traducete le frasi seguenti:*

1. What a crowd! I have never seen the streets so crowded. 2. Evidently they are celebrating something. 3. Of course, today is the last day of Carnival. 4. Oh, Carnival! Are you going downtown also? 5. Yes, I am going to a hotel, to the Veglione. Would you like to come? 6. Yes, but I do not have a costume. Can one go to a Veglione without a costume? 7. The costume doesn't matter, but one must wear a mask. 8. How long (how much time) will the dance last? 9. All night, naturally, that's why (**perciò**) they call it Veglione. 10. Where do they sell the costumes? 11. In many stores! Mine was made by my dressmaker (**sarta**). 12. Please let us hurry! It is windy and

cold! 13. It was raining this afternoon and it was cold, so I
am wearing my raincoat. 14. I see (it). My costume instead is very light and I do not have a (*the*) raincoat. 15.
Take my gloves, or perhaps we can walk arm in arm—we
will be at the hotel shortly.

DA IMPARARE
A MEMORIA

Quando le vidi, Maria e Luisa camminavano a braccetto.

Mario è molto stanco, si vede che ha ballato troppo.

Il professore non è qui, ma arriverà fra poco.

Quando fa caldo, preferisco restare in giardino.

Rispondete alle domande seguenti:

1. Lei, signor _____, quando porta l'impermeabile? 2. Nevica mai nella nostra città? 3. Quando si festeggia il Carnevale? 4. Che cosa è un Veglione? 5. Qual è l'ultimo giorno di Carnevale? 6. Come era vestita Anna? 7. È una tradizione dei nostri giorni il Carnevale? 8. Cosa si fa oggi a Viareggio? 9. Come si festeggia il Carnevale negli Stati Uniti? 10. Le piacerebbe andare a un Veglione? Perché? 11. Che cosa sembrano Barbara e Anna quando entrano in salotto? 12. Chi sa dirci che cos'era la Commedia dell'Arte? 13. Che cosa è un pagliaccio? 14. Quando diciamo che il tempo scherza?

Signor Ramponelli

28 PASQUA

Oggi è Pạsqua. Come Natale, Pạsqua è una delle maggiori feste religiose ed è festeggiata in tutto il mondo cristiano. Dato che Pạsqua viene sempre in primavera, di sọlito durante la Settimana Santa fa bel tempo, e le vie sono affollate. Oggi è un giorno speciale per i fiorentini, perché la domẹnica di Pạsqua a Firenze ha luogo uno dei maggiori spettạcoli dell'anno: lo Scọppio del Carro. Lo Scọppio del Carro è una cerimọnia medioevale che ha luogo in Piazza del Duomo davanti alla chiesa di Santa Maria del Fiore. A mezzogiorno in punto in chiesa si accende la «Colombina,» una colomba artificiale, che vola lungo un filo e va fuori di chiesa fino a un carro che è in mezzo alla piazza. Il carro è decorato di fuochi artificiali, e quando arriva la «Colombina» si sente un forte scọppio. La «Colombina» contịnua a volare e ritorna in chiesa. Se tutto va bene, tutti sono felici. Naturalmente, la piazza e la chiesa sono piene di persone che sono venute per vedere la cerimọnia.

Come abbiamo detto, oggi è Pạsqua, e Bạrbara e Giovanni s'incọntrano davanti alla pensione di Bạrbara.

GIOVANNI: Volevo telefonarti per dirti che sarei venuto un po' più presto, ma la tua lịnea era occupata.

BẠRBARA: Ieri ho veduto Anna e le ho detto che le avrei telefonato stamani prima delle ụndici. È per questo che la mia lịnea era occupata.

GIOVANNI: Prendiamo questa via a sinistra, e passiamo per Piazza San Lorenzo; c'è meno gente.

BẠRBARA: Senti, io preferirei passare per Piazza della Repụbblica. Lì vicino c'è una pasticceria dove hanno in vetrina un uovo di cioccolata che è prọprio bello. Va bene?

GIOVANNI: Sì, sì. Anche in Amẹrica avete le uova di cioccolata per Pạsqua?

284

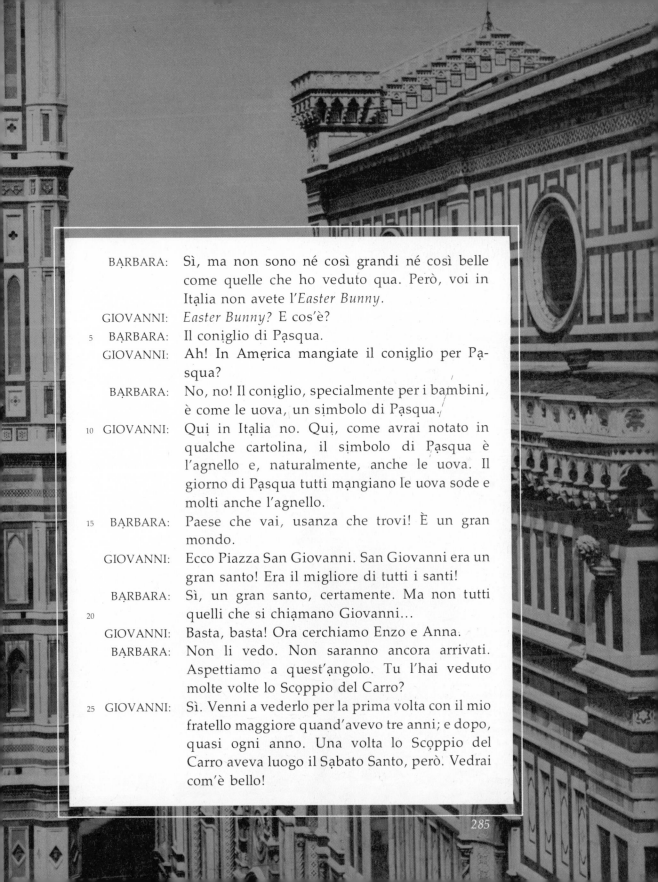

BARBARA:	Sì, ma non sono né così grandi né così belle come quelle che ho veduto qua. Però, voi in Italia non avete l'*Easter Bunny*.
GIOVANNI:	*Easter Bunny?* E cos'è?
5 BARBARA:	Il coniglio di Pasqua.
GIOVANNI:	Ah! In America mangiate il coniglio per Pasqua?
BARBARA:	No, no! Il coniglio, specialmente per i bambini, è come le uova, un simbolo di Pasqua.
10 GIOVANNI:	Qui in Italia no. Qui, come avrai notato in qualche cartolina, il simbolo di Pasqua è l'agnello e, naturalmente, anche le uova. Il giorno di Pasqua tutti mangiano le uova sode e molti anche l'agnello.
15 BARBARA:	Paese che vai, usanza che trovi! È un gran mondo.
GIOVANNI:	Ecco Piazza San Giovanni. San Giovanni era un gran santo! Era il migliore di tutti i santi!
BARBARA:	Sì, un gran santo, certamente. Ma non tutti quelli che si chiamano Giovanni...
20	
GIOVANNI:	Basta, basta! Ora cerchiamo Enzo e Anna.
BARBARA:	Non li vedo. Non saranno ancora arrivati. Aspettiamo a quest'angolo. Tu l'hai veduto molte volte lo Scoppio del Carro?
25 GIOVANNI:	Sì. Venni a vederlo per la prima volta con il mio fratello maggiore quand'avevo tre anni; e dopo, quasi ogni anno. Una volta lo Scoppio del Carro aveva luogo il Sabato Santo, però. Vedrai com'è bello!

Vocabolario

NOUNS

l' **agnẹllo** lamb
l' **ạngolo** corner
la **cerimọnia** ceremony
la **cioccolata** chocolate
la **colomba** dove; la **Colombina**
    the little dove
il **conịglio** rabbit
la **fẹsta** festivity
il **filo** wire
il **fratẹllo** brother
il **fuọco** fire; **fuọchi artificiali**
    fireworks
la **lịnea** line
la **Pạsqua** Easter; il **giorno** (la
    domẹnica) **di Pạsqua** on
    Easter day (Sunday)
lo **scọppio** explosion; lo **Scọppio**
    del Carro Explosion of the
    Cart
il **sịmbolo** symbol
l' **uọvo** egg, *pl.* le **uọva**

ADJECTIVES

artificiale artificial
cristiano Christian
felice happy
fọrte strong, loud
religioso religious
sọdo hard, hard boiled (*of eggs*)

VERBS

accẹndere (*p.p.* **acceso**) to light

OTHERS

decorato (di) decorated (with)
fino a as far as
lungo along
specialmente especially

IDIOMS

in mẹzzo a in the middle of
in punto exactly (*of time*)

Scoppio del Carro, Firenze

GRAMMATICA

I. Comparativo irregolare (Irregular Comparison)

(1) Certain adjectives have irregular comparative and relative superlative forms. Here are the most common:

ADJECTIVE		COMPARATIVE	
buono	good	**miglior(e)**	better
cattivo	bad	**peggior(e)**	worse
grande	large, great	**maggior(e)**	larger, greater
piccolo	small	**minor(e)**	smaller

RELATIVE SUPERLATIVE

il miglior(e)	the best
il peggior(e)	the worst
il maggior(e)	the largest, the greatest
il minor(e)	the smallest

The irregular forms are used along with the regular ones. In general, the irregular forms have a figurative meaning.

Questo dizionario è buono, ma quello è **migliore**.	This dictionary is good, but that one is *better*.
È **la peggiore** alunna della classe.	She is the *worst* pupil in the class.
È **il miglior** filobus della città.	It's the *best* trackless trolley in the city.

BUT

Questa stanza è **più grande** di quella.	This room is *larger* than that one.
Questo ragazzo è **più piccolo** di suo fratello.	This boy is *smaller* than his brother.
Questa frutta è **più buona**.	This fruit is *better*.

CAPITOLO 28

Maggiore and **minore** are often used with the meaning of *older, oldest,* and *younger, youngest* respectively when referring to somebody's relatives.

Il suo fratello **maggiore** è in Argentina.	Her *older* brother is in Argentina.
La mia sorella **minore** ha cinque anni.	My *youngest* sister is five years old.

(2) Certain adverbs also form the comparative and the relative superlative irregularly. Here are four of the most common ones:

ADVERB		COMPARATIVE	
bene	well	**meglio**	better
male	badly	**peggio**	worse
poco	little	**meno**	less
molto	much	**più**	more

RELATIVE SUPERLATIVE	
il meglio	the best
il peggio	the worst
il meno	the least
il più	the most

Questo libro è scritto **bene**, ma quello è scritto **meglio**.	This book is *well* written, but that one is written *better*.
Studia **il meno** possibile.	He studies *the least* possible.

II. Gli aggettivi irregolari: grande, santo (Irregular Adjectives: **grande** *large,* **santo** *saint*)

Grande and **santo** become **gran** and **san** before a masculine noun beginning with a consonant, except **z** and **s** *plus consonant;* and they become **grand'** and **sant'** before any noun beginning with a vowel.

Leonardo era un **grand'artista**.	Leonardo was a *great artist.*
Si guardava in un **grande specchio**.	She was looking at herself in a *large mirror.*
San Pietro morì a Roma.	*Saint Peter* died in Rome.

III. Il passato remoto di <u>venire</u>, <u>volere</u> (Past Absolute: **venire**, **volere**)

venire *to come*

Venni a Padova per studiare.   *I came to Padua to study.*

venni	I came, *etc.*
venisti	
venne	
venimmo	
veniste	
vennero	

volere *to want, to be willing*

Volli andar via perché ero   *I insisted on leaving because I*
stanco (-a).   *was tired.*

volli
volesti
volle
volemmo
voleste
vollero

The past absolute of **volere** is used to express that on a given occasion a certain person *was determined* to do something, and actually *did it*. To express a *state of desire* in the past, or a *past intention* of doing something, the imperfect of **volere** is used.

Volevo andare al cinema, ma   *I wanted* to go to the movies,
    ero troppo occupato.   *but I was too busy.*
Volle partire prima delle tre.   *He decided* to leave *(and did)*
                           before three o'clock.

ESERCIZI   A.   COMPARATIVO IRREGOLARE (Irregular comparison).

Formate il comparativo delle seguenti espressioni usando l'aggettivo indicato:

ESEMPIO: questo coniglio e quello *piccolo*
          Questo coniglio è più piccolo di quello.

a.   questo ragazzo e quello
    1. grande   2. piccolo   3. buono   4. cattivo

b. il veglione di ieri sera e quello dell'anno scorso
   1. cattivo 2. grande 3. buono 4. piccolo
c. questo dizionạrio e quello della biblioteca
   1. buono 2. cattivo 3. grande 4. piccolo
d. queste uova e quelle del negọzio
   1. buono 2. cattivo 3. grande 4. piccolo

B. COMPARATIVO IRREGOLARE.

   Sostituite all'aggettivo in corsivo la forma corretta del comparativo.

   1. Il suo fratello *vẹcchio* ạbita a Roma; il suo fratello
   giọvane sta con i genitori. 2. Il vino di ieri sera era buono,
   ma questo è *buono*. 3. Quị si mạngia bene, ma a San
   Francisco si mangiava *bene*. 4. Nel mio letto avrei dormito
   bene. 5. Il bambino oggi sta *male*. 6. Il costume è *cattivo*
   di quẹl che credevo.

C. *Gli aggettivi* **grande** *e* **santo.** *Nel seguente esercịzio usate la forma
   corretta dell'aggettivo indicato.*

   a. grande
      1. un ..... spettạcolo 2. dei ..... occhi 3. un .....
      pianoforte 4. un ..... artista 5. un ..... corridore
   b. santo
      1. ..... Anna 2. ..... Carlo 3. ..... Maria 4. ..... Giọr-
      gio 5. ..... Stẹfano

D. *Studiate il passato remoto e l'imperfetto di* **volere.** *Ripetete facendo i
   cambiamenti indicati:*

   a. *Volle* alzarsi presto perché *voleva* studiare.
      1. io 2. noi 3. voi 4. tu 5. essi
   b. *Volli* andare anch' *io*, perché c'ẹrano molti *miei* amici.
      1. noi 2. Maria 3. voi 4. Lei 5. tu
   c. *Volevamo* mangiare ma i ristoranti ẹrano chiusi.
      1. tu 2. io 3. voi 4. Loro 5. Giovanni

E. *Studiate il passato remoto di* **venire.** *Ripetete facendo i cambiamenti
   indicati:*

   Maria venne a vedere i fuochi artificiali.
   1. io 2. tu 3. noi 4. essi 5. voi

F. *Traducete le frasi seguenti:*

1. Holy Week is celebrated in all Christian countries. 2. It is one of the most interesting weeks of the year. 3. Usually the weather is fine during Holy Week, but sometimes it rains, and then one wears a (*the*) raincoat. 4. In Italy the symbols of Easter are the eggs and the lamb. 5. On Easter Sunday people go to church (*trans.* "in church"); all churches are decorated with beautiful flowers, flowers of all colors. 6. In every city there is some special religious ceremony on Easter Sunday or during Holy Week. 7. One of the most interesting is the Scoppio del Carro in Florence, which takes place in front of the church of Santa Maria del Fiore. 8. In the middle of the square there is a cart decorated with fireworks. 9. On Easter Sunday at noon an artificial dove is lighted in the church. 10. The dove flies towards the cart, and when it gets (*arrives*) to the cart, one hears a loud explosion. 11. Naturally, Barbara had never seen it before, but John had seen it for the first time when he was three years old. 12. There were so many fireworks on the cart that the explosion was very loud. 13. John was certain that it had been the greatest of all the explosions he had heard. 14. After the explosion, Barbara wanted to return home on the streetcar, but Anna, who was with them, wanted to go to buy an Easter egg. 15. When they arrived at the pastry shop, they saw a large chocolate egg, in fact a very large egg; but Barbara bought a much smaller one.

Il programma comincia alle tre in punto.
In mezzo al giardino c'era una grande piscina.
Di solito non prendo caffè, ma questa volta lo prenderò.

CONVERSAZIONE   *Rispondete alle domande seguenti:*

1. In che mese viene Pasqua quest'anno? 2. Come si chiama la settimana che viene prima di Pasqua? 3. Mangiamo l'agnello il giorno di Pasqua in America? 4. Dove ha luogo lo Scoppio del Carro? 5. Piacciono a Lei le uova sode, o preferisce quelle di cioccolata? 6. Vogliono prendere la stessa via Barbara e Giovanni per andare a Piazza del Duomo? 7. Perché era occupata la linea di Barbara quando Giovanni l'ha chiamata? 8. Che cosa si vede sulle cartoline di Pasqua americane? 9. Perché Giovanni dice che San Giovanni era un gran santo? 10. Quando vide Giovanni lo Scoppio del Carro per la prima volta? 11. Va a casa in tram Lei? 12. Dove vendono le uova di cioccolata? 13. Ha Lei una sorella maggiore? 14. Perché Giovanni vuole prendere la via a sinistra?

RIPETIZIONE 7

I. *Rispondete alle domande seguenti:*

1. Dov'è Taormina? 2. Lei sa quanti vulcani ci sono in Italia? 3. Da che cosa è circondata l'Italia? 4. Come studia la geografia d'Italia Barbara? 5. Quali sono gli sport preferiti degl'Italiani? 6. Quando due ragazzi italiani si parlano si danno del tu o del Lei? 7. Lei conosce qualche maschera della Commedia dell'Arte? 8. Lei è stato mai a un Veglione? 9. Quanto dura un Veglione? 10. Quando nevica che tempo fa? 11. Come possiamo anche dire «le vie sono piene di gente?» 12. Quando vediamo i fuochi artificiali in America? 13. Lei ricorda il nome di qualche piazza di Firenze? 14. Chi ricorda che cosa si vede da Piazzale Michelangelo? 15. Che cosa mangiano molti Italiani il giorno di Pasqua?

II. *Nelle frasi seguenti sostituite il futuro anteriore al futuro semplice.*

1. Partirà lunedì mattina. 2. Gli amici partiranno domenica. 3. Saranno pronti prima di noi. 4. Dove traverserete la via? 5. Saluterà Lei gli invitati? 6. Noterai molte cose nuove in questo libro.

III. *Nelle frasi seguenti sostituite prima il condizionale presente e poi il condizionale passato all'indicativo presente.*

1. Vi capiamo molto facilmente. 2. Maria balla tutte le sere. 3. Mi chiamano ogni sera alle sette. 4. Secondo (*according to*) lui questa commedia non è nuova. 5. Quanto dura il veglione?

293 *duecento novantatré* RIPETIZIONE 7

IV. *Nelle frasi seguenti sostituite il condizionale passato al condizionale presente.*

1. Le telefonerei prima delle otto.   2. Io mangerei in un albergo perché negli alberghi si mangia bene.   3. Maria preferirebbe sciare, ma noi preferiremmo giocare a tennis. 4. Ti piacerebbe questo costume?   5. Il giorno di Pạsqua loro mangerebbero le uova sode.

V. *Mettete le frasi seguenti al superlativo relativo.*

1. Malta è una piccola isola del Mediterrạneo.   2. Questa è una delle vie lunghe della città.   3. Il Lago di Como è un bel lago delle Alpi.   4. È una mạschera buffa (*comical*) di Carnevale.   5. Sono le feste importanti dell'anno.

VI. *Date il contrạrio delle frasi seguenti* (Give the opposite of the following phrases).

1. In quel ristorante si mạngia *mẹglio*.   2. Giovanni è il mio fratello *minore*.   3. Sono *i migliori* dolci di Carnevale. 4. Questo bagno (*bathroom*) è *più piccolo* di quello.   5. Mia zia oggi sta *pẹggio* di ieri.

VII. *Sostituite alle parole in inglese la corretta espressione italiana.*

(1) 1. Desịdero parlare (*of it to them*).   2. Non è fạcile spiegare (*it to you* — **Lei**).   3. Non volẹvano vẹndere (*it to us*).   4. Quello è (*the most famous*) vulcano del mondo.   5. Sono i monti (*most beautiful*) d'Europa. 6. (*They probably dreamed it*), perché io non ho detto niente.   7. (*One must not speak*) in bibliotẹca.   8. (*They say*) che partiranno col treno delle quindici.   9. Questi guanti (*are worn*) di sera.   10. (*We would like*) vedere una partita di cạlcio.   11. Quando (*it is too warm*) non giochiamo al tennis.   12. La casa di Luisa è vicina a (*that beautiful*) campo di tennis.   13. Per i giovani il tennis è un (*beautiful*) sport.   14. Questa cioccolata è (*better*) di quella.   15. (*It would have been better*) partire dopo Pạsqua.

(2) 1. Non siamo usciti perché (*it was raining*).   2. Si dice che domani (*it will be windy*).   3. Oggi (*it is fine*

weather), non crede? 4. L'anno scorso (*it snowed*) per tre giorni. 5. Sulle colline (*it was cool*) sempre. 6. Che brutta giornata ieri; (*it was very hot*). 7. Voleva sapere cosa (*I was doing*). 8. (*She was saying*) che non sarebbe tornata. 9. Che cosa (*were doing*) i ragazzi a casa tua? 10. Che cosa (*were you saying*) quando ti ho chiamato? 11. Li invitai ma (*they did not come*). 12. (*He wanted*) leggere questo libro e perciò lo comprò.

VIII. *Traducete le frasi seguenti:*

1. The sea separates Sicily from Italy. 2. Aetna (**L'Etna**) is the largest volcano in Europe. It is always covered with snow. 3. They are not at home; they probably went to the movies. 4. We try to see them once a week. 5. Those university students would have told us what to do. 6. It probably is a beautiful raincoat, but I do not like it. 7. During that race it is better to stay home. 8. I wanted to address her with "tu," but I couldn't. 9. This mask was made by that dressmaker. 10. Evidently in this city people do not eat before eight o'clock. 11. At Carnival (time) one does many things that one does not do during the year. 12. She was telling me that it was windy outside, but I could not hear what she was saying. 13. We took my younger brother to see the fireworks. 14. It is not the best book, but it is not the worst. 15. Many years ago they came to Assisi in order to visit the church of Saint Francis.

IX. *Scrivete frasi originali per ciascuna di queste espressioni* (Write original sentences for each of the following expressions).

1. a poco a poco. 2. essere raffreddato. 3. dare del tu. 4. sarebbe l'ora! 5. fare caldo. 6. in punto.

Giotto: Gesù Cristo deposto dalla croce. Questo è uno dei trentotto affreschi di Giotto che rappresentano la storia della Redenzione nella Cappella degli Scrovegni a Padova.

Botticelli: La Nascita di Venere, la Testa, particolare (Firenze, Galleria degli Uffizi)

LE ARTI FIGURATIVE

Le arti figurative sono fiorite in Italia in ogni secolo della sua lunga storia. Gli antichi Romani, che avevano ereditato la civiltà artistica degli Etruschi e dei Greci, crearono delle grandiose opere architettoniche, alcune delle quali hanno resistito al tempo: il Colosseo, l'Arco di Tito, la statua equestre dell'imperatore Marco Aurelio, e molte altre.

Ma è soprattutto agli artisti del Rinascimento che l'Italia deve la sua fama di madre delle arti figurative. Nel secolo quattordicesimo troviamo i pittori Cimabue e Giotto a Firenze, e Duccio e Simone Martini a Siena. Nel secolo quindicesimo troviamo l'architetto Filippo Brunelleschi, lo scultore Donatello, e i pittori Masaccio, Fra Angelico, Piero della Francesca e Sandro Botticelli in Toscana, e Giovanni Bellini nel Veneto. Nel secolo sedicesimo ci sono Leonardo da Vinci, Michelangelo Buonarroti e Benvenuto Cellini in Toscana, Raffaello Sanzio a Urbino, e Giorgione, Tiziano, Paolo Veronese e Andrea Palladio nel Veneto. Il Palladio è una figura d'interesse speciale per gli Americani perché il suo stile architettonico, detto palladiano, ebbe un grande influsso sull'architettura americana del secolo diciottesimo: basterà ricordare Monticello, la casa di Thomas Jefferson in Virginia.

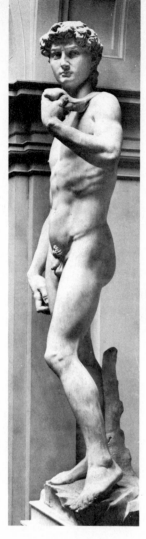

Michelangelo: Il David

Palladio. La Villa Rotonda (Vicenza)

Bernini: Apollo e Dafne

Troppi sono i nomi, e ci limiteremo a segnalare il nome di Lorenzo Bernini e del* Caravaggio nel secolo diciassettesimo, e di Gian Battista Tiepolo e di Giacomo Canova rispettivamente nel diciottesimo e nel diciannovesimo secolo.

La grande tradizione delle arti figurative è viva nel nostro secolo in Italia con architetti come Pier Luigi Nervi, pittori come Giorgio de Chirico, Amedeo Modigliani e Giorgio Morandi, e scultori come Giacomo Manzù e Marino Marini.

* Surnames, when used alone are sometimes preceded by the definite article.

Vocabolario

l' **architetto** architect
architettonico architectural
l' **arco** arch
la **civiltà** civilization
creare to create
la **croce** f. cross
Dafne f. Daphne
deposto (*from* **deporre**) deposed, descended
deve (*from* **dovere**) owes
equestre equestrian
ereditare to inherit
la **fama** fame

la **figura** figure
figurativo visual
fiorire to flourish
l' **influsso** influence
l' **interesse** m. interest
limitarsi to limit oneself
Marco Aurelio Marcus Aurelius
l' **opera** work
Padova Padua
palladiano Palladian
il **particolare** m. detail
il **pittore** m. painter

la **Redenzione** f. Redemption
resistere al tempo to withstand the passing of time
rispettivamente respectively
rotondo round
lo **scultore** m. sculptor
segnalare to single out
lo **stile** m. style
Tito Titus
Venere f Venus
vivo alive

LE ARTI FIGURATIVE

ALLA SPIAGGIA

I corsi di primavera erano finiti da qualche giorno, e Barbara e Anna volevano andare a passare una settimana al mare. Ma dove? Barbara voleva andare a una spiaggia lungo la Riviera: Alassio, Portofino, Rapallo, non importava dove. Anna, invece, preferiva una spiaggia
5 sul Mare Adriatico: Rimini, Riccione, Senigallia... «Perché non andiamo al Lido di Venezia?» disse un giorno. Ma Barbara era già stata a Venezia, e avrebbe preferito andare in un posto nuovo. Quando Enzo domandò loro dove contavano di andare, le ragazze gli dissero che non avevano ancora deciso niente. «Perché non andate a Riccione?
10 È così bella!» disse Enzo. «C'è un mare meraviglioso, e una spiaggia incantevole.» E così fecero. Un bel giorno comprarono due biglietti di seconda e andarono a Riccione. Dato che dovevano passare per Bologna, si fermarono in quella simpatica città, dove c'è un'università famosa in tutto il mondo. L'università di Bologna è la più
15 antica università d'Europa: fu fondata nel 1076. Quando arrivarono a Riccione era già tardi e andarono subito a una pensione che era stata raccomandata loro da Enzo.

La mattina seguente il tempo era incantevole; si alzarono presto e dopo la prima colazione andarono sulla spiaggia. Parlarono di tante
20 cose, e dissero anche quel che segue.

ANNA: Questo è un bel posto, Barbara. Sdraiamoci qui.
Per il momento non c'è gente, ma più tardi vedrai che folla! Che fai?

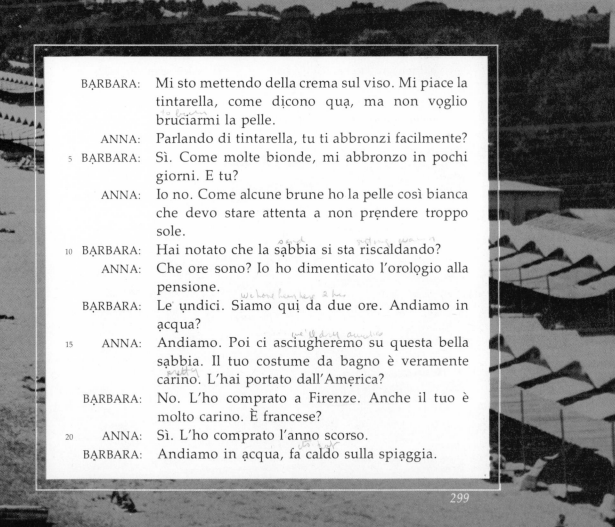

BARBARA:	Mi sto mettendo della crema sul viso. Mi piace la tintarella, come dicono qua, ma non voglio bruciarmi la pelle.
ANNA:	Parlando di tintarella, tu ti abbronzi facilmente?
5 BARBARA:	Sì. Come molte bionde, mi abbronzo in pochi giorni. E tu?
ANNA:	Io no. Come alcune brune ho la pelle così bianca che devo stare attenta a non prendere troppo sole.
10 BARBARA:	Hai notato che la sabbia si sta riscaldando?
ANNA:	Che ore sono? Io ho dimenticato l'orologio alla pensione.
BARBARA:	Le undici. Siamo qui da due ore. Andiamo in acqua?
15 ANNA:	Andiamo. Poi ci asciugheremo su questa bella sabbia. Il tuo costume da bagno è veramente carino. L'hai portato dall'America?
BARBARA:	No. L'ho comprato a Firenze. Anche il tuo è molto carino. È francese?
20 ANNA:	Sì. L'ho comprato l'anno scorso.
BARBARA:	Andiamo in acqua, fa caldo sulla spiaggia.

Vocabolario

NOUNS

la **bionda** blonde (*woman*)
la **bruna** brunette (*woman*)
la **cabina** cabin, cabana
il **costume da bagno** bathing suit
la **crema** cream, lotion
la **folla** crowd
il **Mare Adriatico** Adriatic Sea;
    al mare at (to) the sea-side
la **pelle** skin
il **posto** place, spot
la **sabbia** sand
la **spiaggia** beach
il **viso** face

ADJECTIVES

adriatico Adriatic
seguente following

VERBS

abbronzare to tan (*by the sun*)

asciugare to dry
bruciare to burn
contare (di) to plan (to)
decidere di + *inf.* to decide to;
    (*p.p.* **deciso**)
fondare to found
riscaldare to heat; to get warm
sdraiarsi to lie down, stretch out
tuffarsi to dive

OTHERS

bisogna it is necessary, one must

IDIOMS

andare in acqua to go in the water
prendere la tintarella to get a tan,
    to tan
stare attento (a) to be careful (to)
si vede? can you tell?

Bologna

GRAMMATICA

I. Il gerundio (The Gerund)

The gerund is formed by adding **-ando** to the stem of the verbs of the first conjugation and **-endo** to the stem of the verbs of the second and third conjugations.

parl-are:	**parl-ando**	speaking
ripet-ere:	**ripet-endo**	repeating
cap-ire:	**cap-endo**	understanding
avere:	**avendo**	having
essere:	**essendo**	being

II. Il gerundio passato (The Past Gerund)

avendo	parlato ripetuto capito avuto	having	spoken repeated understood had
essendo	arrivato (-a; -i; -e) stato (-a; -i; -e)	having	arrived been

NOTE: The gerund is invariable; however, in the past gerund the past participle may change according to the rules given for the agreement of past participles. (See Lesson 10, section II.)

III. Usi del gerundio (Uses of the Gerund)

(1) It is used to translate the English present participle in -*ing*, whenever the latter has a verbal function. (For the translation of the gerund in the function of a noun, see Lesson 35, II.)

Camminando per la strada incontrai Luisa.

Walking down the street I met Louise.

(2) It is used to render the English gerund (also in *-ing*) preceded by the prepositions *while, on, in, by.*

Impariamo **studiando.**	We learn *by studying.*
Scherzando disse la verità.	*(In) joking* she said the truth.

(3) It is used with **stare** to express an action in progress.

Stiamo studiando una nuova lezione.	*We are studying* a new lesson.
Stavo mangiando quando Anna arrivò.	*I was eating* when Ann arrived.

(4) Conjunctive and reflexive pronouns follow the gerund and, except for **loro,** which is written separately, are attached to the verb.

Guardandola, l'ho riconosciuta.	*While looking at her,* I recognized her.
Essendosi tuffati, incominciarono a nuotare.	*Having dived,* they began to swim.

IV. Uso idiomạtico del presente e dell'imperfetto (Idiomatic Present and Past)

(1) As we saw (Lesson 15, III) the present indicative is used to indicate an action or a state which began in the past and is still going on.

Sono due anni che non ci vediamo (*or:* Non ci vediamo da due anni).	We haven't seen each other for two years.
Sono molti mesi che Bạrbara è a Firenze (*or:* Bạrbara è a Firenze da molti mesi).	Barbara has been in Florence many months.

(2) Likewise, the imperfect followed by the preposition **da** is used to indicate that an action or a state, which had begun in the past, was still going on at a certain time.

Quando l'ho conosciuto studiava l'italiano da un anno (*or:* era un anno che studiava l'italiano).	When I met him he had been studying Italian one year.

| Quando la vedemmo, Barbara era a Firenze da qualche mese (*or:* era qualche mese che Barbara era a Firenze). | When we saw her, Barbara had been in Florence a few months. |

V. Uso speciale del pronome riflessivo (Special Use of the Reflexive Pronoun)

The reflexive pronouns are used instead of the English possessive with parts of the body or one's clothing.

| **Mi** metto **la cravatta.** | *I am putting on my tie (lit.* To myself I put on the tie.) |
| **Si** è lavato **le mani.** | *He* washed *his hands (lit.* To himself he washed the hands.) |

In some cases where possession is clearly implied the definite article instead of the possessive or reflexive is used.

Alzò **la** mano.	He raised *his* hand.
Hanno perduto **il** padre.	They have lost *their* father.
Preferisce **la** nonna **al** nonno.	She prefers *her* grandmother to *her* grandfather.

VI. Passato remoto di: dire, fare

dire *to say, to tell*

Dissi che non era vero. *I said it wasn't true.*

dissi	I said, I told, *etc.*
dicesti	
disse	
dicemmo	
diceste	
dissero	

fare *to do, to make*

Feci una passeggiata. *I went for a walk.*

feci	I did, I made, *etc.*
facesti	
fece	
facemmo	
faceste	
fecero	

ESERCIZI   A. *Studiate il passato remoto di* **dire** *e di* **fare**. *Ripetete facendo i cambiamenti indicati.*

  a.   *Anna disse* che *l'avrebbe* fatto e lo *fece*.
       dissi   dicesti   disse   dicemmo   dissero   diceste
       1. io   2. tu   3. lui   4. noi   5. loro   6. voi

  b.   *Io feci* colazione in albergo ma non te lo *dissi*.
       fece   facemmo   fece   fecero
       1. Alberto   2. noi   3. Barbara   4. loro

  c.   Lo *facesti* ma non ne *parlasti*.
       fece   fecero   feci   faceste   facemmo
       1. Lei   2. Loro   3. io   4. voi   5. noi
       parlò   parlarono   parlai   parlaste   parlammo

  B.   *Studiate il gerundio. Mettete le frasi seguenti al gerundio.*

  a.   ESEMPIO: Mentre *camminavo* sulla spiaggia incontrai
           Maria.

           Camminando sulla spiaggia incontrai Maria.

       1. Mentre lo *guardavo* notai che faceva lo spiritoso.
       2. Mentre *si abbronzava* Anna si era bruciata la pelle.
       3. Ascoltavamo la radio mentre *scrivevamo*.   4.
       Quando *visitava* il museo si fermava spesso per
       guardare.   5. Dato che non mi *conosceva* bene mi dava
       del Lei.   6. Dato che *era* vecchio camminava piano.
       7. Poiché (since) *andavamo* in acqua tutti i giorni
       imparammo a nuotare.

  b.   ESEMPI: {*Imparo* una nuova regola.
            {Sto imparando una nuova regola.

            {*Imparavo* una nuova regola.
            {Stavo imparando una nuova regola.

       1. L'acqua *si riscalda*.   2. Maria *si abbronzava* al sole (in
       the sun).   3. Quando lo vidi *andava* in acqua.   4. Ci
       asciughiamo al sole.   5. *Mi mettevo* della crema.   6.
       Guardalo, *si tuffa!*   7. Quando arrivai, *si asciugava*.
       8. Olga *prende* la tintarella al sole.

  C.   *Studiate l'uso idiomatico dell'imperfetto indicativo. Cambiate le frasi seguenti com'è indicato nell'esempio.*

       ESEMPIO: Sono tre anni che parlo italiano.
           Erano tre anni che parlavo italiano.

1. È un'ora che fa lo spiritoso. 2. Sta studiando da un'ora. 3. Abitano in Arizona da cinque mesi. 4. È un anno che non mi scrivono. 5. Sono tre anni che non mi telefonano. 6. Sta parlando al telefono da più di mezz'ora.

D. *Studiate l'uso idiomatico del pronome riflessivo. Ripetete facendo i cambiamenti indicati.*

a. *Prima di uscire io mi metto* il cappello (*hat*).
   1. tu 2. noi 3. Lei 4. voi 5. loro

b. *Luisa si è lavata* i capelli (*hair*) *e poi ha fatto* colazione.
   1. io 2. noi 3. voi 4. lui 5. loro

c. *Carlo alzò la mano e poi parlò.*
   1. io 2. Lei 3. voi 4. noi 5. loro

d. *Mio zio ha perduto* i capelli.
   1. Io . . . il cappello. 2. Luisa . . . un dente (*tooth*).
   3. Loro . . . l'ombrello (*umbrella*). 4. Voi . . . la testa (*head*).

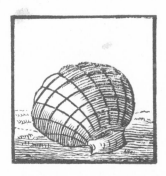

E. *Traducete in italiano:*

1. Speaking of Italy and the sea, we saw in the reading for today that two young ladies whom we know very well went to Riccione on the Adriatic Sea. 2. They had been in Florence several months and they wanted to go and **(a)** dive into **(in)** the wonderful waters of the Adriatic Sea. 3. "Wouldn't it be better to go along the Riviera?" said Barbara. 4. Certainly, I would like to spend one week at Viareggio, one week at Portofino, and a few days at Alassio. But we haven't either the time or the money.

5. You are right. Let us ask (*it to*) Enzo. There he is **(Eccolo là),** he is talking to that blond woman. 6. And so they asked their friend Enzo, who told them to **(di)** go to Riccione. 7. They wanted to leave the following day, but it was raining, and they waited until the following Sunday. 8. Going to Riccione, they passed through Bologna, and they stopped for a few hours. 9. They visited the old university and other interesting places. 10. Barbara wanted to (*and did*) see also the two leaning towers of Bologna. 11. The following day they spent the whole morning on the beach. Barbara put on (*to put on,* **mettersi**) her green bathing suit, and Anna put on her red bathing suit. 12. Near them there was a young woman who was wearing a green bathing suit. 13. "What a beautiful tan she has!" said Anna looking at her. 14. "Would you like to have a tan like hers?" asked Barbara. 15. Yes, but my skin is too white, and I never get a tan (use **abbronzarsi**). Look at me! But I like the sun. I already feel better. Now I want to sleep for a while **(un po').** You may swim, if you want.

Riccione

Qui sulla spiaggia fa molto caldo, andiamo in acqua.
Stia attento, l'acqua è molto calda.

CONVERSAZIONE   *Rispondete alle domande seguenti:*

1. Dove volevano andare Barbara e Anna? 2. Perché decidono di andare a Riccione? 3. Andarono a Riccione senza fermarsi? 4. Che cosa c'è a Bologna? 5. Quando fu fondata l'Università di Bologna? 6. Lei sa, signor—quando fu fondata la nostra università (scuola)? 7. Quando andarono sulla spiaggia le due amiche? 8. C'era molta gente quando arrivarono? 9. Perché non si abbronza facilmente Anna? 10. Perché non sapeva che ora era Barbara? 11. Da quanto tempo erano sulla spiaggia quando sono andate in acqua? 12. C'è una spiaggia vicino alla nostra città? 13. Le piace andare al mare? 14. C'è solamente la spiaggia di Riccione sul Mare Adriatico?

30 CENA D'ADDIO

BARBARA: A che ora parte il treno?

ANNA: Non sono sicura, ma credo che parta alle dieci e venti.

BARBARA: Benissimo. Ho ancora tempo di fare il bagno.

5 ANNA: Sì, ma sbrigati. Nel frattempo vado a pagare il conto per la camera e comprerò un giornale e un paio di riviste.

10 *Le due signorine stanno per lasciare Riccione. È stata una vacanza meravigliosa, una settimana magnifica; e le ragazze non dimenticheranno facilmente il cielo azzurro e il bel mare di quella spiaggia. Ma ora è necessario che ritornino a Firenze per fare le valige e per salutare gli amici. Il loro soggiorno in Italia sta per finire e hanno* 15 *deciso di passare le ultime settimane visitando Roma e qualche città dell'Italia meridionale.*

Alla stazione di Firenze le aspettano Enzo e Giovanni.

ENZO: Ben tornate! Vi siete divertite?

ANNA: Tanto! Che bel posto—voglio as-
20 solutamente ritornarci un giorno.

GIOVANNI: Spero che vi siate riposate.

BARBARA: Sì, ma ora bisogna fare tante cose.

ENZO: Andate subito alla pensione?

BARBARA: Sì, ma prima bisogna che mi fermi
25 all'American Express—sono ritornata senza un soldo e devo

riscuotere un assegno. Credo che il
dollaro sia leggermente salito.

GIOVANNI: Prendiamo un tassì allora! Quando avete deciso di partire da Firenze?

BARBARA: Domani mattina. Sembra impossibile che questo sia il mio ultimo giorno a Firenze!

ENZO: Sarà meglio non pensarci.

ANNA: È vero! A proposito, è ritornato il professor Bianchi?

GIOVANNI: Non credo che sia ancora ritornato.

ENZO: No. Ed ho paura che non ritornerà fino alla settimana ventura.

ANNA: Peccato! Mi sarebbe piaciuto rivederlo. Ad ogni modo, mi raccomando, Enzo, voglio che tu lo saluti da parte mia.

ENZO: Non ti preoccupare, lo farò!

ANNA: E saluta anche sua moglie e sua figlia. Sono tanto gentili!

Il tassì è ormai arrivato all'American Express.

GIOVANNI: Allora noi vi lasciamo qui—ci rivedremo stasera per la cena d'addio.

BARBARA: Alle otto, è vero?

GIOVANNI: Sì, ciao.

ANNA, BARBARA, ENZO: Ciao!

Vocabolario

NOUNS

il **bagno**   bath
la **camera**   room, bedroom
il **cielo**   sky, heaven
il **figlio**   son
la **moglie**   wife
il **paio** (*pl.* **le paia**)   pair
il **soggiorno**   sojourn, stay
la **vacanza**   vacation
   essere (andare) in vacanza   to
   be (go) on [a] vacation

VERBS

preoccuparsi   to worry
raccomandarsi   to beg; **mi
  raccomando!**   I beg of you! don't
  forget!
riposarsi   to rest
sperare†† (**di** + *inf.*)   to hope

ADJECTIVES

azzurro   blue
impossibile   impossible
meridionale   southern

OTHERS

addio   goodbye; **cena d'addio**
  farewell supper
assolutamente   absolutely
leggermente   slightly
tanto   so, so much

IDIOMS

ad ogni modo   at any rate
da parte mia (tua, sua, *ecc.***),**   on
  my (your, his, etc.) behalf
fare il bagno   to take a bath
fare le valige   to pack

GRAMMATICA

I. Il congiuntivo presente (The Present Subjunctive)

(1) The present subjunctive of the model verbs:

parlare *to speak*

Vuole che (io) parli piano. *She wants me to speak softly.*

parl-i	I (may) speak, *etc.*
parl-i	
parl-i	
parl-iamo	
parl-iate	
parl-ino	

ripetere *to repeat*

È necessario che (io) lo ripeta. *It is necessary that I repeat it.*

ripet-a	I (may) repeat, *etc.*
ripet-a	
ripet-a	
ripet-iamo	
ripet-iate	
ripet-ano	

dormire *to sleep*

Dubitano che (io) dorma. *They doubt that I will sleep.*

dorm-a	I (may) sleep, *etc.*
dorm-a	
dorm-a	
dorm-iamo	
dorm-iate	
dorm-ano	

capire *to understand*

Maria non crede che (io) capisca. *Mary doesn't believe I understand.*

cap-isca	I (may) understand, *etc.*
cap-isca	
cap-isca	
cap-iamo	
cap-iate	
cap-iscano	

(2) **Il congiuntivo presente di avere e essere**

avere *to have*

Non sanno che (io) abbia il libro. *They do not know I have the book.*

abbia	I (may) have, *etc.*
abbia	
abbia	
abbiamo	
abbiate	
abbiano	

essere *to be*

Pensa che (io) sia ammalato (-a). *He thinks that I am ill.*

sia	I (*may*) be, *etc.*
sia	
sia	
siamo	
siate	
siano	

(3) **Il congiuntivo passato** (The present perfect subjunctive)

(a) **avere parlato (ripetuto, avuto,** etc.**)** *to have spoken (repeated, had, etc.)*

Crede che (io) le abbia parlato. *He believes I have spoken to her.*

abbia parlato   I (may) have spoken, *etc.*
ạbbia parlato
ạbbia parlato

abbiamo parlato
abbiate parlato
ạbbiano parlato

(b) **ẹssere andato (-a) (partito, stato,** etc.**)** *to have gone (left, been, etc.)*

Hanno paura che (io) sia andato (-a) via. *They are afraid I have gone away.*

sia andato (-a)   I (may) have gone, *etc.*
sia andato (-a)
sia andato (-a)

siamo andati (-e)
siate andati (-e)
sịano andati (-e)

The subjunctive ordinarily is used only in a subordinate clause introduced by **che.** It usually expresses an action, an event, or a state which is not positive or certain, but uncertain, doubtful, desirable, possible, or merely an opinion. Since the 1st, 2nd, and 3rd person singular are identical in form, the subject pronoun is usually used with these persons to avoid ambiguity.

II. Usi del congiuntivo (Uses of the Subjunctive)

(1) With impersonal verbs, the subjunctive is used in a subordinate clause after an impersonal expression implying doubt, necessity, possibility, desire, or emotion.

    È **necessạrio** che **Lei capisca.**   *It is necessary that you understand.*
    È **possịbile** che **io parta.**   *It is possible that I may leave.*

Impersonal expressions which are positive assertions do not require the subjunctive.

    È **vero** che è quị.   *It is true that he is here.*

If the subordinate clause has no subject the infinitive is used instead of the subjunctive.

È importante **arrivare** presto. It is important *to arrive* early.

BUT

È importante che **io arrivi** presto. It is important that *I arrive* early.

(2) The subjunctive is also used in subordinate clauses after a verb expressing *wish, command, belief, doubt, hope, ignorance, emotion* (namely, after such verbs as: **desiderare, volere, pensare, credere, dubitare** (*to doubt*), **sperare** (*to hope*), **non sapere, avere paura,** *etc.*).

Desidero che Lei legga questo libro. *I wish you to read* this book.

Non voglio che tu le **parli.** *I don't want you to speak* to her.

Credo che piova. *I believe it is raining.*

Dubito che mi **abbia sentito.** *I doubt* that *he has heard* me.

Non so se **siano** cugini. *I do not know* whether *they are* cousins.

Ho paura che **abbia venduto** l'automobile. *I am afraid* he *has sold* the car.

(a) If the verb in the dependent clause expresses a future idea, or action, the future tense may be used instead of the subjunctive, *but not for verbs expressing wish or command.*

Credo che **verrà** domani. I think *he will come* tomorrow.

Siamo contenti che **partirà.** We are glad *he will leave.*

BUT

Voglio che ritornino domenica prossima. *I want them to return* next Sunday.

(b) If the subject of the main clause and of the dependent clause is the same, the infinitive or perfect infinitive is used instead of the subjunctive.

Voglio vederlo.	*I want to see him.*
Ha paura di essere malato.	*He is afraid he is sick.*
Credono di avere letto la sua lettera.	*They believe they have read his letter.*
Speriamo di vederlo a Roma.	*We hope to see him in Rome.*
Pensano di partire domani.	*They are thinking of leaving tomorrow.*

ESERCIZI   A. *Studiate le forme e l'uso del congiuntivo* (subjunctive). *Ripetete facendo i cambiamenti indicati.*

(1) a. È impossibile che *io lo veda* prima di domani.
    1. tu 2. noi 3. Lei 4. Loro 5. voi

  b. È necessario che *Lei gli parli* subito.
    1. noi 2. io 3. loro 4. tu 5. voi

  c. È impossibile *studiare* sulla spiaggia.
    1. leggere 2. scrivere 3. telefonare 4. ascoltare la radio

(2) a. La porta è chiusa, credo che *Maria dorma.*
    1. voi 2. essi 3. i miei amici 4. tu

  b. *La porta è chiusa,* ho paura che *Maria sia uscita.*
    1. i miei amici 2. Giovanni 3. essi 4. voi

  c. Speriamo che *il treno arrivi* prima delle quattro.
    1. i miei zii 2. Giorgio 3. Giorgio e Anna 4. voi
    5. tu 6. Lei

  d. Non sai tu se *io sia* italiano?
    1. lei 2. loro 3. voi 4. essi

  e. Voi dubitate che *io parli* bene l'inglese.
    1. lei 2. essi 3. Giovanni 4. noi

  f. *Lei crede* che studiando il francese *io abbia dimenticato* lo spagnolo.
    1. tu . . . essi 2. voi . . . Maria 3. io . . . loro
    4. noi . . . voi

(3) a. Siamo contenti che *arriveranno* lunedì.
   1. tu   2. Lei   3. voi   4. Enzo e Dino

   b. Credo che *farà* le valige prima di partire.
   1. loro   2. voi   3. noi   4. Maria

B. *Traducete in italiano le parole fra parentesi.*

1. Spera che noi (*understand*).   2. È importante (*to finish*).
3. Ho paura che sua moglie (*does not speak Italian*).   4.
Giovanni non vuole (*to come*).   5. Non credono che noi
(*have done it*).   6. Non importa che voi (*are not there*).
7. Vogliono che tu (*change the money*) domani.   8. È vero
che Lei (*are late*).   9. Non so se loro (*have spoken to him*).
10. Carlo è contento che tu (*have telephoned him*).   11.
Spera che voi (*have understood*).   12. È contento che Lei
(*telephone him*).   13. Ho paura che sua moglie (*has not
understood.*)   14. Sperano (*to meet her*) a Roma.   15. Maria
non desidera (*to return*) all'università.   16. Credo che loro
(*will return*) prima di domenica.   17. Dubito che (*he has
learned*) a parlare italiano.   18. Non voglio assolutamente
che tu (*speak to her*).   19. È necessario che io (*sleep*).
20. È possibile che io (*made*) uno sbaglio (*mistake*).   21. È
vero che loro (*returned*) presto.   22. È importante (*to understand*) le ragioni.   23. Pensiamo che tu (*have rested*)
stamani.   24. Ha paura che essi (*be*) in vacanza.   25.
Vuoi che loro (*stop*) qui per qualche giorno?

C. *Traducete in italiano:*

1. I want you to be at the farewell supper for the two foreign girls.   2. I am sorry but I cannot come; I am leaving
this afternoon for a vacation.   3. Too bad that you will
not be there. At any rate I will say good-bye to (**salutare**)
them on your behalf.   4. Thank you! Are they leaving tomorrow?   5. No, I don't think (so). I believe they are re-
maining in Italy for two weeks.   6. Then, I will see them
again; I want to return to Florence next week.   7. But they
are leaving (**partire da**) Florence; they are going to visit
several cities of southern Italy.   8. Too bad. It seems impossible that they have been here eight months.   9. Such

is life! By the way, tell (speak to) me about (**di**) your vacation.   10. I want it to be a wonderful vacation, a magnificent week.   11. Where are you going, to Viareggio?   12. Oh, no! To Riccione on the Adriatic—the sea is always blue and the sky always clear there.   13. It is a beautiful spot for a short sojourn. Are you going to a pension?   14. I don't know; I hope to find a room near the beach.   15. A friend of mine has a daughter who lives in Riccione; perhaps she can help you.

DA IMPARARE A MEMORIA

Tu va' a comprare i biglietti; nel frattempo io farò le valige.

Se vedi Lorenzo, salutalo da parte mia.

Non c'è acqua calda e io non voglio fare il bagno freddo.

Non so quando ritornerò, ad ogni modo ti telefonerò.

CONVERSAZIONE

Rispondete alle domande seguenti:

1. Dov'è Riccione?   2. Si sono divertite Barbara e Anna al mare?   3. Perché è necessario che ritornino a Firenze?   4. Chi le aspetta alla stazione?   5. Perché Barbara vuole fermarsi all'American Express?   6. Chi avrebbe voluto rivedere Anna prima di lasciare Firenze?   7. A che ora ha avuto luogo la cena d'addio?   8. Dove passeranno le ultime settimane in Italia le due amiche?   9. Sa Lei il nome di una città importante dell'Italia meridionale?   10. Sono contente le signorine di lasciare l'Italia?   11. Lei va spesso al mare? Dove?   12. Dov'è l'Adriatico?   13. Legge il giornale ogni giorno Lei? Quale?   14. A che ora partiva il treno delle due amiche?

31 VIAGGIO IN AUTOBUS

Barbara e Anna sono partite stamani presto in autobus per Roma. È un viaggio piuttosto lungo che richiederà tutta la giornata. Ieri sera hanno salutato tutti gli amici, eccetto Giovanni e Enzo, i quali le raggiungeranno più tardi a Roma qualche giorno prima della loro partenza dall'Italia.

5   Sono le tre del pomeriggio e l'autobus corre per la campagna a sud di Assisi. Prima di Assisi l'autobus ha fatto due fermate, una ad Arezzo e una a Perugia. Ad Arezzo, che non è molto lontano da Firenze, le ragazze hanno potuto vedere i begli affreschi di Piero della Francesca
10   (1410–1492) che sono nella chiesa di San Francesco. A Perugia, dove sono arrivate verso mezzogiorno, hanno avuto il tempo di mangiare in un piccolo ristorante e di fare un breve giro per la città. Sono anche andate a vedere la grande fontana nella piazza principale e il gran palazzo dove c'è l'Università per Stranieri, poiché anche
15   Perugia ha un famoso centro di studi per gli stranieri. Infatti, la sorella maggiore di Anna ha studiato a Perugia. Dopo Perugia l'autobus s'è fermato per quasi un'ora ad Assisi, e i passeggieri sono andati a visitare la bellissima chiesa di San Francesco dove una guida ha fatto vedere loro i famosi affreschi di Giotto. Ora l'autobus corre
20   velocemente verso la capitale, e le due ragazze continuano a conversare.

BARBARA: Quest'autobus è assai comodo. Io credo che in

Italia alcuni autobus siano più comodi dei treni. Questo ha anche l'aria condizionata.

ANNA: Hai ragione ma il treno è più veloce. Scusa, ma ieri ti sei lavata i capelli?

5 BARBARA: No. Avrei potuto lavarli io, ma me li sono fatti lavare dal parrucchiere. L'acqua di mare e il sole me li avevano rovinati.

ANNA: Hai ragione. Io me li farò lavare a Roma. Dimmi, hai comprato dei cioccolatini a Perugia?

10 BARBARA: Sì. Eccoli, ne vuoi?

ANNA: No, non li voglio mangiare adesso. Volevo saperlo perché so che sono ottimi.

BARBARA: Dove ci fermeremo a Roma? Giovanni mi ha dato l'indirizzo di due pensioni e di un buon

15 albergo di seconda categoria.

ANNA: Non so che cosa dirti. In ogni modo, non ti preoccupare. Ci fermeremo all'albergo; è vicino a Piazza Navona.

BARBARA: Prenderemo un tassì. Io non so proprio dove sia

20 Piazza Navona.

ANNA: Eccoci a Roma! Vedi fra quegli alberi la cupola di San Pietro?

BARBARA: Meno male! È stato un viaggio piuttosto lungo.

NOUNS

Arezzo *f.* *a city east of Florence*

Assisi *f.* *a small town in Central Italy, birthplace of Saint Francis*

la **campagna** country, countryside

il **capello** hair (*In Italian one refers to "hair" in the plural: He has black hair* **Ha i capelli neri.**)

la **capitale** capital

la **categoria** category, class

il **cioccolatino** chocolate candy

la **fontana** fountain

Francesco Francis

la **guida** guide

il **parrucchiere** hairdresser, barber

il **passeggiero** passenger

Perugia *city in Central Italy*

Piazza Navona *a large square in central Rome*

Pietro Peter; **San Pietro** *Saint Peter's Church in Rome*

Villa Borghese Borghese Gardens, *a large park in Rome*

ADJECTIVES

largo wide
principale main
veloce fast, speedy

VERBS

conversare†† to converse, chat
fare vedere to show
raggiungere to join
richiedere to require
rovinare to ruin
scegliere to choose

OTHERS

adesso (*synonym of* **ora**) now
a sud di south of
piuttosto rather
poiché since

IDIOMS

ha l'aria condizionata is air conditioned
meno male it's a good thing

Perugia

GRAMMATICA

I. **Il verbo <u>fare</u> con l'infinito** (The Verb **fare** with a Dependent Infinitive)

(1) The verb **fare** followed by an infinitive indicates that the action is carried out by someone else, namely, it translates the English *to have something done.* Thus, **fare** + INFINITIVE + NOUN = *to have* + NOUN + PAST PARTICIPLE.

Faccio tradurre una poesia.	*I am having* a poem *translated.*
Facciamo pulire la casa.	*We are having* the house *cleaned.*
Fece lavare i capelli alla sua bambina.	*She had* her little girl's hair *washed.*

(2) **Fare** followed by an infinitive also translates *to have someone do something.* In this causal construction the conjunctive pronoun goes with **fare**.

Lo faccio cantare.	*I am having him* sing.
La faremo venire a casa nostra.	*We will have her* come to our house.
Le ho telefonato per **farla** venire.	I telephoned her to *have her* come.

In this construction if there are two objects, the <u>thing</u> is a direct object and the <u>person</u> an <u>indirect</u> object. Both follow the infinitive if they are nouns (the direct preceding the indirect), but precede **fare** if they are pronouns (except **loro** which always goes after the infinitive).

Farò leggere la **lezione a Maria.**	I will have *Mary* read *the lesson.*
Gliela faccio leggere.	I am having *her* read *it.*
L'abbiamo fatta leggere **loro.**	We had *them* read *it.*

When the action is done on behalf of the subject, the verb **fare** should be made reflexive.

Si fece lavare i capelli.　　　　　*She* had *her* hair washed.

(3)　Constructions such as "I will have John accompany me" are translated as if they were expressed in English "I shall have myself accompanied by John."

Mi farò **accompagnare da** 　　I will have *John accompany*
Giovanni.　　　　　　　　*me.*
Ci facciamo **lavare le camicie**　We are having *the maid wash*
dalla cameriera.　　　　　*our shirts.*

II.　Posizione dei pronomi congiuntivi (continued)

(1)　When an infinitive depends on **dovere, potere, volere** and **sapere** (which at times have a semi-auxiliary function), the conjunctive pronouns may either precede the conjugated verb or follow the infinitive.

Non **la** voglio **vedere** (*or:* Non　I do not want *to see her.*
voglio **vederla**).
Me lo deve **mostrare** (*or:*　He must *show it to me.*
Deve **mostrarmelo**).

(2)　The conjunctive pronouns are always attached to **ecco.**

Eccomi!　　　　　　　　Here I am!
Eccoli!　　　　　　　　Here they are!
Eccone due!　　　　　　Here are two of them!

III.　Il superlativo assoluto (The Absolute Superlative)

The absolute superlative, which translates the English adjective preceded by such adverbs as *very, extremely,* etc., is formed as follows:

(1)　By translating the English adverb with one of its Italian equivalents: **molto** or **assai** (*very*), **estremamente** (*extremely*), etc.

(2) By adding **-issimo (-a, -i, -e)** to the adjective after dropping its final vowel.

È una **bellissima donna.** ⎫
È una **donna molto bella.** ⎭   She is a *very beautiful woman.*

Adjectives in **-co** and **-go** add an **h** to the stem, and adjectives in **-cio** and **-gio** drop the **i** before **-issimo.**

La neve è **bianchissima.**   Snow is *very white.*
Il cielo è **grigissimo.**   The sky is *very grey.*

(3) **Buono** and **cattivo** have a regular and an irregular absolute superlative.

buono	good	**buonissimo** ⎫ ⎭ **ottimo**	very good
cattivo	bad	**cattivissimo** ⎫ ⎭ **pessimo**	very bad

IV. Futuro di <u>andare</u>, <u>dovere</u>, <u>potere</u>, <u>sapere</u>

andare *to go*

Domani andrò a Villa Borghese.   *Tomorrow I'll go to Villa Borghese.*

andrò   I will go, *etc.*
andrai
andrà

andremo
andrete
andranno

dovere *to have to, must*

Dovrò studiare di più.   *I will have to study more.*

dovrò   I will have to, *etc.*
dovrai
dovrà

dovremo
dovrete
dovranno

potere *to be able, can*

Non potrò restare. *I will not be able to stay.*

potrò	I will be able, *etc.*
potrai	
potrà	
potremo	
potrete	
potranno	

sapere *to know, know how*

Quando lo saprò? *When will I know it?*

saprò	I will know, *etc.*
saprai	
saprà	
sapremo	
saprete	
sapranno	

NOTE: In all four verbs the irregularity consists in the dropping of the initial vowel of the infinitive ending. The same, of course, holds true for the conditional: **andrei**, *etc.*; **dovrei**, *etc.*; **potrei**, *etc.*; **saprei**, *etc.*

ESERCIZI   A. *Imparate il futuro dei verbi irregolari* **andare, dovere, potere, sapere.**

Ripetete cambiando la forma del verbo indicato.

a. *Andrò* nello studio.
1. Lei 2. noi 3. tu 4. voi 5. Loro 6. lui

b. *Dovrai* scegliere un parrucchiere.
1. io 2. noi 3. lui 4. Lei 5. voi 6. Loro

c. Credi che *sapremo* scegliere?
1. loro 2. tu 3. lei 4. voi 5. io 6. lui

d. Nel frattempo *potrete* fare le valige.
1. io 2. noi 3. tu 4. lei 5. loro 6. Lei

B. *Studiate l'uso idiomatico del verbo* **fare.** *Ripetete le frasi seguenti facendo i cambiamenti indicati.*

a. *Si fa* lavare i capelli dal parrucchiere.
1. io 2. noi 3. tu 4. voi 5. loro

b. Gli *fece* mandare un libro.

1. Loro 2. voi 3. tu 4. noi 5. io

c. *Dovemmo* far lavare l'automobile.

1. io 2. tu 3. voi 4. loro 5. Lei

d. Lo *sa* dire correttamente.

1. noi 2. io 3. loro 4. voi 5. tu

e. Non *potrei* mai farlo.

1. noi 2. tu 3. voi 4. Lei 5. Loro

f. Il professore *mi* fece andare in biblioteca.

1. tu 2. Lei 3. voi 4. loro 5. Giovanni e Maria

g. Il professore *me la* fece ripetere tre volte.

1. tu 2. noi 3. voi 4. lei 5. essi

h. ESEMPIO: (io) aprire — la porta
    Faccio aprire la porta.

1. (tu) lavare — l'automobile. 2. (Maria) chiudere —
la finestra 3. (noi) farsi mandare — un libro. 4.
(loro) scrivere — una lettera. 5. (Barbara) farsi aprire
— la porta.

i. *Ripetete le frasi di «h» al futuro* (in the future tense).

j. *Ripetete le frasi di «h» al passato prossimo* (in the present
perfect).

k. ESEMPIO: Il maestro ha fatto cantare (*sing*) Anna.
    Il maestro l'ha fatta cantare.

1. Faremo venire Carlo a casa nostra. 2. Abbiamo
fatto lavare l'automobile. 3. Fece scrivere una lettera a
suo figlio. 4. Il professore faceva conversare gli studenti. 5. Farà vedere lo Scoppio del Carro.

l. ESEMPIO: Mi faccio lavare i capelli.
    Me li faccio lavare.

1. Si è fatta lavare i capelli. 2. Ci facciamo scrivere
una lettera. 3. Gli abbiamo fatto scrivere una lettera.
4. Mi sono lavato le mani. 5. Ci siamo fatti mandare
un libro. 6. Si farebbe scrivere la lettera a Roma.
7. Vi farete fare una cravatta. 8. Fece fare una cravatta
per suo padre.

C. *Studiate il superlativo assoluto* (absolute superlative). *Esprimete le parole in parentesi in un'altra maniera.*

1. La camera è (*molto*) comoda. 2. Questo treno è (*velocissimo*). 3. Era un libro (*estremamente*) interessante. 4. Il vino di questa regione è (*ottimo*). 5. Parlano di cose (*assai*) importanti. 6. Questo esercizio mi sembra (*molto*) semplice. 7. Abbiamo studiato una regola (*semplicissima*). 8. Quei cioccolatini erano veramente (*pessimi*).

D. *Traducete in italiano:*

1. One can go from Florence to Rome on the train, on the bus, or in an automobile. 2. There are two highways; one goes (**passare**) through Siena, the other through Perugia and Assisi. Both are extremely interesting, since all three cities are very beautiful. 3. When I go to Italy, I will visit these cities and many others. 4. I will not be able to go there in the summer because I am busy. It's better this way (*thus*), because in the spring it is not so hot. 5. The roads are not too wide, but they are very good, and many cars speed. 6. One of our friends is in Perugia now. This is his fourth trip to Italy, and he always goes to spend one or two weeks in Perugia. 7. Barbara and Anna went to Rome on the bus which goes through Perugia. 8. John had bought a present for Barbara but he did not want to give it to her yet. He said he would give it to her in Rome, before her departure. 9. The bus stopped at Perugia and Barbara and Anna went to visit the University for Foreign Students where Anna's oldest sister had studied the year before. 10. It is a very beautiful palace near the center of town. The girls did not know the address, however, and they had a boy accompany them. 11. At Assisi they went to see Giotto's frescoes in the church of Saint Francis. They were as beautiful as those they had seen in the church of Santa Croce in Florence. 12. Anna noticed that Barbara had had her hair washed. 13. Anna said that she would have her hair washed in Rome.

DA IMPARARE A MEMORIA

È un viaggio che richiederà tutta la giornata.
La guida ci ha fatto vedere degli affreschi famosi.
Non so proprio cosa dirti.
Meno male che siamo arrivati a tempo.

CONVERSAZIONE

Rispondete alle domande seguenti:

1. Quanto tempo richiede il viaggio da Firenze a Roma con l'autobus? 2. Che cosa avevano fatto la sera prima Barbara e Anna? 3. Per che cosa è famosa Perugia? 4. Che cosa fece vedere loro la guida ad Assisi? 5. E ad Arezzo che cosa avevano veduto? 6. Lei, signorina, conosceva il nome di questo artista? 7. Chi aveva studiato a Perugia? 8. Di che colore sono i Suoi capelli? 9. Di che colore sono i capelli della signorina alla Sua sinistra? 10. Lei ha un parrucchiere preferito? 11. Lei si lava i capelli da sé? 12. Perché Anna disse «eccoci a Roma»? 13. Perché Anna voleva sapere se Barbara aveva comprato dei cioccolatini? 14. Perché dovranno prendere un tassi?

32 UN GIRO PER ROMA

ANNA: Ed eccoci finalmente a Via Veneto. Ne ho sentito parlare tanto che mi sembra già di conoscerla. Quanti caffè! Quanti negozi!

BARBARA: Che ne pensi?

5 ANNA: È una delle strade più interessanti che abbia mai veduto. Lo sapevi che l'Ambasciata Americana è in quel bel palazzo vicino alla curva?

BARBARA: No. A dirti la verità non so nemmeno dove sia l'Ambasciata Francese.

10 *Le due ragazze sono a Roma da due giorni e sebbene abbiano poco tempo vogliono visitare almeno i posti più importanti. Hanno già veduto il Colosseo, Piazza Venezia, il Pantheon e oggi andranno alle Catacombe. Ora camminano a braccetto per Via Veneto.*

ANNA: Quello dev'essere il parco di Villa Borghese.

15 BARBARA: Già! Senti, prima di andarci perché non ci fermiamo a prendere un espresso?

ANNA: Sì. Ottima idea. Fermiamoci a questo bar.

BARBARA: Sediamoci qui fuori. Devo aggiustare la cinghia della mia borsa.

20 ANNA: Mi è sempre piaciuta quella borsetta.

BARBARA: Vorrai dire borsaccia — è vecchia e brutta, ma è comoda.

ANNA: (*sedendosi*) Dunque, vediamo un po' cosa dice la guida di Villa Borghese. — (*legge*): «Costruita nel Seicento dal Cardinale Scipione Borghese, nipote di Paolo V.»

BARBARA: Basta! Basta! Le guide non m'interessano. Andiamo.

Le due ragazze riprendono il cammino e benché il parco sia grandissimo, riescono a vederne una buona parte. Verso mezzogiorno sono
5 *al Pincio e stanno ammirando la veduta di Roma e di San Pietro.*

BARBARA: Credo che sia meglio ritornare all'albergo prima che andiamo alle Catacombe.

ANNA: Sì, sì. Io sono accaldata e voglio fare la doccia e poi riposare un'oretta.

10 BARBARA: Purché le Catacombe siano aperte nel pomeriggio.

ANNA: Sì! La guida dice che sono aperte fino alle cinque. Vedi che le guide servono a qualche cosa.

15 BARBARA: Sarà vero, ma non capisco come tu ti porti dietro un librone come quello; sembra un dizionario.

ANNA: Non è mica tanto grande — guarda, posso metterlo nella borsetta.

BARBARA: A proposito, io voglio rivedere la Cappella
20 Sistina. È l'unica cosa importante che abbia già veduta a Roma e che voglio rivedere.

ANNA: Secondo il nostro programma ci andremo quando ritorneremo da Napoli, fra quattro giorni.

25 *Le due ragazze si avviano verso un tassì che si è fermato all'angolo.*

Vocabolario

NOUNS

l' **ambasciata**   embassy
la **borsa**   purse, handbag
la **cappella**   chapel; **Cappella Sistina**   Sistine Chapel *in the Vatican*
il **cardinale**   cardinal
le **Catacombe**   Catacombs
la **cinghia**   belt
il **Colosseo**   Colosseum
la **curva**   curve
il **dizionario**   dictionary
la **guida**   guide, guidebook
il **nipote**   nephew
la **nipote**   niece
il **Pantheon**   Pantheon, *ancient Roman temple*
il **parco**   park
Piazza Venezia   *a square in Rome*
il **Pincio**   *a section of Villa Borghese*
il **programma**   program, plan
la **strada**   street, road
via Veneto   *a street in Rome*
la **verità**   truth

ADJECTIVES

accaldato   hot
aperto   open
unico   only, single

VERBS

aggiustare   to fix
costruire (isc)   to build
interessare††   to interest
riprendere   to take again; **riprendere il cammino**   to continue on one's way
riuscire (a plus *inf.*)   to succeed (*conjugated like* uscire *and with* essere)

OTHERS

dunque   well then
mica   at all (*with negatives*)
secondo   according to

IDIOMS

a dir(ti) la verità   to tell (you) the truth
fare la doccia   to take a shower, to shower
pensare (di plus *inf.*)   to think of, to have an opinion about
portarsi dietro   to carry around
sentire parlare di   to hear about
un'oretta   about an hour
volere dire   to mean, signify

Roma

GRAMMATICA

I. **Usi del congiuntivo** (continuazione) (Uses of the Subjunctive, *continued*)

The subjunctive is used in the following cases:

(1) After the relative superlative or the adjectives **unico, solo,** when the subordinate clause is introduced by **che** and other relatives.

È **il libro più interessante** che io **abbia letto.**	It is *the most interesting book I have read.*
È **l'unico (il solo) Italiano che io conosca.**	He is *the only Italian I know.*

(2) After the conjunctions: **affinché,** *so that, in order that;* **a meno che . . . non,** *unless;* **benché,** *although;* **sebbene,** *although;* **perché,** *in order that;* **prima che,** *before;* **purché,** *provided that;* **senza che,** *without.*

Lo comprerò **sebbene costi** troppo.	I will buy it *although it costs too much.*
Lo spiega **affinché lo capiscano.**	He explains it *so that they may understand it.*
Partiranno **purché non piova.**	They will leave *provided it does not rain.*
Parlo forte **perché mi senta.**	I am speaking loudly *so that he may hear me.*

II. I suffissi e il loro uso (Suffixes and Their Uses)

Italian is extremely rich in suffixes which, when added to a noun, an adjective, or an adverb (after the final vowel has been dropped), alter the meaning. The most common suffixes are:

-ino ⎫ denote smallness and, but not necessarily, affection
-etto ⎭   (*little, pretty, fairly, sweet, dear*).
-uccio denotes smallness and insignificance, and also affection.
-one   (f. **-ona**) implies bigness.
-accio indicates worthlessness, scorn.

Abitano in una **casetta**.	They live in a *little* (*pretty*) *house*.
Di chi è quel **librone**?	Whose *large book* is that?
Canta **benino**.	She sings *fairly well*.
Quella ragazza è **bellina**.	That girl is *rather pretty*.
Carluccio.	*Dear Charles*.
È una **pennaccia** che non scrive mai bene.	It is a *terrible pen* that never writes well.

In general a noun modified by a suffix retains the original gender. However, in certain instances, a feminine noun is made masculine by the addition of a suffix.

una tavola	*a* table	**un** tavolino	*a little* table
una finestra	*a* window	**un** finestrone	*a big* window

The student should be rather cautious in the use of suffixes until, through long experience, he has acquired a certain degree of familiarity with their proper usage.

III. Numeri ordinali (Ordinal Numerals)

primo	1st	**dodicesimo**	12th
secondo	2nd	**tredicesimo**	13th
terzo	3rd	**quattordicesimo**	14th
quarto	4th	**ventesimo**	20th
quinto	5th	**ventunesimo**	21st
sesto	6th	**ventiduesimo**	22nd
settimo	7th	**ventitreesimo**	23rd
ottavo	8th	**trentesimo**	30th
nono	9th	**centesimo**	100th
decimo	10th	**millesimo**	1,000th
undicesimo	11th	**milionesimo**	1,000,000th

NOTE: After 10th, one can easily get any ordinal numeral merely by dropping the last vowel of a given cardinal numeral and adding **-ęsimo**. If a cardinal numeral ends in **-tre** (*three*), the final **-e** is retained. Ordinal numerals are adjectives and agree with the noun modified in gender and number.

La **prima** curva.	The *first* curve.
Le **prime** lezioni.	The *first* lessons.
Il **quarto** programma.	The *fourth* program.
I **secondi** posti.	The *second* places.

IV. Uso speciale di alcuni nụmeri (Special Uses of Some Numerals)

Generally, especially in connection with literature and art, Italian uses the following forms to refer to centuries from the thirteenth on:

il **Duecento**	the 13th century
il **Trecento**	the 14th century
il **Quattrocento**	the 15th century
il **Cinquecento**	the 16th century
il **Seicento**	the 17th century
il **Settecento**	the 18th century
l'**Ottocento**	the 19th century
il **Novecento**	the 20th century

Note that these substitute forms are usually capitalized.

V. Il presente del congiuntivo di <u>fare</u> e <u>andare</u> (Present Subjunctive: **fare, andare**)

fare *to make, to do*

Vuole che (io) fạccia colazione con lui.   *He wants me to have lunch with him.*

fạccia	I (may, should) make, do, *etc.*
fạccia	
fạccia	
facciamo	
facciate	
fạcciano	

andare *to go*

Dubitano che (io) vada via. *They doubt that I will go away.*

vada	I (may, should) go, *etc.*
vada	
vada	
andiamo	
andiate	
vadano	

ESERCIZI

A. *Studiate il presente del congiuntivo di* **fare** *e di* **andare**. *Ripetete le frasi seguenti facendo i cambiamenti indicati.*

a. Dubitano che **io faccia** il telegramma in tempo.
1. tu 2. noi 3. Lei 4. voi 5. Loro

b. Ha paura che **Carlo vada** in Italia senza passaporto.
1. io 2. noi 3. Lei 4. voi 5. Loro

B. *Studiate gli usi del congiuntivo. Cambiate il verbo in parentesi alla forma corretta (correct) del congiuntivo.*

1. È il dizionario più utile che io (conoscere). 2. È l'unica rivista che lei (leggere). 3. Comprate la guida più completa che (trovare). 4. Sono le sole città che loro (avere) visitato. 5. Le telefonerò sebbene creda che (essere) già partita. 6. Partiremo domani purché non (piovere). 7. Gli telefoneremo prima che (andare) alla stazione. 8. Te lo dico benché tu non lo (credere). 9. Vi dico di farlo prima che (essere) troppo tardi. 10. Ve lo ripeto sebbene lo (avere) già sentito. 11. Mario è il solo studente che (essere) assente. 12. Ci hanno dato il denaro affinché (comprare) biglietti.

C. *Traducete le parole fra parentesi.*

1. È l'unica persona che (*has succeeded*) a farlo in tempo.
2. È la sola studentessa che (*gets up*) presto ogni giorno.
3. Comprerò questa borsa (*even though it is*) piccola. 4. È il migliore cioccolatino che (*I have*). 5. (*Unless you are*) troppo stanco (*you must*) visitare il Colosseo. 6. Scriviamo

loro una lettera (*before they go*) a Roma. 7. Prenda il mio dizionario (*provided you do not lose it*). 8. Ditegli qual è la lezione per domani (*so that he may do it*). 9. È la più bella guida (*I have bought*). 10. È il solo amico che (*came to see me*). 11. Gli scriveremo prima (*he goes*) a Venezia. 12. Te lo spiego (*in order that you understand it*). 13. Cercherò di uscire (*without their seeing me*). 14. È la sola città (*they have not visited*).

D. *Studiate il significato e l'uso dei suffissi spiegati in questa lezione. Esprimete le frasi seguenti servendovi del suffisso adatto.*

ESEMPIO: un ragazzo grande — un ragazzone

1. una piccola borsa 2. un gran libro 3. una brutta via 4. molto poco 5. dei cattivi giornali 6. delle piccole stanze 7. un grand'orologio 8. un piccolo orologio 9. un cattivo orologio 10. caro piccolo Carlo 11. cara piccola Maria 12. una piccola busta

E. *Studiate i numeri ordinali.*

(a) *Leggete rapidamente.*

5°, 9°, 7°, 2°, 13°, 33°, 46°, 52°, 61°, 78°, 89°, 90°, 100°, 200°, 320°, 1.000°, 1.000.000°

(b) *Dite in un altro modo.*

1. il secolo quattordicesimo 2. il secolo ventesimo
3. il secolo quindicesimo 4. il secolo diciottesimo 5. il secolo diciassettesimo 6. il secolo sedicesimo

F. *Traducete in italiano:*

1. I have been carrying around this guide book for a week, but I am afraid it is not very useful. 2. But it is the best guide book that is sold in Rome. 3. Look, I want to know when Villa Borghese was built and I can only find where to buy handbags. 4. But that (**questo**) is very useful unless handbags do not interest you. 5. Although handbags interest me, I came to Rome to see the Colosseum, the Catacombs and other interesting places. 6. Well, then, why don't you go there? 7. I don't know which street

to take. 8. I can tell you (it). We are now in Piazza Venezia; if you take the fourth street on the right, you will arrive at the Colosseum, unless you stop at a bar! 9. I have heard so much about it, I am very anxious (**desideroso**) to (**di**) see it. Is it open at this hour? 10. What do you mean? The Colosseum is always open. 11. I was joking! By the way, before I go there, perhaps you can tell me something about (**di**) Villa Borghese. 12. The Borghese family had it built in the seventeenth century. It is a very large park, although it does not seem (so). 13. You have been very kind; how can I thank you? 14. You do not have to thank me, but if you need some little present for your wife, or son or nephew . . . I have a little shop. 15. Really? This interests me very much. I have not yet found anything for my wife, though I have looked in many stores.

DA IMPARARE
A MEMORIA

Si porta sempre dietro degli assegni.
Non ho sentito parlare di questo autore.
Vuoi riposarti per un'oretta?
Non capisco cosa voglia dire questa frase.

CONVERSAZIONE

Rispondete alle domande seguenti:

1. In quale città è Via Veneto? 2. Cosa ne pensa Anna? 3. Hanno molto tempo per visitare Roma le due ragazze? 4. Perché si fermano prima di andare a Villa Borghese? 5. Com'è la borsa di Barbara? 6. Quando fu costruita Villa Borghese? 7. Di chi era nipote il Cardinale Scipione Borghese? 8. Dove sono le due ragazze verso mezzogiorno? 9. Qual è l'unica cosa a Roma che Barbara desideri rivedere? 10. Lei ha mai assaggiato il caffè espresso? 11. Le piacerebbe vedere il Colosseo? Perché? 12. C'è un'ambasciata straniera nella Sua città? 13. Quando Lei viaggia si porta dietro una guida? 14. Quando ritorneranno da Napoli le due amiche?

RIPETIZIONE 8

I. *Rispondete alle domande seguenti:*

1. Su che mare è Riccione?   2. Va spesso a nuotare Lei? Dove, al mare o in piscina?   3. In che mese va in vacanza Lei?   4. Qual è la città più grande dell'Italia meridionale? 5. Legge un giornale ogni giorno Lei? Quale?   6. Perché è famosa Perugia?   7. Quale famosa chiesa c'è ad Assisi? 8. Come andarono a Roma Barbara e Anna?   9. Lei preferisce viaggiare in treno o in autobus?   10. Dov'è Via Veneto?   11. Quando fu costruita Villa Borghese?   12. Che cosa vuole rivedere a Roma Barbara?   13. Crede Lei che le guide siano utili?   14. Ha sentito parlare delle Catacombe?   15. Cosa ne pensa del Colosseo Lei?

II. *Esprimete le frasi seguenti con una forma del gerundio.*

1. Quando andavo alla spiaggia vidi Luisa e Anna.   2. Mentre leggiamo impariamo molte cose.   3. Quando entrai nel negozio Carlo comprava un costume da bagno. 4. Non li vedi? Sono là; si tuffano.   5. Dopo che si furono vestiti, uscirono.

III. *Dite in un altro modo* (differently).

1. Sono venti minuti che ti aspetto.   2. Era mezz'ora che stavano in piazza.   3. Quando suonò il telefono era un'ora che dormivo.   4. Sono tre anni che siamo in Italia. 5. È molto tempo che siete qui?

IV. *Mettete al passato remoto.*

(a) 1. dico   2. dice   3. diciamo   4. dicono   5. dite
6. dici

[handwritten: dissi, disse, dicemmo, dissero, diceste, dicesti]

(b) 1. fanno   2. faccio   3. facciamo   4. fate   5. fai   6. fa

[handwritten: fecero, feci, facemmo, faceste, facesti, fece]

V. *Completate in italiano le frasi seguenti.*

(a) 1. (*Having asked for*) i bicchieri, il cameriere ce li portò. *[handwritten: avendo domandato]*
2. (*By coming here*) poté vedere suo cugino. *[handwritten: venendo qui]*   3. (*She has been fixing*) il cappello (hat) da dieci minuti. *[handwritten: avendo aggiustato]*
4. Bisogna che Lei (*build*) una casa. *[handwritten: costruire]*   5. Non credo che (*they have taken a bath*). *[handwritten: facciano il bagno]*   6. (*She makes me choose*) *[handwritten: fate me scegliere]* un libro ogni settimana.   7. (*Reading*) i miei appunti imparò molte cose. *[handwritten: leggendo]*   8. (*They were sleeping*) *[handwritten: stavano dormendo]* quando il campanello suonò.   9. Quando lo incontrai (*he had been in Rome*) *[handwritten: a Roma]* due giorni.   10. (*He puts on*) *[handwritten: si mette]* una camicia nuova ogni domenica.   11. Desidero che (*they be home*) *[handwritten: siano a casa]* alle sette in punto.   12. (*Have him*) *[handwritten: lo fai]* visitare il Colosseo.

(b) 1. (*I must know it*) subito. *[handwritten: Devo saperlo]*   2. L'albergo in cui ci siamo fermati è (*very good*). *[handwritten: buonissimo]*   3. È la più bella borsa che (*I have seen*). *[handwritten: ho veduta]*   4. Andrò a San Pietro con te (*provided it is*) *[handwritten: purché sia]* aperto.   5. Questa chiesa fu costruita (*in the 13th century*). *[handwritten: nel Duecento]*   6. (*Can I bring it*) *[handwritten: posso portarla]* a casa mia?   7. Questo parco è (*very ugly*). *[handwritten: bruttissimo]*   8. Telefoniamo loro (*before they leave*). *[handwritten: prima che partano]*   9. Ha ordinato molte cose (*although he is not hungry*). *[handwritten: sebbene non abbia fame]*   10. È un'usanza del (*19th century*). *[handwritten: Ottocento]*   11. Spero che loro (*are going home*). *[handwritten: vadano a casa]*   12. Vuole che io (*do it*) *[handwritten: faccialo]* di nuovo.

VI. *Traducete in italiano:*

1. Before leaving I will have my watch fixed. *[handwritten: Prima di partendo farò aggiustare lo mio orologio]*   2. Here she is; I must speak to her of it immediately. *[handwritten: Eccola. devo parlarglielo subito/immediatamente]*   3. They say it is the best dictionary that they sell. *[handwritten: Dicono e il migliore dizionario che vendono]*   4. Many passengers take this train; it is very fast. *[handwritten: molti passeggeri prendono questo treno e molto veloce]*   5. Having decided to (**di**) stay at the beach another hour, she stretched out on the sand. *[handwritten: avendo deciso di rimanere alla spiaggia un'altra ora]*   6. Looking at her face one can tell she tans easily. *[handwritten: guardando al suo viso si vede che abbronza facilmente]*

7. What a wonderful bathing suit, why don't you put it on? 8. He is the only guide that there is here.—I have heard about him. 9. I am studying the art of the 18th century so that I can pass the examination. 10. I hope you are going to the Catacombs. 11. Why are you wearing that old hat? Do you think it is cold? 12. We have been walking for two hours.—It is true that Villa Borghese is a very large park. 13. I have to pack, meanwhile you can read the paper. 14. It is necessary that you say good-bye to them on my behalf. 15. I think that his wife and his son are traveling in southern Italy.

VII. *Scrivete frasi originali per ciascuna di queste espressioni:*

1. prendere la tintarella. 2. stare attento. 3. fare le valige. 4. meno male. 5. fare la doccia. 6. volere dire.

Il regista Bernardo Bertolucci al lavoro. Giovane e abile Bertolucci gode fama internazionale.

IL CINEMA ITALIANO

Il cinema italiano oggi è riconosciuto come una delle più originali manifestazioni di quest'arte. Noti ormai in tutto il mondo sono i nomi di registi come Michelangelo Antonioni, Federico Fellini, Vittorio de Sica, o di attori e attrici come Sofia Loren, Marcello Mastroianni, Gina Lollobrigida, o di produttori come Dino De Laurentis e Carlo Ponti.

Alcune delle pellicole italiane come *Ladri di biciclette, La dolce vita, Roma città aperta*, o *Divorzio all'italiana* sono considerate opere classiche nella storia del cinema internazionale. Questa fioritura del cinema italiano cominciò dopo la fine della seconda guerra mondiale. Si potrebbe chiamarla una nuova fioritura perché il cinema italiano aveva raggiunto già un alto livello di sviluppo immediatamente prima e dopo la prima guerra mondiale, ma questo sviluppo fu arrestato dall'enorme successo del cinema americano e dalle condizioni politiche dell'Italia.

Ma nel 1946 le condizioni erano cambiate. L'amara esperienza di una guerra perduta e la nuova libertà politica permisero ad artisti come Roberto Rossellini di scoprire nuovi orizzonti specialmente con il così detto movimento del nuovo realismo.

Più tardi la ripresa economica e la fondazione del Centro Sperimentale di Cinecittà a Roma, facilitarono l'entrata dell'Italia nel cinema internazionale. Oggi pellicole dirette da registi italiani con attori di altre nazionalità o viceversa sono molto comuni. Roma è uno dei più importanti centri del cinema mondiale e le pellicole italiane sono in visione in tutto il mondo.

Vocabolario

abile able
amaro bitter
arrestare to arrest
l' attore m. actor
l' attrice f. actress
Centro Sperimentale Experimental Center
chiacchierare to chat
Cinecittà Cinemacity
comune common
la condizione condition
considerare consider
così detto so called
il divorzio divorce
economico economical
enorme enormous

l' esperienza experience
facilitare facilitate
la fioritura flowering
la fondazione founding
girare to shoot (film)
la guerra war
immediatamente immediately
italiano; all'italiana Italian style
il ladro thief
il lavoro; al lavoro at work
la libertà liberty
il livello level
la manifestazione manifestation

il matrimonio wedding
mondiale of the world
il movimento movement
la nazionalità nationality
l' opera work
l' orizzonte m. horizon
la pellicola film
permettere to permit
permisero past abs. of
politico political
il produttore producer
il realismo realism
la ripresa recovery
scoprire discover
lo sviluppo development

I due noti artisti del cinema italiano Sofia Loren e Marcello Mastroianni in una scena di Matrimonio all'italiana.

Mentre si gira Amarcord *a Cinecittà. Federico Fellini (al centro) chiacchiera con gli attori.*

IL CINEMA ITALIANO

33

A NAPOLI

Il golfo di Napoli è senza dubbio uno dei più magnifici d'Europa e del mondo, ed è anche uno dei porti più attivi del Mediterraneo. Napoli offre uno spettacolo indimenticabile a chi la vede per la prima volta: con il suo mare azzurro, la passeggiata lungo il mare, il
5 *Vesuvio, Capri e le altre isole, e i suoi meravigliosi dintorni. Barbara e Anna sono a Napoli da tre giorni, e hanno già visitato i posti più interessanti. Hanno fatto una gita a Capri e alla grotta azzurra; hanno fatto una gita ad Amalfi; hanno passato diverse ore a Pompei, e hanno visitato la bellissima Galleria, dove hanno preso un gelato di*
10 *fragole. Interessantissima è stata la visita al Museo Nazionale. Ora è l'una del pomeriggio, e sono sedute a un tavolino di uno dei ristoranti sul golfo.*

ANNA: In questa lista ci sono tutte le specialità napoletane.

15 BARBARA: Io non ho mica molta fame. Mi basterebbe un paio d'uova.

ANNA: Tu scherzi! Dobbiamo assaggiare la specialità napoletana, gli spaghetti alle vongole. Dov'è andato il cameriere?

20 BARBARA: È quel giovane alto con la giacca bianca che sta parlando con uno dei musicisti. Che parli quanto vuole! Non c'è fretta, io sono stanca morta; infatti mi fa male una scarpa, e vorrei restare seduta e riposarmi per un'oretta.

	ANNA:	C'ẹrano tante sale in quẹl museo che avremo fatto almeno due mịglia.
	BẠRBARA:	È vero. Ma pensa quante centinạia di cose abbiamo veduto!
5	ANNA:	Avremmo potuto vedere di più, ma non c'era tempo.
	BẠRBARA:	È senza dụbbio uno dei più bei musei ch'io ạbbia mai visto.
	ANNA:	L'anno venturo dovrei ritornare in Itạlia; se ci
10		ritornerò verrò di nuovo a Nạpoli.
	BẠRBARA:	A me dispiace di non ẹsserci potuta venire prima. Che si fa dopo colazione?
	ANNA:	Finita la colazione, prenderemo una carrozza e faremo una passeggiata lungo il mare.
15	BẠRBARA:	È un'ọttima idea. Chi sa se fa molto freddo quị a Nạpoli nell'inverno?
	ANNA:	Non so, ma non credo che fạccia molto freddo. Credo, però, che l'autunno e la primavera sịano le stagioni migliori.
20	BẠRBARA:	Senti! I musicisti hanno incominciato a suonare una canzonetta.
	ANNA:	Sì. È molto carina. Ed ecco il cameriere.
	BẠRBARA:	Meno male! Adesso ho fame anch'io!

Vocabolario

NOUNS

l' **autunno** fall, autumn
la **canzone** song
Capri *f.* Capri (*a well known island near Naples*)
la **carrozza** carriage
i **dintorni** surroundings
il **dubbio** doubt
la **fragola** strawberry
la **galleria** gallery, arcade
il **gelato** ice cream
la **giacca** coat, jacket
il **golfo** gulf
il **Mediterraneo** Mediterranean Sea
il **musicista** (*f.* la **musicista**) musician
la **passeggiata** walk, promenade
Pompei *f.* Pompeii (*Roman city buried during an eruption of Vesuvius in 79 A.D.*)
il **porto** port, harbor
la **sala** hall
la **scarpa** shoe
gli **spaghetti alle vongole** spaghetti with tomato and clam sauce

la **specialità** specialty
la **stagione** season
il **Vesuvio** Vesuvius (*a volcano in the bay of Naples*)

ADJECTIVES

alto tall, high
attivo active
indimenticabile unforgettable
napoletano Neapolitan

VERBS

preso (*p.p. of* **prendere**) taken
suonare†† to play (*an instrument*)

IDIOMS

fare due (tre, *etc.***) miglia** to walk two (three, *etc.*) miles
fare male to hurt, ache (*takes indirect object*)
fare una passeggiata to go for a ride, take a walk
stanco morto dead tired

Capri

GRAMMATICA

If weak possible
present subjunctive
If impossible imperfect only

I. Il congiuntivo in proposizioni indipendenti (The Subjunctive in Principal Clauses)

In a principal clause the subjunctive is used to express wishes and exhortations. In these cases the clause may be introduced by **che.**

Sia ringraziato il cielo!	*Thank* Heavens!
Che parta, se vuole.	*Let him leave,* if he wants to.
Dio ve **la mandi** buona!	*God help* you!
Magari facesse bel tempo!	*I only wish* the weather were good!

II. Uso idiomatico del participio passato (Special Use of the Past Participle)

The past participle is at times used alone, in place of the perfect gerund, in what is called *an absolute construction*. In this construction the past participle agrees with the subject of the sentence if the participle is derived from a verb that is conjugated with **essere**. Otherwise, the past participle agrees with the object.

Arrivate a Roma, le **ragazze** andarono a un albergo.	*Having arrived* in Rome, the *girls* went to a hotel.
Finita una lettera, incominciò a leggerne un'altra.	*Having finished* a *letter,* he began to read another.

345 *trecento quarantacinque*   CAPITOLO 33

III. Verbi servili (The Semi-auxiliary Verb with a Dependent Infinitive)

When **dovere, potere** and **volere** govern an infinitive, they are conjugated with either **ẹssere** or **avere**, depending on whether the dependent infinitive is conjugated with **ẹssere** or **avere.**

Maria **ha mangiato,** ma io non **ho potuto mangiare.**	Mary *ate*, but I have not *been able to eat*.
Giovanni **è partito,** ma Bạrbara non **è potuta partire.**	John *left*, but Barbara has not *been able to leave*.

IV. Il condizionale di <u>dovere</u> e <u>potere</u> (Special Meanings of dovere and potere)

The present conditional of **dovere** denotes obligation and is rendered by *should, ought to*. The present conditional of **potere** is equivalent to *could* or *might*. Likewise, the perfect conditional of **dovere** and **potere** translates *ought to have, should have* and *could have, might have* respectively.

Dovrebbe studiare.	He *ought* to study.
Avrebbe dovuto studiare.	He *ought to have* studied.
Potremmo farlo.	We *could do* it.
Avremmo potuto farlo.	We *could have* done it.

V. Nomi con il plurale irregolare (Nouns with an Irregular Plural)

Some masculine nouns in **-o** have an irregular feminine plural in **-a.** Here are the most common:

	SINGULAR	PLURAL
the arm	il brạccio	le brạccia
the hundred	il centinạio	le centinạia
the finger	il dito	le dita
the lip	il labbro	le labbra
the thousand	il migliạio	le migliạia
the mile	il mịglio	le mịglia
the bone	l'osso	le ossa
the pair	il pạio	le pạia
the egg	l'uovo	le uova

NOTE 1: The irregular plural **le ossa** refers to human bones. Oterwise **gli ossi** is used.

NOTE 2: **Centinaio, migliaio,** and their plurals take the preposition **di** before a noun.

C'era un **centinaio di persone**.　　There were about *one hundred people*.

Vidi **migliaia di alberi**.　　I saw *thousands of trees*.

VI.　Futuro di <u>venire</u>, <u>volere</u>

venire *to come*

Verrò l'inverno prossimo.　*I'll come next winter.*

verrò　　　　　　　　　　I will come, *etc.*
verrai
verrà

verremo
verrete
verranno

volere *to want*

Non lo vorrò vedere.　*I will not want to see him.*

vorrò　　　　　　　　　　I will want, *etc.*
vorrai
vorrà

vorremo
vorrete
vorranno

VII.　Condizionale di <u>venire</u>, <u>volere</u>

venire

Verrei, ma non ho tempo.　*I would come, but I have no time.*

verrei　　　　　　　　　　I would come, *etc.*
verresti
verrebbe

verremmo
verreste
verrebbero

volere

Vorrei vederla.   *I would like (Lit., I would want) to see her.*

vorrei	I would want, *etc.*
vorresti	
vorrebbe	
vorremmo	
vorreste	
vorrębbero	

ESERCIZI   A.   IL FUTURO DI *VENIRE* E *VOLERE*.

Cambiate il verbo delle frasi seguenti dal presente al futuro.

1. *Vuole* la mia giacca.   2. *Vogliono* assaggiare una specialità napoletana.   3. *Voglio* conoscere quel musicista.
4. *Vogliamo* un paio di scarpe nuove.   5. Lei *vuole* passare l'inverno a Pompei?   6. *Viene* per vedere il Vesuvio.
7. *Vengono* spesso in quest'isola.   8. *Vengo* per la stagione solamente.   9. *Veniamo* spesso in carrozza.   10. *Vieni* anche tu a Capri?

B.   IL CONDIZIONALE DI *VENIRE* E *VOLERE*.

Cambiate il verbo delle frasi seguenti al condizionale:

1. *Volevate* mangiare anche voi?   2. *Vorrà* suonare il piano.   3. I ragazzi *vogliono* visitare i dintorni.   4. Non *vogliono* ascoltare la canzone.   5. *Volevo* fermarmi in galleria.   6. Anche io *verrò* volentieri.   7. *Viene* anche Lei a fare una passeggiata?   8. *Verremo* anche noi in autunno.   9. Anche il ragazzo *verrà* alla porta.   10. Sono certo che *verrai* anche tu.

C.   IL PLURALE IRREGOLARE DI ALCUNI NOMI.

Cambiate le frasi seguenti al plurale.

1. Il labbro rosso.   2. Un migliaio di libri.   3. Il dito bianco.   4. Un centinaio di uomini.   5. L'uovo sodo [*hard boiled*].   6. Un paio di scarpe.   7. Mi fa male il braccio.   8. Ho fatto un miglio.

D. LA COSTRUZIONE ASSOLUTA (The absolute construction). IL PARTICIPIO ASSOLUTO.

Cambiate le frasi seguenti usando la costruzione assoluta:

ESEMPIO: *Avendo riconosciuto* la musicista, la chiamò.
Riconosciuta la musicista, la chiamò.

1. *Avendo finito* la canzone, i musicisti si sono seduti.
2. *Essendo partite* le ragazze, Enzo ritornò a casa. 3. *Avendo visitato* i dintorni, ritornarono a Napoli. 4. *Avendo letto* la lista, ordinò degli spaghetti alle vongole. 5. *Essendo andata* a letto, aprì una rivista e incominciò a leggere.

E. I VERBI SEMI-AUSILIARI.

Cambiate i verbi indicati al passato prossimo:

ESEMPIO: Non *poteva* cantare
Non ha potuto cantare.

1. Non *voleva* venire. 2. Non *vuole* mangiare. 3. *Devo* lavorare (*work*). 4. *Doverono* ritornare. 5. Non *posso* farlo. 6. Non *possiamo* venire. 7. Maria *volle* comprare due paia di scarpe. 8. Non *potevo* venire perché mi facevano male le ossa. 9. A me non piacciono le uova, ma stamani *dovei* mangiarne tre. 10. Non *potevamo* leggere centinaia di libri.

F. *Studiate l'uso idiomatico di* **dovere** *e* **potere**. *Ripetete facendo i cambiamenti indicati.*

a. Ho sempre detto che *Luisa dovrebbe* conversare più spesso.
1. noi 2. loro 3. tu 4. Lei

b. Ho sempre detto che *Luisa avrebbe dovuto* conversare più spesso.
1. noi 2. loro 3. tu 4. Lei

c. *Potremmo* scegliere un'altra guida.
1. io 2. Lei 3. voi 4. tu

d. *Avremmo potuto* scegliere un'altra guida.
1. io 2. Lei 3. voi 4. tu

349 trecento quarantanove

G. IL CONDIZIONALE DI *DOVERE* E *POTERE*.

Completate le frasi seguenti con il condizionale presente o passato di **dovere** *o* **potere.**

1. Maria (dovere) partire domani, ma non può.
2. Io (dovere) telefonare a mia madre, ma non ho potuto.
3. Noi (potere) farlo, ma non vogliamo. 4. Loro (potere) partire, ma non hanno voluto. 5. Io (potere) visitare il museo, ma ero stanco. 6. Tu (dovere) studiare la lezione, invece sei andato al cinema.

H. *Traducete le frasi seguenti:*

1. Of the many Italian cities by (su) the sea, Naples is one of the most beautiful. 2. The magnificent surroundings of Naples are famous all over (in all) the world: they are famous for the blue sea, (il) Vesuvius, the islands, and the blue grotto. 3. The port of Naples is one of the most active in the Mediterranean. 4. Barbara and Anna went to Naples together from Rome, but Enzo and John had not been able to accompany them. 5. It was beautiful weather, and the two young ladies remained in Naples for a few days. 6. Having arrived in Naples, on the first day they visited the museum, and in the afternoon, around (verso) four o'clock, they stopped at a café in the arcade. 7. In the museum there were hundreds of statues. 8. They knew that there was another beautiful arcade in Milan, but they had not seen it. 9. I do not know when I will see it—said Barbara—perhaps next year. I would like (use **volere**) to come back next year. 10. On the second day the girls made an excursion to Sorrento and Capri. Capri is not very far from Naples, and they were able to do everything in one day. 11. On the third day they went to Pompeii in the morning, and they returned to their hotel in the afternoon. 12. They were tired. "We must have (*we probably have*) walked five miles," said Barbara. 13. At noon they went to a restaurant on the gulf, near the hotel. Having arrived at the restaurant, the two girls went to a little table near the water. 14. They sat down, and they saw three musicians who were about to play. 15. You know—said Barbara—although I have not eaten since this morning, I am not very hungry.

DA IMPARARE A MEMORIA

Carlo non è venuto perché gli fa male un piede.
Prima di andare a letto, facciamo una passeggiata.
Tutte le mattine fa due miglia per andare a scuola e quando arriva è stanco morto.

CONVERSAZIONE *Rispondete alle domande seguenti:*

1. In quale mare è il golfo di Napoli? 2. Per che cosa è famosa la città di Napoli? 3. Lei sa se è molto grande l'isola di Capri? 4. Dove sono alcuni dei più famosi ristoranti napoletani? 5. Lei, signorina . . ., conosce qualche specialità napoletana? 6. Che cosa hanno fatto Barbara e Anna a Napoli? 7. Perché vuole riposarsi Barbara? 8. Quante miglia avranno fatto nel museo? 9. Perché non hanno potuto vedere tutto? 10. Che cosa dovrebbe fare Anna l'anno venturo? 11. Che cosa dispiace a Barbara? 12. Che cosa faranno le ragazze dopo colazione? 13. Fa molto freddo a Napoli nell'inverno? 14. Che tempo fa nella nostra città durante l'inverno?

34 OPERA ALL'APERTO

Le due amiche, Barbara e Anna, sono di nuovo a Roma dopo una visita di tre giorni a Napoli e ai suoi dintorni. Dopodomani sarà il loro ultimo giorno in Italia.

BARBARA: Oh, come vorrei restare in Italia altri due o tre
5 mesi! Se non dovessi assolutamente ritornare a casa lo farei. *IMPERFECT SUBJUNCTIVE*

ANNA: Anch'io! Se avessi avuto il denaro sarei restata a Firenze un altro anno. *PAST PERFECT SUBJ.*

BARBARA: Che ore sono?

10 ANNA: Sono già le dieci e venti. Giovanni ha scritto nella sua lettera che voleva che andassimo a *wanted us to go to meet them* prenderli alla stazione. Ma non credo che potremo.

BARBARA: Perché no?

15 ANNA: Dobbiamo comprare i biglietti per l'opera e se non andiamo prima di mezzogiorno saranno esauriti. Se li avessimo comprati ieri sera ora non avremmo tanta fretta.

BARBARA: Che opera c'è stasera?

20 ANNA: La *Tosca*.

BARBARA: Ne sei sicura? Credevo che ci fosse l'*Aïda*.

ANNA: Ecco, guarda il programma.

BARBARA: È vero, è proprio la *Tosca*. A proposito, tu che ti

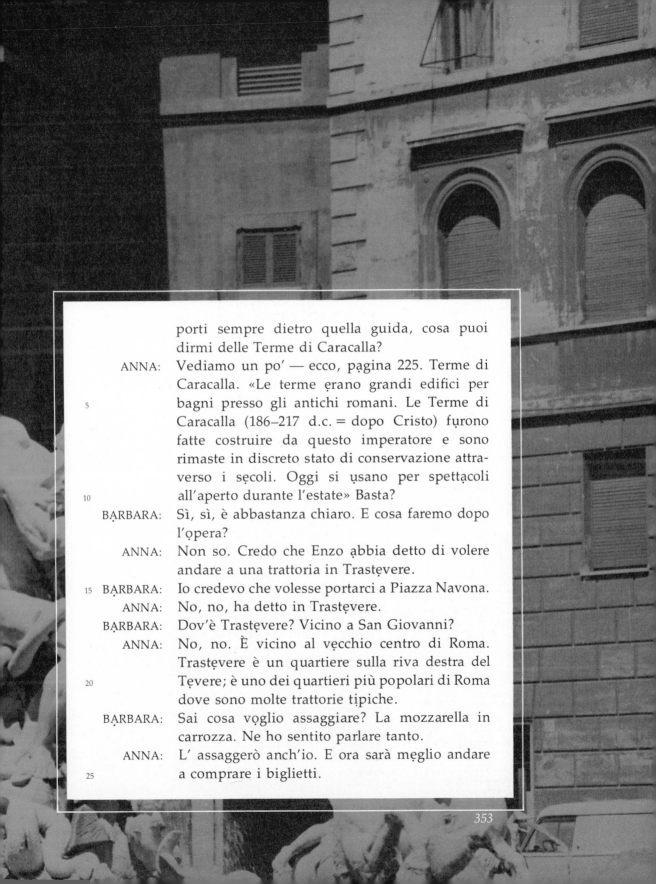

	porti sempre dietro quella guida, cosa puoi dirmi delle Terme di Caracalla?
ANNA:	Vediamo un po' — ecco, pagina 225. Terme di Caracalla. «Le terme erano grandi edifici per bagni presso gli antichi romani. Le Terme di Caracalla (186–217 d.c. = dopo Cristo) furono fatte costruire da questo imperatore e sono rimaste in discreto stato di conservazione attraverso i secoli. Oggi si usano per spettacoli all'aperto durante l'estate» Basta?
BARBARA:	Sì, sì, è abbastanza chiaro. E cosa faremo dopo l'opera?
ANNA:	Non so. Credo che Enzo abbia detto di volere andare a una trattoria in Trastevere.
BARBARA:	Io credevo che volesse portarci a Piazza Navona.
ANNA:	No, no, ha detto in Trastevere.
BARBARA:	Dov'è Trastevere? Vicino a San Giovanni?
ANNA:	No, no. È vicino al vecchio centro di Roma. Trastevere è un quartiere sulla riva destra del Tevere; è uno dei quartieri più popolari di Roma dove sono molte trattorie tipiche.
BARBARA:	Sai cosa voglio assaggiare? La mozzarella in carrozza. Ne ho sentito parlare tanto.
ANNA:	L' assaggerò anch'io. E ora sarà meglio andare a comprare i biglietti.

Vocabolario

NOUNS

la **conservazione** conservation, preservation

l' **edificio** building

l' **imperatore** *m.* emperor

la **mozzarella** a soft cheese:
   mozzarella in carrozza a cheese dish, a specialty of Rome

l' **opera** opera

la **pagina** page

il **quartiere** district

la **riva** bank (of a river)

   San Giovanni *one of the four great basilicas of Rome*

lo **stato** state, condition

le **Terme di Caracalla** the Baths of Caracalla (*public bath house of ancient Rome, now used for open-air musical and operatic performances*)

il **Tevere** the Tiber River

Trastevere *m.* *a district in Rome on the right bank of the Tiber*

la **trattoria** inn, restaurant

ADJECTIVES

esaurito sold out

tipico typical

VERBS

pulire (isc) to clean

OTHERS

attraverso through

dopodomani day after tomorrow

presso near, among

OPERAS

la **Tosca** Tosca

l' **Aïda** Aïda

Terme di Caracalla, Roma

GRAMMATICA

[handwritten marginalia:] Conditional (would) andrei andremmo / andresti andreste / andrebbe andrebbero

*Subjunctive usually occurs in dependent clauses, ex. I would come / to I could / parli parliamo / parli parliate / parli parlino / abbia parlato / parlassi parlino / avessi parlato

[handwritten top:] Conditional Perfect (conditional of helping verb w/ past participle) Secondo lui, sarebbe stato tempo di andare.

I. L'imperfetto del congiuntivo (Imperfect Subjunctive)

Model verbs **parlare, ripetere, dormire**

parlare

Voleva che (io) parlassi a Carlo. *He wanted me to talk to Charles.*

parl-assi	I spoke, might speak, *etc.*
parl-assi	
parl-asse	
parl-assimo	
parl-aste	
parl-assero	

ripetere

Dubitava che (io) lo ripetessi. *She doubted that I would repeat it.*

ripet-essi	I repeated, might repeat, *etc.*
ripet-essi	
ripet-esse	
ripet-essimo	
ripet-este	
ripet-essero	

dormire

Credevano che (io) dormissi. *They thought I was sleeping.*

dorm-issi	I slept, might sleep, *etc.*
dorm-issi	
dorm-isse	
dorm-issimo	
dorm-iste	
dorm-issero	

II. L'imperfetto del congiuntivo di <u>avere</u> e <u>essere</u> (Imperfect Subjunctive: **avere, ẹssere**)

avere

Se (io) avessi fame, mangerei. *If I were hungry, I would eat.*

avessi	I had, might have, *etc.*
avessi	
avesse	
avẹssimo	
aveste	
avẹssero	

ẹssere

Credeva che (io) fossi stanco (-a). *He thought I was tired.*

fossi	I was, might be, *etc.*
fossi	
fosse	
fọssimo	
foste	
fọssero	

III. Il trapassato del congiuntivo (The Past Perfect Subjunctive)

avere parlato (ripetuto, avuto, etc.) *to have spoken (repeated, had, etc.)*

Aveva paura che (io) ne avessi parlato. *He was afraid I might have spoken about it.*

avessi parlato	I might have spoken, *etc.*
avessi parlato	
avesse parlato	
avẹssimo parlato	
aveste parlato	
avẹssero parlato	

ẹssere andato (partito, stato, etc.) *to have gone (left, been, etc.)*

Era impossịbile che fosse andato via. *It was impossible that he had gone away.*

fossi andato (-a)	I might have gone, etc.
fossi andato (-a)	
fosse andato (-a)	
fọssimo andati (-e)	
foste andati (-e)	
fọssero andati (-e)	

IV. Usi del congiuntivo (continuazione) (Uses of the Subjunctive, *continued*)

(1) *If* clauses: An *if* clause, denoting a condition contrary to fact, requires the imperfect or past perfect subjunctive according to the time to which the sentence refers. The main or result clause takes the conditional or conditional perfect.

Se **fossi** in Italia **visiterei** Roma.	If I *were* in Italy I *would visit* Rome.
Se **fossi stato** in Italia **avrei visitato** Roma.	If I *had been* in Italy I *would have visited* Rome.
Se **avesse** fame, **mangerebbe**.	If she *were* hungry, she *would eat*.
Se **avesse avuto** fame, **avrebbe mangiato**.	If she *had been* hungry, she *would have eaten*.

(2) In all other conditional sentences the indicative is used in both clauses.

Se **ha** denaro me lo **darà**!	If he *has* money (*i.e.* now) *he will give* it to me.
Se lo **diceva lui era** vero.	If *he said* it *was* true.
Se **andrò** a Roma, **visiterò** il Foro.	If *I go* to Rome, I *shall visit* the Forum.
Se **cantava** vuol dire che **era** felice.	If *she was singing*, it means that *she was* happy.

ESERCIZI

A. L'IMPERFETTO DEL CONGIUNTIVO

Ripetete gli esempi seguenti cambiando le parole indicate:

a. Voleva che *io pulissi* la camera.
1. noi 2. voi 3. Loro 4. tu 5. Lei 6. loro 7. lui

b. Non sapevano che *Lei fosse* italiana.
1. io 2. loro 3. lei 4. tu 5. Loro 6. noi 7. voi

c. Era impossibile che *loro credessero* quella storia.
1. noi 2. voi 3. Loro 4. tu 5. io 6. Lei 7. lui

d. Non credevo che *tu andassi* in Francia.
1. lui 2. Lei 3. loro 4. lei 5. Loro 6. noi 7. voi

e. Dubitava che *Lei avesse* molto denaro.
1. io 2. tu 3. lui 4. loro 5. voi 6. Loro 7. noi

B. IL TRAPASSATO DEL CONGIUNTIVO.

Ripetete gli esempi seguenti cambiando il verbo dal congiuntivo imperfetto al trapassato del congiuntivo.

1. Speravano che io *potessi* partire. 2. Credeva che tu *fossi* presente. 3. Sembrava che Lei *volesse* comprare un'automobile. 4. Non volevamo che voi ne *parlaste* ai compagni. 5. Era impossibile che loro *venissero* a tempo. 6. Credevano che *volessimo* ritornare. 7. Ho pensato che tu *avessi* il tempo di farlo. 8. Vorrei che Lei *leggesse* questo libro. 9. Dubitavate che *fossimo* noi. 10. Vorrei che *veniste* presto.

C. *Cambiate le frasi seguenti secondo l'esempio.*

ESEMPIO: Se *avrò* tempo lo *farò.*
Se avessi tempo lo farei.

1. Se *avrò* il denaro *farò* un viaggio in Italia. 2. Se Lei *assaggerà* le fettuccine, le *piaceranno.* 3. Se *avrai* denaro *potrai* comprare i biglietti. 4. Se *potranno* vedere un'opera *vorranno* vedere la Tosca. 5. Se non *avrete* fretta vi *fermerete* a Roma. 6. Se non *dovrà* tornare *restrà* a Roma. 7. Se *potrai* ci *porterai* alla stazione? 8. Se veramente *vorrete* andarci ci *andrete.*

D. *Cambiate le frasi secondo l'esempio.*

ESEMPIO: Se *avessi* tempo lo *farei*
Se avessi avuto tempo lo avrei fatto.

1. Se *fossi* ricco lo *comprerei.* 2. Se *potesse* rivederli *sarebbe* felice. 3. Se *andassero* all'opera *vedrebbero* la Tosca. 4. Se *voleste* un libro *potreste* comprarlo qui. 5. Se *cercassi* un telefono non lo *troveresti* facilmente.

E. *Traducete le frasi seguenti:*

1. If I had known you were coming to Rome I would have come to the station. 2. It does not matter. Perhaps you can help me to visit the city. 3. With pleasure, what would you like to do, go to the Terme di Caracalla? 4.

358 *trecento cinquantotto*

CAPITOLO 34

Perhaps, if I knew what it is. 5. Naturally. It is a large building that the Romans used for public **(pubblico)** baths. 6. And they still use it today? 7. Yes, but not for baths; only part of the building is in a good state of preservation and they use it for open air opera. 8. If I had known that **(lo)** before, I would have told you immediately that it interests me. 9. And tomorrow we could visit some shops on Via Veneto. 10. If you have not seen the Gallery we should go **(passare)** through there. 11. No, I have not seen it, but in my guidebook there is a page on the Gallery. 12. Well, in that case, let us go through the Gallery. 13. I was thinking that if I had enough money I could stay in Rome a week. 14. You are going to be **(restare)** here three days, and one can do many things in three days. 15. You know very well that three days are not enough! Oh, how happy I would be, if I could stay at least one week!

DA IMPARARE A MEMORIA

Domani non posso, ma dopodomani ti porterò in Trastevere.

CONVERSAZIONE

Rispondete alle domande seguenti:

1. Che cosa hanno fatto a Napoli le due amiche? 2. Cosa aveva scritto Giovanni nella sua lettera? 3. Perché devono comprare i biglietti prima di mezzogiorno? 4. Lei ha mai visto un'opera? 5. Che cosa sono le Terme di Caracalla? 6. Dove andranno dopo l'opera i quattro giovani? 7. C'è un teatro all'aperto nella nostra città? 8. Le piacerebbe mangiare in una trattoria? Perché? 9. Che cosa non deve dimenticare di comprare Barbara? 10. Per che cosa si usano le Terme di Caracalla oggi? 11. Dov'è Trastevere? 12. Qual è una delle piazze di Roma? 13. In che quartiere della Sua città abita Lei? 14. Se avesse il denaro dove andrebbe Lei l'estate ventura?

35

LA CAPPELLA

Anna e Barbara sono di nuovo in giro per Roma. Domani lasceranno l'Italia e oggi vogliono visitare la Cappella Sistina. Hanno preso l'autobus e sono scese in Piazza San Pietro. Ora camminano verso il Vaticano.

5   ANNA: Che bella serata ieri sera. Mi sono proprio di-
           vertita.
    BARBARA: Anch'io. L'opera all'aperto è uno spettacolo
               veramente fantastico.
    ANNA: E che cena! Incomincio a capire perché tanta
10   gente va a mangiare nelle trattorie romane.
    BARBARA: Chi sa da che parte si va per la Cappella Sistina?
    ANNA: Non lo so. Chiedilo a quel vigile.

    Il vigile le dirige a destra. Le ragazze lo ringraziano e dopo aver
camminato altri cinque minuti arrivano all'entrata della Cappella.
15 Anna tira fuori la sua guida e incomincia a leggere.

    ANNA: Vuoi che ti dica cosa dice la guida della Cappella
               Sistina?
    BARBARA: No, grazie — come sai ci sono già stata un'altra
               volta e credo di sapere più o meno le cose im-
20   portanti.
    ANNA: Io invece no! Bisogna proprio che legga attenta-
               mente la guida.
    BARBARA: Va bene, fai pure. Io preferisco contemplare gli

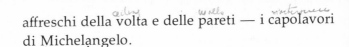

affreschi della volta e delle pareti — i capolavori
di Michelangelo.

    Le amiche si separano. Anna rimane a leggere e Barbara si avvia
lentamente verso il centro della cappella. C'è molta gente, forse
5 *trecento persone, tutte con la testa in su ad ammirare gli affreschi*
della volta. Un altro gruppo di persone ammira il grande affresco del
Giudizio Universale, che è sulla parete dietro all'altare. Passa quasi
un'ora prima che le due amiche si ritrovino.

BARBARA: Che opera grandiosa, che capolavoro!

10 ANNA: Mi sento umile davanti a un tale genio.

BARBARA: A me piace guardare particolarmente la creazione dell'uomo e il dettaglio della mano di Dio
che dà vita ad Adamo.

ANNA: Tutto è così bello! Lo sapevi che è in questa
15 cappella che si tengono le elezioni per il nuovo
pontefice?

BARBARA: Sì, lo sapevo. Ed ora purtroppo bisogna andare.
Che ore sono?

ANNA: Le quattro meno un quarto.

20 BARBARA: È tardi e dobbiamo ancora fare tante cose.

ANNA: Ritorniamo all'albergo?

BARBARA: Sì, ma prima fermiamoci in una gioielleria.
Vorrei comprare un anello d'argento per mia
madre.

25 ANNA: Allora andiamo.

Vocabolario

NOUNS

Adamo Adam
l' **altare** *m.* altar
l' **anello** ring
l' **argento** silver
il **capolavoro** masterpiece
la **creazione** creation
il **dettaglio** detail
il **Dio** God
l' **elezione** *f.* election
il **genio** genius
la **gioielleria** jewelry shop
il **giudizio** judgment
il **gruppo** group
Michelangelo (Buonarroti)
1475–1564 *great Renaissance artist*
la **parete** wall
il **pontefice** pontif, pope
la **serata** evening
il **Vaticano** the Vatican
la **volta** vault, ceiling

ADJECTIVES

grandioso grandiose
tale such; **un (una) tale** + noun
such + noun

umile humble
universale universal

VERBS

ammirare to admire
contemplare to contemplate
dirigere to direct
ritrovare to find again, to meet
rivolto (*p.p. of* **rivolgere**) turned
tenere to hold; **tenersi** to take
place
tirare to pull

OTHERS

attentamente attentively
da che parte which way, where
dietro behind
lentamente slowly
particolarmente particularly
purtroppo unfortunately

IDIOMS

essere in giro (per) to wander, to
be wandering (around)
fai pure go (right) ahead
in su up

La Creazione dell'Uomo

GRAMMATICA

I. **Alcuni usi delle preposizioni a e di** (Certain Uses of the Prepositions **a** and **di**)

(1) We have seen that some verbs govern the infinitive without a preposition. Among the most common of these verbs are: **dovere, potere, volere, fare, preferire, sapere, sentire** and **vedere.**

Sa suonare il pianoforte.	*He knows how to play* the piano.
Preferisco parlare inglese.	*I prefer to speak* English.
Vogliamo visitare il Vaticano.	*We want to visit* the Vatican.

(2) Certain verbs of *motion, beginning, continuing, teaching, learning, inviting*, etc., require the preposition **a** before an infinitive.

Incomincio a capire.	*I am beginning* to understand.
Le insegna a nuotare.	*He is teaching* her to swim.
Va a casa **a** suonare un nuovo disco.	*She is going* home to play a new record.

(3) Some verbs require the preposition **di** before an infinitive. These should be learned as one meets them for the first time. Among these are: **avere piacere di** (*to like*), **cercare, decidere, dire, domandare, finire, permettere** (*to permit, allow*), **promettere** (*to promise*), **pregare** (*to pray, beg*), **sperare** (*to hope*), **credere** (*to believe*).

Gli **ha promesso d'andare.**	She *has promised* him *to go.*
Mi **pregarono d'andare** con loro.	They *begged* me *to go* with them.
Ho detto a Maria **di venire** con noi.	I *told* Mary *to come* with us.
Crede di parlare bene.	She *believes* she *speaks* well.

NOTE: The personal object of these verbs, if transitive (except **pregare**), is indirect in Italian.

(4) The English present participle, preceded by the prepositions *before* **(prima di)**, *without* **(senza)**, *instead of* **(invece di)**, *besides* **(oltre a)** is translated in Italian by the infinitive.

Partì **senza dirmi** addio.	She went away *without saying* good-bye *to me.*

After **dopo,** however, the past infinitive is always used.

Dopo avere fatto colazione andò a scuola.	*After eating* breakfast he went to school.

(5) Used before a noun the preposition **di** expresses *possession, material, content,* etc.

Il libro **di Giovanni.**	*John's* book.
Un orologio **d'oro.**	A *gold* watch.
Un bicchiere **di vino.**	A glass *of wine.*

II. L'infinito come sostantivo (The Infinitive as a Noun)

An infinitive is sometimes used as a noun (subject, direct object or predicate) to translate the English gerund.

Mi piace **nuotare.**	I like *swimming.*
(Il) leggere è piacevole.	*Reading* is entertaining.

NOTE: Used as a subject, the infinitive may take the masculine definite article.

III. Il congiuntivo presente di <u>dare</u>, <u>venire</u>, <u>dire</u> (Present Subjunctive: **dare, venire, dire**)

dare *to give*

Vuole che (io) le dia il dizionario. *She wants me to give her the dictionary.*

dia	diamo
dia	diate
dia	diano

CAPITOLO 35

venire *to come*

Sperano che (io) venga presto. *They hope I come early.*

venga	veniamo
venga	veniate
venga	vengano

dire *to say, tell*

Dubita che (io) dica la verità. *He doubts that I am telling the truth.*

dica	diciamo
dica	diciate
dica	dicano

ESERCIZI   A. *Traducete in italiano le espressioni seguenti.*

1. We cannot go with you. 2. She wanted to live in San Francisco. 3. He does not know how to write. 4. They would prefer to remain here. 5. She told me to go to her house. 6. Before continuing, he bought a ticket. 7. They want to have the car washed. 8. They wish to build a house.

B. *Ripetete gli esempi seguenti cambiando le parole indicate.*

a. Desiderano che *io dica* la verità.
   1. noi 2. loro 3. lei 4. voi 5. tu 6. Lei 7. lui

b. Bisogna che *tu dia* il libro al professore.
   1. lui 2. io 3. Lei 4. voi 5. lei 6. loro 7. noi

c. Non è necessario che anche *Lei venga*.
   1. noi 2. loro 3. lei 4. voi 5. tu 6. io 7. lui

d. Non credono che *Lei faccia* la lezione.
   1. lui 2. io 3. tu 4. voi 5. lei 6. loro 7. noi

e. Non è possibile che *Loro vadano* da Carlo.
   1. noi 2. loro 3. lei 4. voi 5. tu 6. io 7. lui

C. *Ripetete le frasi seguenti facendo i cambiamenti necessari.*

1. Tutti gli anni i miei zii *desiderare* comprare un'altra automobile. 2. Quando mi vide, mi *domandare* accompagnarlo. 3. C'invitano sempre al mare, ma noi non *sapere* nuotare bene. 4. Quando è a casa Maria *preferire* scrivere le lettere nel pomeriggio. 5. Quand'ero ragazzo, mia madre non mi *permettere* uscire la sera. 6. Io lo *pregare* venire con noi, ma non volle venire. 7. Ogni volta che mi vedeva, mia zia mi *dire* non nuotare nell'acqua fredda. 8. Mi hanno *invitare* andare a pranzare a casa loro. 9. Carlo *incominciare* capire sempre quand'è troppo tardi. 10. Che cosa v'insegnano in quella scuola? Ci *insegnare* parlare italiano. 11. Non *potere* andare con te, ma ti ringraziamo lo stesso. 12. Andranno ad abitare in Piazza Dante, ma *preferire* (they would prefer) restare qui. 13. Avevano *incominciare* suonare in quel momento. 14. È quel signore là che mi ha *insegnare* pronunziare l'italiano. 15. Noi *sperare* rivederla l'estate ventura.

D. *Sostituite all'infinito la forma corretta del congiuntivo.*

1. Vuole che io glielo (*dire*). 2. Spera che io le (*dare*) il mio libro. 3. Dubiterebbe che tu gli (*dire*) la verità. 4. Dubiterà che tu gli (*dire*) la verità. 5. Vogliono che noi (*fare*) loro un favore. 6. Non so se (*essere*) venuti. 7. Non sapevo se (*essere*) venuti.

E. *Traducete le frasi seguenti:*

1. The two friends went to visit the Sistine Chapel today because they are leaving tomorrow. 2. They prefer to take the bus to go to St. Peter's Square. 3. They had a good time the night before. After dining in an inn they went to the open air opera. 4. But now they don't know how to find the Vatican. 5. Anna wants Barbara to ask (it) a policeman but she prefers to see what her guide book says. 6. They finally arrive at the Chapel and separate. 7. Barbara wants to contemplate Michelangelo's frescoes on the ceiling. 8. There are many people in the chapel who are admiring the great masterpieces on the walls and the

ceiling. 9. Did you know, Anna asks, that it is in this chapel that the elections for a new pope are held? 10. But it is late and the two friends must go. 11. Barbara must buy a silver ring for her mother and they want to stop in a jewelry shop. 12. I hope to buy something **(di)** very beautiful, unfortunately I don't have too much money. 13. They are beginning to understand that they have only two days in Rome before they leave and that they still must do many things. 14. "I told Giovanni to telephone us tonight," says Barbara, "I want him to come to our hotel tomorrow morning." 15. Leaving is never very easy particularly when one leaves good friends and beautiful places.

DA IMPARARE A MEMORIA	Chi sa da che parte si va? Chiẹdilo a quel signore.

CONVERSAZIONE *Rispondete alle domande seguenti:*

1. Cosa vogliono visitare le due amiche? 2. Quando lasceranno l'Italia? 3. Perché le trattorie romane sono popolari? 4. Cosa dice il vigile alle due ragazze? 5. Perché si separano Barbara e Anna? 6. Perché è famosa la Cappella Sistina? 7. Ha mai visto un affresco di Michelangelo Lei? 8. Perché Anna deve leggere la guida attentamente? 9. Perché Anna si sente umile? 10. Dove si tengono le elezioni per il nuovo pontẹfice? 11. Ha molte cose da fare Lei oggi? Cosa? 12. Cosa vuole comprare Barbara? Perché? 13. Dove si voglono fermare le ragazze? 14. Si sono divertite le ragazze la sera prima? Che cosa hanno fatto?

36
ARRIVEDERCI

Oggi è il giorno della partenza di Barbara e di Anna. Alle quattro del pomeriggio, fatte le valige e pagato il conto, hanno telefonato a Enzo e a Giovanni che sono venuti a prenderle con un tassì per accompagnarle all'aeroporto. Barbara e Anna prenderanno lo stesso
5 aeroplano per Parigi, dove Barbara passerà una settimana da Anna prima di proseguire per San Francisco. Partite Barbara e Anna, Giovanni e Enzo andranno direttamente alla stazione, dove cercheranno di prendere il rapido delle diciannove per Firenze. I quattro amici sono ora all'aeroporto e aspettano che sia annunziata la
10 partenza dell'aereo per Parigi.

BARBARA: Anna, non mi hai ancora detto se ti piace
questa borsa da viaggio.

ANNA: Sì, ma come ricorderai io volevo che tu comprassi quella rossa. Sembrava più forte. E poi
15 il rosso è un colore di moda quest'anno.

BARBARA: Tu, poi, li comprasti quei sandali che vedesti
"Da Mario" in Via Nazionale?

ANNA: No, non mi stavano affatto bene.

BARBARA: Spero che non avrai dimenticato il passaporto
20 in albergo. Prima che ci lascino salire sull'aereo
c'è il controllo dei passaporti e dei bagagli.

GIOVANNI: È vero, ma è una semplice formalità per gli
stranieri.

BARBARA: Negli Stati Uniti, invece, in dogana aprono
25 tutti i bagagli.

ENZO: Peccato davvero che non possiamo venire con
voi fino a Parigi!

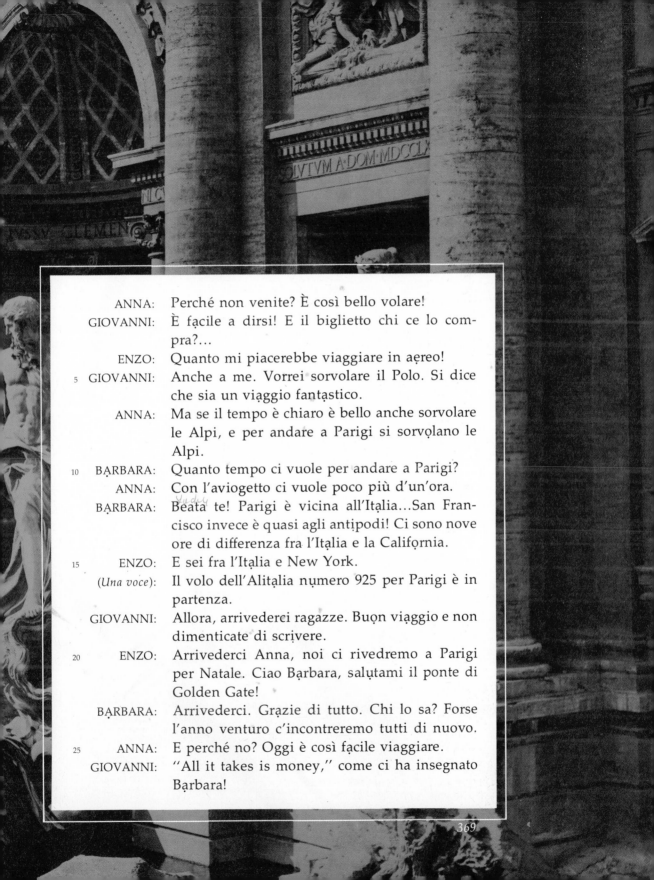

ANNA:	Perché non venite? È così bello volare!
GIOVANNI:	È facile a dirsi! E il biglietto chi ce lo compra?…
ENZO:	Quanto mi piacerebbe viaggiare in aereo!
5 GIOVANNI:	Anche a me. Vorrei sorvolare il Polo. Si dice che sia un viaggio fantastico.
ANNA:	Ma se il tempo è chiaro è bello anche sorvolare le Alpi, e per andare a Parigi si sorvolano le Alpi.
10 BARBARA:	Quanto tempo ci vuole per andare a Parigi?
ANNA:	Con l'aviogetto ci vuole poco più d'un'ora.
BARBARA:	Beata te! Parigi è vicina all'Italia…San Francisco invece è quasi agli antipodi! Ci sono nove ore di differenza fra l'Italia e la California.
15 ENZO:	E sei fra l'Italia e New York.
(Una voce):	Il volo dell'Alitalia numero 925 per Parigi è in partenza.
GIOVANNI:	Allora, arrivederci ragazze. Buon viaggio e non dimenticate di scrivere.
20 ENZO:	Arrivederci Anna, noi ci rivedremo a Parigi per Natale. Ciao Barbara, salutami il ponte di Golden Gate!
BARBARA:	Arrivederci. Grazie di tutto. Chi lo sa? Forse l'anno venturo c'incontreremo tutti di nuovo.
25 ANNA:	E perché no? Oggi è così facile viaggiare.
GIOVANNI:	"All it takes is money," come ci ha insegnato Barbara!

Vocabolario

NOUNS

l' **aereo (l'aeroplano)**   airplane
l' **aeroporto**   airport
   Alitalia   *an Italian airline*
gli **antipodi**   antipodes
l' **aviogetto**   jet (plane)
il **controllo**   control, check
la **dogana**   customs (house); **in
   dogana**   at the customs
la **formalità**   formality
il **polo**   pole
il **rapido**   streamliner, express
   train
il **sandalo**   sandal
il **volo**   flight

ADJECTIVES

rosso   red

VERBS

sorvolare   to fly over
trattarsi di   to be a matter of

vivere   to live

OTHERS

davvero   indeed, truly
direttamente   directly

IDIOMS

a tempo   on time, in time
beato (-a) te (lui, lei, *etc.***)**   lucky
   you (him, her, etc.)
di moda   fashionable
di nuovo   again
è facile a dirsi   it's easy to say
essere in partenza   to be leaving,
   to be ready to leave
grazie di tutto   thanks for everything
in albergo   in (at) the hotel
stare bene a   to look well on (*of
   clothing*)
volerci per + *inf.*   to take (*of time*);
   ci vuole un'ora   it takes one
   hour; **ci vogliono due ore**   it
   takes two hours

GRAMMATICA

I. **L'imperfetto del congiuntivo di fare, dare, dire** (Imperfect Subjunctive: **fare, dare, dire**)

fare

Non sapeva che (io) facessi.   *He didn't know what I was doing.*

facessi	facessimo
facessi	faceste
facesse	facessero

dare

Voleva che (io) gli dessi l'indirizzo.   *He wanted me to give him the address.*

dessi	dessimo
dessi	deste
desse	dessero

dire

Sebbene (io) lo dicessi, non mi credeva.   *Although I said it, he didn't believe me.*[1]

dicessi	dicessimo
dicessi	diceste
dicesse	dicessero

---

[1] Be careful to make the appropriate changes in the object pronoun: **mi > ti > gli > ci > vi > . . . . loro.**

II. I tempi del congiuntivo (Sequence of Tenses with the Subjunctive)

(1) If the verb of the main clause is a present, future or imperative, the <u>present</u> or <u>present perfect</u> subjunctive is used.

Non **credo** che **vada** a scuola tutti i giorni.	I *do* not *believe* she *goes* to school every day.
È impossibile che **sia arrivata** stamani.	It *is* impossible that she *arrived* this morning.
Non **vorrò** che **ritorni** troppo presto.	I will not *want* him to *come back* too early.
Ditele che lo **faccia** subito.	*Tell her to do* it immediately.

(2) If the verb of the main clause is a <u>past tense</u> or a <u>conditional</u>, the <u>imperfect</u> or <u>past perfect</u> subjunctive is used.

Era impossibile che **arrivasse** stamani.	It *was* impossible that she *arrive* this morning.
Era impossibile che **fosse arrivata** domenica.	It *was* impossible that *she had arrived* on Sunday.
Non **vorrei** che **ritornasse** troppo presto.	I *would* not *want* him *to come back* too early.

III. La preposizione <u>da</u> (The Preposition da)

(1) When an infinitive that can be made passive in meaning (*to sell, to be sold*) depends on a noun, the preposition **da** is used and it often expresses PURPOSE or NECESSITY.

Hanno **una macchina da vendere.**	They have *a car to sell.*
Ho due **libri da leggere.**	I have two *books to read.*

NOTE: **Da** is always used before an infinitive that depends on **qualcosa, niente** or **nulla, molto, poco, tanto.**

Ho **qualcosa da dirle.**	I have *something to tell her.*
Non c'è **niente da mangiare.**	There is *nothing to eat.*
Abbiamo **molto lavoro da fare.**	We have a *great deal of work to do.*

(2) Used before a noun the preposition **da** expresses *purpose, use, manner.*

Un **cane da caccia**.	A *hunting dog.*
Le **carte da gioco**.	*Playing cards.*
Un **vestito da sera**.	An *evening dress.*
Scarpe da lavoro.	*Work shoes.*
Ha parlato **da amico**.	He spoke *like a friend.*
Da ragazzo studiava molto.	*As a boy* he studied a great deal.

(3) Before a name or surname, a pronoun, and before a noun which refers to a person, **da** translates English *at somebody's office, place, at the house of,* etc.

Andạrono a mangiare **da Alfredo**.	They went to eat *at Alfredo's.*
È andato **dal barbiere**.	He went *to the barber's.*
Andiamo **da lui**!	Let's *go to his house!*
Hanno passato la serata **dai Caraccis**.	They spent the evening *at the Caracci's.*

NOTE: With a first name and with a pronoun no article is needed.

ESERCIZI A. *Ripetete gli esempi seguenti cambiando le parole indicate.*

a. Sperava che *tu avessi* finito.
1. lui 2. io 3. Loro 4. voi 5. lei 6. loro 7. noi

b. Era necessạrio che *dẹssero* del denaro al pọvero (*poor man*).
1. lui 2. noi 3. Loro 4. tu 5. lei 6. voi 7. io

c. Non vollẹro che *io facessi* il viaggio da solo (*alone*).
1. loro 2. voi 3. lei 4. tu 5. Loro 6. noi 7. lui

d. Domandạrono se *andasse* con gli amici.
1. io 2. noi 3. Loro 4. tu 5. lei 6. voi 7. loro

e. Magari *venissi* anche *tu!*
1. loro 2. voi 3. lei 4. Lei 5. Loro 6. noi 7. io

B. *Cambiate le frasi seguenti al passato del congiuntivo.*

ESEMPIO: *Spero* che *possa* partire.
Speravo che potesse partire.

1. *Crede* che io *voglia* partire domenica.   2. *Dubito* che *siano* arrivati.   3. Le *dice* che *faccia* presto.   4. Non *vuole* che io *impari* quella canzone.   5. *Credi* che quel libro *sia* esaurito?

C. *Sostituite all'infinito del verbo la forma corretta del congiuntivo.*

1. La signorina credeva che io *volere* comprare la valigia.
2. Vogliono che voi *scrivere* loro una lettera.   3. Credevo che le Terme di Caracalla *essere* a Pompei.   4. Con questo abito grigio bisogna che voi *portare* una camicia bianca.
5. Parlava di Roma come se ci *essere* poco tempo prima.
6. Vuole che io glielo *dire*.   7. Voleva che io glielo *dire*.
8. Sperava che io le *dare* il mio libro.   9. Spera che io le *dare* il mio libro.   10. Dubiterebbe che tu gli *dire* la verità.
11. Dubiterà che tu gli *dire* la verità.   12. Vogliono che noi *fare* loro un favore.   13. Vollero che noi *fare* loro un favore.
14. Non so se *essere* venuti.   15. Non sapevo se *essere* venuti.   16. Digli che *venire* domani!   17. Non credevo che l'aereo *proseguire* per Roma.   18. Professore, spieghi di nuovo la lezione perché (noi) la *capire* bene.   19. Non vorremo che (voi) *partire* troppo presto.   20. Non vorrebbero che noi *ritornare* prima di mezzogiorno.

D. *Completate le frasi seguenti facendo i cambiamenti necessari.*

(a) 1. In questo museo c'è molto .... vedere.   2. C'era molto .... mangiare, ma non avevo fame.   3. Il professore ci ha dato una lezione .... fare per domani.
4. Ti telefonerò stasera perché ho molte cose .... dirti.
5. Non ho nemmeno un giornale .... leggere.

(b) 1. Ecco il tuo nuovo costume .... bagno.   2. Queste sono le mie nuove scarpe .... sera.   3. Non ho un cappello .... viaggio.   4. Questo vestito bianco è un vestito .... estate.   5. Ecco il tuo ombrello .... sole.
6. Giovanni non è a casa, è andato .... parrucchiere.
7. Anna aveva mal di testa ed è andata .... dottore.

E. *Traducete le frasi seguenti:*

1. The majority (*largest part*) of tourists go to Europe in June and return in August. 2. Do you know how long (*how much time*) it takes to go from the United States to Italy? 3. Jets are very fast today, it is a matter of hours, not days. 4. If I had enough money, I would travel every summer. I like flying. 5. There are so many things to see in the Italian cities that it takes many months to see everything. 6. Barbara and Anna left yesterday from Rome. The day of their departure had arrived, and they spent the whole afternoon with their friends. 7. They had spent several months in Italy, and they had seen many things, but not everything. It takes a long time to see everything. 8. And then, they had not gone to Italy as tourists; they had gone there as students. 9. They had hoped to see the beautiful lakes (lake, **lago**) near the Alps, but they did not have time. 10. Barbara especially liked Florence because she had studied Italian art of the fifteenth and sixteenth centuries. 11. They would have preferred to remain in Rome another week, but they had already bought the tickets, and they had only a few lire to spend. 12. It was a hot afternoon and they wanted to spend a couple of hours near the lake in Villa Borghese. 13. While returning to the hotel where Barbara and Anna were staying, they stopped to get an ice cream. 14. Take this table, said the waiter, it is cooler here. 15. They remained only a few minutes at the café because they wanted to arrive at the airport in time.

DA IMPARARE A MEMORIA

Andiamo subito, altrimenti non arriveremo a tempo.

Stavo per ringraziare il professore quando arrivò il rapido.

Carlo porta sempre una giacca grigia perché il grigio gli sta bene.

Quanto ci vuole per andare alla stazione? Ci vogliono venti minuti.

CONVERSAZIONE *Rispondete alle domande seguenti:*

1. Quando hanno telefonato ai loro amici Barbara e Anna?
2. Anna partirà sóla per Parigi? 3. Da chi contava passare
una settimana a Parigi Barbara? 4. Che cosa faranno Giovanni e Enzo quando saranno partite le loro amiche? 5. Che
borsa da viaggio voleva Anna che comprasse Barbara? 6.
Quando ha luogo il controllo dei passaporti? 7. Nelle dogane
italiane aprono tutti i bagagli degli stranieri? 8. Quando si
sorvolano le Alpi? 9. Quanto tempo ci vuole per andare in
aviogetto da Los Angeles a New York? 10. E per andare in
aereo da New York a Roma quanto tempo ci vuole? 11. Per
un Italiano dov'è San Francisco? 12. Crede Lei che Barbara e
Anna ritorneranno in Italia? 13. È contento Lei che stiano
per cominciare le vacanze?[2] 14. Continuerà a studiare
l'italiano Lei? Perché?

[2] Note the idiom: Le vacanze (estive, di Natale, di Pạsqua) summer,
Christmas, Easter vacation [of more than one day].

RIPETIZIONE 9

I. **Rispondete alle domande seguenti:**

1. Perché Napoli offre uno spettacolo indimenticabile a chi la vede per la prima volta? 2. Lei sa il nome di qualche isola italiana? 3. Quali posti famosi ci sono a Napoli? 4. Se Lei dovesse scegliere, quale stagione preferirebbe per andare in Italia? 5. Per che cosa si usano oggi le Terme di Caracalla? 6. Che cosa avrebbe fatto Anna se avesse avuto abbastanza denaro? 7. Perché non è facile trovare un posto su un aeroplano verso la fine dell'estate per un volo da Roma a New York? 8. Che cosa fanno all'albergo Barbara e Anna prima di andare all'aeroporto? 9. Vanno a Parigi anche Giovanni e Enzo? 10. Lei sa quante ore ci vogliono in aereo per fare un viaggio da Roma a New York?

II. **Cambiate il verbo dal presente al futuro.**

1. Io *vengo* spesso a Capri. 2. *Veniamo* in tassì perché è tardi. 3. *Vengono* qui soltanto d'inverno. 4. *Viene* al porto ogni pomeriggio. 5. *Vogliamo* visitare tutta l'isola. 6. *Vuole* fare una lunga passeggiata. 7. *Vogliono* visitare la galleria. 8. *Vuoi* assaggiare qualche specialità?

III. **Cambiate il verbo dal presente al condizionale presente.**

1. *Vengo* volentieri alle Terme di Caracalla. 2. *Venite* spesso all'opera all'aperto? 3. *Viene* direttamente da casa. 4. *Vengono* sempre a tempo. 5. *Vogliamo* tutta la verità. 6. *Vuole* vivere a Roma per un mese. 7. Ci *vogliono* quasi due ore per questa partita. 8. *Vuoi* un caffè anche tu?

IV. *Sostituite all'infinito la forma corretta del verbo:*

1. Vuole che io *comprare* un nuovo paio di scarpe. 2. Vorrà che io *comprare* due paia di scarpe. 3. So che vorrebbe che io *comprare* un nuovo paio di scarpe. 4. Speravano che lui *essere* arrivato. 5. Sperano che lui *essere* arrivato. 6. Gli telefoni *partire* subito. 7. Mi sembrava che ci *essere* un migliaio di persone. 8. Quante migliaia di persone ti sembra che ci *essere*? 9. Bisognerebbe che essi *venire* prima di cena. 10. Se io lo *sapere* avrei proseguito per altre due miglia. 11. *Arrivare* a Villa Borghese, i quattro turisti andarono direttamente al museo. 12. *Finire* l'opera, ci fermammo a prendere un espresso. 13. Giovanni *preferire* non parlarne. 14. La signorina *imparare* a suonare il pianoforte. 15. So che loro *cercare* di venire a vedermi.

V. *Seguendo il modello italiano traducete le seguenti frasi inglesi.*

1. Capisco perfettamente. I begin to understand perfectly.
2. Ho detto a Mario molte cose. I told Mario to come.
3. È partito improvvisamente (*suddenly*). He left without seeing me.
4. Ho qualcosa per Lei. I have something to give you.
5. Mi ha parlato per un'ora. He spoke to me as a friend.
6. L'ho comprato in città. I bought it at Bianchi's.
7. Ho mangiato molto. I have not been able to eat.
8. Ci sono poche persone. There are about one hundred people.
9. Ho comprato un uovo di Pasqua. I have bought many Easter eggs.

VI. *Traducete le frasi seguenti:*

1. They were saying that *Aïda* was the most beautiful opera they had ever seen. 2. Although he had gotten up late, he was not in a hurry. 3. Your son will return within five months. 4. Did you know that this novel was sold out? 5. It is necessary that I see him before he leaves.

6. This morning I am hungry, and I would like (*want*) to eat two or three eggs. 7. What beautiful red lips Louise has! Too bad the red is not natural (**naturale**)! 8. They could come with us, but they prefer to go in their car. 9. Every time we see her she invites us. Let us go to her house! 10. He knows how to sing (**cantare**), and she knows how to play the piano. 11. Do you want to take a walk along the gulf? It's a magnificent day! 12. Thank you, I'd like to very much, but my feet hurt (*me*). 13. Without doubt the surroundings of Naples are unforgettable. 14. If you want me to tell you the truth, I would like to spend two weeks there.

VII. *Scrivete frasi originali per ciascuna di queste espressioni:*

1. fare male. 2. fare una passeggiata. 3. essere in giro.
4. faccia pure (Lei)! 5. stare bene (*clothes*). 6. di moda.

1. Oggi quasi sempre mi fa male un piede.
2. Tutti giorni facciamo una passeggiata lungo da queste parti.
3. Il mese scorso eravamo in giro per Napoli.
4. Fai pure, leggi la lezione.
5. Il grigio non sta bene a me.
6. In Italia calze bianche stockings sono di moda quest'anno.

Giuseppe Verdi

Giacomo Puccini

L'OPERA ITALIANA

Come le arti figurative, la musica italiana ha una lunga storia, ed è facile fare una lunga lista di nomi di famosi compositori italiani, quali Domenico Scarlatti (1685–1757), Angelo Corelli (1655–1713), Antonio Vivaldi (1675–1743), Ottorino Respighi (1879–1936), e, negli ultimi anni, Luigi Dallapiccola (1904–1975), Luciano Berio (1925–) e Luigi Nono (1924–). E per ciò che riguarda la musica strumentale, chi non conosce il nome dei grandi artefici di violini e violoncelli: Niccolò Amati (1596–1648), Antonio Stradivari (1644–1737) e Giuseppe Guarneri (1698–1744)? I loro strumenti sono tuttora stimatissimi.

Come tutti sanno, importantissima nella storia musicale italiana è l'opera, che nacque a Firenze verso la fine del Cinquecento con il nome di melodramma, cioè dramma in musica. Fra i primi compositori di opere, o melodrammi, troviamo Jacopo Peri che scrisse la prima opera, *Dafne,* nel 1597, e Claudio Monteverdi (1567–1643) che scrisse l'*Orfeo* e la famosa aria *Lasciatemi morire.*

Dalle origini fino ai tempi moderni la tradizione dell'opera in Italia non è mai stata interrotta. Tutti gli anni in molti paesi del mondo, in italiano o in traduzione, si continuano a rappresentare *Il barbiere di Siviglia* di Gioacchino Rossini

(1792–1868), la *Lucia di Lammermoor* di Gaetano Donizetti (1797–1848), La *Norma* di Vincenzo Bellini (1801–1835), la *Bohème* e *Madame Butterfly* di Giacomo Puccini (1858–1924), la *Cavalleria Rusticana* di Pietro Mascagni (1868–1945), e le numerose opere di Giuseppe Verdi (1813–1901), l'*Aïda*, il *Rigoletto*, la *Traviata*, il *Trovatore*, eccetera.

Oggi l'opera è ancora uno degli spettacoli musicali più coltivati in tutto il mondo, e in Italia la tradizione continua a vivere nei grandi teatri come La Scala di Milano, il San Carlo di Napoli, il Teatro dell'Opera di Roma, il Teatro Massimo di Palermo, e durante l'estate, all'aperto, nell'Arena di Verona e alle Terme di Caracalla a Roma.

Vocabolario

l' **artefice** *m.* maker, craftsman
il **barbiere** *m.* barber
la **cavalleria** chivalry
il **Cinquecento** sixteenth century
ciò (che) what
il **compositore** *m.* composer
eretto (*from* **erigere**) built

Giuseppe Joseph
interrotto (*from* **interrompere**) interrupted
la **lista** list
quale such as
riguardare to concern
rusticano rustic
la **scala** stairs
scrisse (*from* **scrivere**) wrote

Siviglia Seville
stimato esteemed
strumentale instrumental
lo **strumento** instrument
la **traduzione** *f.* translation
tuttora even now
il **violino** violin
il **violoncello** cello

Milano: Interno del Teatro alla Scala. Questo famoso teatro fu eretto nel 1778 da G. Piermarini sull'area della chiesa di Santa Maria della Scala.

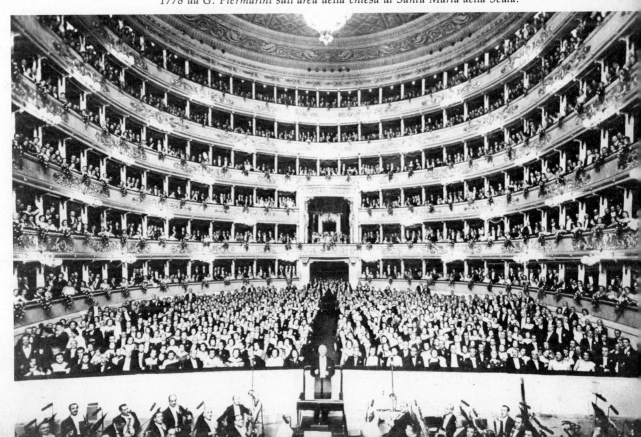

1 STUDENTS

Barbara is a girl. Barbara's surname is Pace. Barbara Pace is a student. Olga Martin, Barbara's friend, is also a student. Barbara and Olga are in Italy in order to study Italian.

Mario and Charles are friends of Barbara and Olga. They are also students
5 *and are at school with the girl students. The boys and girls have pen and pencil for the lessons and the examination.*

Here is the school! Here are the students!

MISS PACE:	Good morning, Miss Martin, how are you?
MISS MARTIN:	Fine, thank you, and you?
10 MISS PACE:	Very well, thank you. Where is Louise?
MISS MARTIN:	Louise is at school.
MISS PACE:	And where is Charles?
MISS MARTIN:	Charles is at home with his uncle.
MISS PACE:	Where is Mario?
15 MISS MARTIN:	Here is Mario.
MISS PACE:	Good-bye, Miss (Martin).
MISS MARTIN:	Good-bye.
MARIO:	Good morning, Miss Pace.
MISS PACE:	Good morning, Mario.
20 MARIO:	How are you, Miss (Pace)?
MISS PACE:	Fine, thanks, and you?
MARIO:	Very well, thanks. Where is Charles?
MISS PACE:	Charles is at home with his uncle.
MARIO:	Here is the professor. Good-bye, Miss (Pace).
25 MISS PACE:	Good day.

2 WE STUDY ITALIAN

The University for Foreigners of Florence. The students arrive for the conversation lesson. Charles arrives and meets Louise. The two students speak in Italian.

CHARLES:	Hello, Louise.
LOUISE:	Hello, Charles.
30 CHARLES:	What are you studying at school?

LOUISE: I am studying Italian. Here is the book.

CHARLES: When do you study?

LOUISE: I study every day.

CHARLES: Do you read and write every day?

5 LOUISE: Yes, I read and write every day because I wish to learn.

CHARLES: Does the professor read every day?

LOUISE: Yes, he reads aloud. I too read aloud in class.

The professor arrives and the Italian lesson begins.

10 THE PROFESSOR: Good morning, Miss. How are you?

LOUISE: Fine, thank you, and you?

PROFESSOR: Very well, thank you. — And how are you?

STUDENTS: Fine, thank you.

PROFESSOR: Are we writing now?

15 STUDENTS: No, now we are speaking.

PROFESSOR: Do you speak, Louise?

LOUISE: Yes. I listen to the questions and I answer.

PROFESSOR: Do you listen too, Charles?

CHARLES: Yes, I also listen to the questions and I answer.

20 PROFESSOR: Do the students listen?

CHARLES: Yes, the students listen to the questions and they answer.

PROFESSOR: Why do the students listen?

LOUISE: Because they wish to learn.

25 PROFESSOR: Why do you listen?

STUDENTS: Because we wish to learn.

While the professor speaks, the students listen or write. Then the professor repeats the questions, and the students answer together. The students study Italian together and speak. They read every day, and in order to learn well, they listen
30 *when the professor speaks or reads.*

3 *AT SCHOOL*

George and Mario are friends. Every day George and Mario take the streetcar together to go to school. They go to school together every day. Today they arrive at school early, and wait for the professor of Italian.

MARIO: Here is Professor Bianchi.

35 GEORGE: Where is he?

MARIO: He is the gentleman with Louise.

GEORGE: Is it true that Professor Bianchi always arrives at school early?

MARIO: Yes. He always arrives early.

40 GEORGE: Louise says that Professor Bianchi teaches well. Is it true?

MARIO:	Yes, he teaches very well.
GEORGE:	What does he teach? I don't remember. Does he teach French?
MARIO:	No, he teaches English.
5 GEORGE:	Is it true that he speaks aloud (in a loud voice)?
MARIO:	Yes, he always speaks aloud in class.
GEORGE:	Why?
MARIO:	Because when he speaks aloud the students listen.
GEORGE:	Thus they do not sleep in class!
10 MARIO:	They listen, they do not sleep, and they learn because he teaches well.
GEORGE:	Is it true that Professor Bianchi speaks French also?
MARIO:	Yes. Every year, when school ends, he leaves and spends the summer in France.
15 GEORGE:	But Louise says that Professor Bianchi prefers to speak English.
MARIO:	I do too!
GEORGE:	Charles and I prefer to speak Italian and at home we always speak Italian.
20 MARIO:	Does Charles understand Italian?
GEORGE:	I should say! Charles understands everything.
MARIO:	Here is the professor of Italian. Good morning, professor.
GEORGE:	Good morning, professor.
25 PROFESSOR:	Good morning. Aren't you going into the classroom?
MARIO:	Oh yes, we are going in too.

Mario opens the door, and they enter the classroom.

4 A LETTER

The University for Foreigners. Today all the students are present. The boys are present and also the girls are present. When the professor arrives they see that he
30 *is wearing a black suit, a white shirt and a green tie.*

    Louise says to Charles: "The professor is wearing a new suit today. It's beautiful, isn't it?"

CHARLES:	Yes, it's a very beautiful suit. The green tie is also beautiful.
35 LOUISE:	Do you prefer a green tie?
CHARLES:	No, I prefer not to wear a tie.
LOUISE:	But I see that today you're wearing a tie . . . a green tie.
CHARLES:	It's true, but today is an exception.
PROFESSOR:	Quiet! Quiet, Charles and Louise. I wish to read a long
40	letter from a young lady from Milan.
JOHN:	From a young lady from Milan, professor?

PROFESSOR: Yes, from a young lady from Milan. Why don't you listen?

The students listen and the professor begins to read. He reads aloud, and everyone
listens. The students understand because many words are easy and because the
5 *professor explains the new and difficult words. It's a letter from a young girl,*
Gina Redenti. Gina's father is a professor and teaches English in Milan. He is a
fine professor, says Gina. Gina's letter says that she is studying English and that
she wishes to correspond with an American or an English student.

When the professor reads Gina's name, George does not understand well and
10 *the professor repeats: "Gi-na Re-den-ti." The professor understands that George*
wishes to correspond in Italian with Gina and reads the address also. Then he
says:

"George, do you wish to correspond with Gina?"
GEORGE: Yes, professor.
15 PROFESSOR: Do you wish to correspond in Italian or in English?
GEORGE: I wish to correspond in Italian.

The professor finishes [reading] Gina's letter, and the lesson ends.

5 AN EXCELLENT IDEA

Mario and George are in front of the university library and are waiting for some
school friends. Today they have no classes. While they are waiting, they speak of
20 *this and that.*

MARIO: George, are you going to stay long (much time) in the library today?
GEORGE: No, I'm going to get a book, and then I'm going to go back home. I prefer to study at home. And you?
25 MARIO: I am waiting for Louise and Charles. Today we are studying together. In the afternoon, if the weather is good, we will go swimming in a pool at the Cascine.
GEORGE: When the weather is good, in the afternoon I read a book in the garden. I don't live very near the Cascine,
30 but from the window of my study I can see the swimming pool.
MARIO: Here are Louise and Charles! Why are you late?
CHARLES: Who knows? Because . . . Louise is always late.
GEORGE: Liar! It's not true! It's you who always arrive late . . .
35 LOUISE: That's enough, boys! Why don't we all go to have a cup of coffee?
GEORGE: It's an excellent idea, but I don't have any money.
MARIO: I don't either!
CHARLES: Louise is going to pay!
40 LOUISE: Why me?
CHARLES: Because only you have money.

ENGLISH EQUIVALENTS

LOUISE:	Very well, I'll pay for everybody, but . . . only one cup of coffee (each).
GEORGE:	And after, everybody in the pool. All right?
MARIO:	Just a minute, first we go to the library to study, and then we go to the pool.
GEORGE:	That's right . . . first duty, and then pleasure.
EVERYBODY:	Bravo! Hurrah!

6 IN FLORENCE

Two young ladies, Miss Barbara Pace and Miss Anna Manin, are in front of the University for Foreigners in Florence, and are waiting for the professor of art. Miss Pace is American, and Miss Manin is French.

MISS MANIN:	Good morning, (Miss), you too are taking Mr. Toschi's course, aren't you?
MISS PACE:	Yes. Today, however, I shall also be at Professor Ghiselli's lesson. Do you know him? He is the music professor.
MISS MANIN:	No, I don't know him.
MISS PACE:	Excuse me, (Miss), are you French?
MISS MANIN:	Yes, but my father is Venetian. And you're American aren't you?
MISS PACE:	Yes, but my grandfather is Roman. How long will you remain in Florence?
MISS MANIN:	The whole summer and perhaps the whole year. Then I'll return home. And you?
MISS PACE:	I'll remain in Italy a year.
MISS MANIN:	Where do you live? In a pension?
MISS PACE:	Yes. In a pension in Piazza Indipendenza (*Independence Square*). There are many pensions near the University. And where do you live?
MISS MANIN:	I live on Via Panzani (*Panzani Street*) with a Florentine family. There is another French girl, but I don't see her often. I prefer to speak Italian.
MISS PACE:	I too know many American girls in Florence, but I don't see them often.
MISS MANIN:	Is it true that today the professor will speak to us about Fiesole?
MISS PACE:	Yes, and then tomorrow he will take us to see Fiesole which is very near Florence. Fiesole is a small town of Etruscan origin famous for the beauty of its landscape.
MISS MANIN:	Fine! We're going to visit the little museum and the Roman theater, aren't we?
MISS PACE:	Yes. We'll all leave together in the afternoon from Piazza San Marco (*St. Mark Square*).

MISS MANIN:	How are we going, by car?
MISS PACE:	No. We shall take the trackless trolley in Piazza San Marco.
MISS MANIN:	Thank you, Miss Pace. You are very well informed and very kind.
MISS PACE:	Oh! Here's Professor Toschi.

7 A RECEPTION

Today there will be a reception for all the students enrolled at the University. The president and all the professors will be present. The reception will take place in the hall of a large hotel. The president will welcome the guests, then Mr. Marini, a professor of medieval history, will give a brief lecture on the history of Florence. After the lecture one of the professors will give some information of general interest, and then there will be refreshments.

Miss Pace and Miss Manin arrive at the hotel together and enter. In the large hall there are already many people.

MISS PACE:	How many guests!
MISS MANIN:	There must be one hundred people, don't you think?
MISS PACE:	That's right! Do you know the president?
MISS MANIN:	I know him, but I don't see him. What about Professor Toschi? Where can he be?
MISS PACE:	He is there, near the piano, with a (girl) student.
MARIO:	Good morning. What a lot of people, don't you think?
MISS PACE:	Oh yes!
MARIO:	But I don't see Olga; where can she be?
MISS PACE:	She is probably with Louise; they are always together.
MARIO:	When will they serve the refreshments? I am hungry.
MISS MANIN:	And I am thirsty!
MISS PACE:	After the lecture, don't you think?
MARIO:	And when will the lecture begin?
MISS MANIN:	When the president arrives.
MARIO:	Why? Will he give the lecture?
MISS PACE:	Silly! No, but he will welcome the guests.
MISS MANIN:	Then Professor Marini will deliver the lecture . . . and then refreshments will be served.
MARIO:	But I am hungry!
MISS MANIN:	And I am thirsty!

The two young women make a tour of the Hall and talk with other students. Finally the President arrives. He gives the welcome, and then introduces Professor Marini. The lecture is short but interesting.

8 A TELEPHONE CALL

Miss Pace meets Giovanni Andrei, a student at the University of Florence.

MISS PACE: Good morning, Mr. Andrei.

MR. ANDREI: Good morning, Miss Pace. Where are you going? Are you going back to your pension?

5 MISS PACE: No, I am going to the bank, but first I must make a telephone call.

MR. ANDREI: There is a telephone here in the coffee shop.

MISS PACE: Ah, good!

MR. ANDREI: Are you telephoning someone here in town?

10 MISS PACE: Yes! But I have to make a long distance call also. I have to call my aunt in Rome.

MR. ANDREI: In that case it's better to go to the telephone office.

At the telephone office many persons are waiting for their turn.

MISS PACE: While I am waiting for my turn, I'll call my cousin. She
15 is here in Florence. How much is a local call?

MR. ANDREI: Fifty liras. Do you have a token?

MISS PACE: A token? I don't understand. What are tokens?

MR. ANDREI: The price of telephone calls changes once in a while in Italy and so instead of coins we use tokens. It's very
20 simple. You buy a token from the clerk and you insert it in the instrument. One moment, I'll buy it.

Giovanni comes back, gives the token to his companion and explains: "You insert the token in the instrument, and dial the number." Miss Pace dials the number, but nobody answers.

25 MISS PACE: My cousin doesn't answer. She must be out.

The clerk says: "Miss, your party in Rome is on the line." The young lady goes into the booth and lifts the receiver —"Hello! Hello! Who's speaking?"
 Miss Pace hears her aunt's voice and answers: "It's I, Barbara."

THE AUNT: Is that you, Barbara?

30 *Miss Pace sighs: "English is so easy!"*

9 AT THE BANK

Miss Pace opens the door of the telephone booth.

MISS PACE: There! And now I must go to the bank for a minute.

GIOVANNI: If you need to (must) change some traveller's checks there is a money exchange office near here.

          ENGLISH EQUIVALENTS

MISS PACE:	No, I must go to the Commercial Bank. Is it far?
GIOVANNI:	Yes. I live near the Commercial Bank. Shall we take the streetcar?
MISS PACE:	I prefer to walk. Is that all right?
5 GIOVANNI:	By all means. I prefer to walk also.
MISS PACE:	Today there is no one in the streets.
GIOVANNI:	It's true. There is hardly anyone either in the streets or in the stores.
MISS PACE:	Here is the Commercial Bank.
10 GIOVANNI:	In this bank there never are many people, fifteen or sixteen at the most.
MISS PACE:	It's true. It's so easy to cash a check.
GIOVANNI:	My favorite checks are traveler's checks.
MISS PACE:	Why?
15 GIOVANNI:	Because when I get traveler's checks it means that I'm going to leave on a trip.
MISS PACE:	Oh, there is Miss Marini too, the daughter of Professor Marini.
GIOVANNI:	Where is she?
20 MISS PACE:	At window number three. Good morning, Miss Marini.
MISS MARINI:	Good morning, Miss Pace.
THE CLERK:	(at the window) Do you have your (the) identification card, miss?
25 MISS MARINI:	No, I have neither an identification card nor a passport. As a matter of fact I do have an identification card, but not here.
THE CLERK:	I am sorry, miss.
MISS MARINI:	Patience! I'll come back tomorrow. Thank you just the
30	same.
THE CLERK:	(to Miss Pace): And you, miss, do you wish anything?
MISS PACE:	I want to cask a check for thirty-eight dollars, and a money order for one hundred dollars. Here is my passport.
35 THE CLERK:	Very well, but first you must sign the check and the money order. . . . Here is your money. Anything else?
MISS PACE:	Yes. I want to deposit this check in my checking account.
THE CLERK:	There you are.
40 MISS PACE:	Thank you. (to Giovanni Andrei) And now I must go back to the pension.
GIOVANNI:	Shall I accompany you?
MISS PACE:	Thank you, it's not necessary. I'll take the streetcar because it's late.

ENGLISH EQUIVALENTS

10 A LUNCHEON

In Italy there are several cities known for their hot water springs and for the healthy effect of the waters of these springs. One of these cities is Montecatini, situated in the Tuscan hills between Florence and the sea. Barbara Pace visited Montecatini during the day. Now it's evening; she is in the living room of the
5 *pension and is reading a magazine. Miss Ricci comes in.*

MISS RICCI: Good evening, Miss Pace. Where have you been today? I didn't see you at lunch.

MISS PACE: I went to Montecatini, where Mrs. Brown, an American lady, invited me.

10 MISS RICCI: How did you go to Montecatini, by bus?

MISS PACE: No, Mrs. Brown came to Florence in her car and she took me to Montecatini in forty minutes.

MISS RICCI: Montecatini is a very charming city, isn't it?

MISS PACE: Yes, very. There are many beautiful villas and many
15 trees.

MISS RICCI: Did you visit the hot water springs?

MISS PACE: Yes, they're beautiful. And I even tasted the water. It's awful! Did you ever taste it?

MISS RICCI: Yes. As you saw there are many people at the springs.
20 Everyone with a glass of water in his hand.

MISS PACE: Afterwards Mrs. Brown took me to lunch at her beautiful villa.

MISS RICCI: What did you eat?

MISS PACE: Green noodles, steak, salad, fruit and coffee: an ex-
25 cellent luncheon.

MISS RICCI: Did your friend bring you back to Florence in her car?

MISS PACE: No, I came back by bus. There is an excellent bus service between Montecatini and Florence.

MISS RICCI: It's true. I have a friend in Montecatini, and when she
30 invites me to dinner I always take the bus . . . But, excuse me, Miss Pace, I am sure that you want to read your magazine.

And in fact Barbara wants to read a very interesting article on popular music in Italy in a magazine.

11 VIEW OF FLORENCE

35 *Like many other Italian cities, Florence is beautiful for its squares, its streets, its palaces, and its churches. It is a real pleasure to visit Italian cities on foot. But many cities are beautiful also when seen from above: for example, Rome offers a beautiful view from the Pincian Hill, Venice from the top of its campanile,*

ENGLISH EQUIVALENTS

Naples from the Vomero, and Palermo from the San Pellegrino Mountain. Florence offers a beautiful view from Piazzale Michelangelo.

Miss Pace and Miss Manin have studied the whole morning at the National Library, and now they are at Piazzale Michelangelo where they came on the streetcar in order to see the view of Florence.

MISS MANIN: Have you been on this hill other times?

MISS PACE: No, this is the first time. And you?

MISS MANIN: Yes I have; I often come here with a friend of mine. It's a magnificent view.

MISS PACE: That's right! That building is the National Library, isn't it?

MISS MANIN: Yes. And near there is the church of Santa Croce (The Holy Cross).

MISS PACE: And where is the church of Santa Maria Novella? (New Saint Mary's.)

MISS MANIN: To the left. Do you see that tower?

MISS PACE: Yes, I do. And to the right there are Giotto's tower, the dome of Santa Maria del Fiore (Saint Mary of the Flower), and the tower of the Palazzo della Signoria, also called Palazzo Vecchio.

MISS MANIN: How many towers! And where is Fiesole? I don't see it.

MISS PACE: Neither do I.

MISS MANIN: I found it! It's on that hill, among those trees.

MISS PACE: Oh, yes. Now I see it.

MISS MANIN: And that is the Ponte Vecchio.

MISS PACE: Yes, I know it well, but not the other bridges.

MISS MANIN: Is that a postcard of Florence that you have in your hand?

MISS PACE: Yes, I am going to send it to a cousin of mine in California. It's a view of Florence. Shall we go back to town now?

MISS MANIN: Yes, I am ready. Shall we take the streetcar or shall we walk?

MISS PACE: As you like. Here is the streetcar.

The two girls take the streetcar and get off near the Ponte Vecchio. Miss Pace returns to the library, and Miss Manin goes to buy a newspaper and then goes home.

12 AT THE RESTAURANT

The girls who are staying at Miss Pace's pension get up early. After they have gotten up, they wash, they dress, and then they go into the dining room where they have breakfast.

Miss Pace usually gets up early also. Today, however, is Sunday and she gets up very late. When she is ready she goes to Piazza del Duomo (Cathedral Square) *where she has an appointment with John. John has not arrived yet, but he arrives shortly afterwards. He apologizes and, after he has apologized, they go to a restaurant where they will have lunch together. They go into the restaurant and sit at a table. A waiter gives a menu to Miss Pace, and a menu to Mr. Andrei.*

5   WAITER: Good day. Will you have white or red wine?

GIOVANNI: White. (*to Miss Pace*) Is that all right?

MISS PACE: Yes, yes.

GIOVANNI: It's my favorite restaurant. Everything is good here. I have eaten here many times.

10   MISS PACE: And then it's a very charming restaurant. Here is the waiter with the wine and the bread.

WAITER: Would you like antipasto, some soup? . . .

MISS PACE: I prefer soup.

GIOVANNI: And I noodles.

15   MISS PACE: By the way, what is the difference between "tagliatelle" and "fettuccine"?

GIOVANNI: None. They are the same thing. But in Florence they call them "tagliatelle" and in Rome "fettuccine."

WAITER: And after, meat or fish?

20   MISS PACE: What are you going to have, Mr. Andrei?

GIOVANNI: Some mixed fry.

MISS PACE: What's in the mixed fry?

WAITER: Chicken, squash, celery, brains. . . .

MISS PACE: Brains? No, thank you, I will have roast veal and peas or

25   string beans.

GIOVANNI: (*to the waiter*) And then some fruit cocktail.

WAITER: We also have a delicious cake.

GIOVANNI: Fine. (*to Miss Pace*) And now, why don't we speak English for a while? If I don't speak English when I am

30   with you, I will never learn it.

MISS PACE: Ma sì, volentieri! I mean of course, gladly!

13 SHALL WE GO TO A MOVIE?

Even if, as in many other countries of the world, almost everyone in Italy today has a television set at home, the movies continue to be popular and to attract many people. These days in Italy they are showing a film of a young director
35 *who has had great success. In Florence this film is being shown at the Verdi Theater along with a documentary on Naples. Giovanni Andrei telephoned Barbara Pace and invited her to go to a movie. He arrives at the pension where Barbara lives and he rings the bell.*

GIOVANNI: Good evening.

40   MAID: Good evening, Mr. Andrei. Please come in.

The maid of the pension recognizes Mr. Andrei at once because it is not the first time that he calls at the pension. While Giovanni is waiting, the maid knocks at

Miss Pace's door and says to her: "Mr. Andrei has arrived, Miss." "I'll be right there," Barbara replies, and shortly after she walks into the living room. Giovanni gets up and greets her.

GIOVANNI:	Good evening.
5 MISS PACE:	Good evening Giovanni. (*She shakes hands with him.*)
GIOVANNI:	Shall we go to a movie? When I telephoned I forgot to tell you that besides the film there is also a very interesting documentary on Naples.
MISS PACE:	Great! I don't know Naples yet, but I already like it. Have you ever been to Naples?
10	
GIOVANNI:	Yes, many years ago I visited Naples and Capri. It was a short but interesting excursion.
MISS PACE:	Did you go alone?
GIOVANNI:	No, I went with my father and mother and we had a very good time. My parents remained in Naples and did not visit Capri, but I went to Capri for five days. Then we met in Naples, and we returned to Florence together.
15	
MISS PACE:	Did you visit Amalfi also?
GIOVANNI:	No, we didn't have the time. As I told you, it was a short visit and we had to come back at once.
20	
MISS PACE:	Shortly I'll take a little trip to Capri myself.
GIOVANNI:	You will like Capri very much, and also Naples. I know many people in Naples, and if you tell me when you are going to leave I'll write to them.
25 MISS PACE:	I am sure that your letters will be very useful to me. (And Miss Pace smiles at him.) Thanks.
GIOVANNI:	Not at all . . . Shall we go?
MISS PACE:	Yes, I'll change in five minutes and we'll go.
GIOVANNI:	Very well.

14 AT A COFFEE SHOP

30 *The "coffee shop" or "café" is a true institution in Italy, and it is part of the daily life of almost all Italians. Italians go to a café for appointments, for business, to meet friends, to write letters, to study, to read the paper, to have an apértif, and naturally to have coffee or espresso. In winter inside, in summer in the open air, the café is always available to the Italians.*

35 *Miss Pace is seated at a table of an open air café in Piazza della Repubblica. Enzo Falchi, a student whom Miss Pace knows, and who knows Miss Pace, passes by. He sees her, and he approaches the table.*

MR. FALCHI:	Good morning, Miss Pace, how are you?
MISS PACE:	Good morning, Mr. Falchi.
40 MR. FALCHI:	Do you mind if I sit at your table?
MISS PACE:	Not at all! Please sit down!

MR. FALCHI:	Gladly. (*to a waiter, who is nearby*) Waiter, two coffee-ices, please.
WAITER:	With or without whipped cream?
MISS PACE:	I prefer it with whipped cream, but not too much.
5 MR. FALCHI:	And I without it. In fact, no. I'll have a cappuccino. (*to Miss Pace*) John told me that you are going to Venice for a few days. When do you leave?
MISS PACE:	Tomorrow.
MR. FALCHI:	In the morning or in the afternoon?
10 MISS PACE:	In the morning. There is a train that leaves at eight-thirty.
MR. FALCHI:	It's a good idea. All the afternoon trains arrive in Venice too late in the evening.
MISS PACE:	Yes. In fact there is a train that leaves Florence at six in the evening, or, as the clerk at the station told me, at 18:00, and it arrives in Venice at 24:00, that is at midnight.
WAITER:	(*with the ice and the cappuccino*) Who ordered the ice?
MISS PACE:	I did. The gentleman ordered the cappuccino.
20 MR. FALCHI:	With whom are you going to Venice? With Miss Manin?
MISS PACE:	No, I'm going alone. In Venice I'm going to meet an American girl with whom I have traveled other times.
MR. FALCHI:	Sorry, Miss Pace, I didn't quite understand what you said. . . . this cappuccino is delicious.
MISS PACE:	I said that in Venice I'll meet a girl friend with whom I have traveled before.
MR. FALCHI:	Very good. I am sure that you will have a good time. Well, it's twenty minutes to five, and at a quarter to five I must meet a friend in Piazza del Duomo. (*aloud*) Waiter, the check, please.
WAITER:	Here you are sir.
MR. FALCHI:	Is service included?
WAITER:	Yes, sir.
35 MR. FALCHI:	Fine. (*to Miss Pace*) Well then, have a good trip, and have a good time.

15 BARBARA HAS LEFT

Barbara and Anna get out of a taxi in front of the railroad station. Anna has come to the station to accompany Barbara who is leaving for Venice.

BARBARA:	We must go and get a ticket at once because the train is leaving in five minutes.
ANNA:	Are you traveling first or second class?
BARBARA:	Are you kidding? Second class, because unfortunately

ENGLISH EQUIVALENTS

there is no longer a third class! (*To the clerk at the ticket office*) One second class ticket to Venice . . . (*To Anna*) I am running because the train is about to leave. Good bye, see you soon.

5   ANNA: Good bye, have a nice trip.

Anna leaves the station and goes to the center of town. In front of the ticket office of the CIT she meets Mary Bianchi, a young woman whom she met at the National Library.

    MARY: Hello, Anna.

10   ANNA: Hello, Mary. We haven't seen each other for a long time.

    MARY: It's true. I don't go out very often and I rarely come downtown . . . but what are you doing in this neighborhood?

    ANNA: I went to the station to see Barbara Pace off.

15   MARY: Did she leave? Did she go back to America?

    ANNA: No, no! She left for Venice. There she will meet a friend who is coming from England, from London.

    MARY: Is she going to come back to Florence?

    ANNA: Certainly. She wants to continue her studies here in

20   Florence; but first she will take a trip to France with her friend. But I see that you are coming out of the CIT office; are you leaving also?

    MARY: I wish I were! I came to see a friend who works at the CIT office. How are you getting along in Florence? You have

25   been here three months already, haven't you?

    ANNA: Yes, it doesn't seem possible. Time flies, perhaps because life in Italy is so beautiful.

    MARY: Well, good luck, and some day if you can come to my house, we'll go out together if you want to.

30   ANNA: Gladly. I'll do it. Good-bye, Mary.

    MARY: Good-bye, Anna.

16 A LETTER FROM VENICE

Giovanni is at home in his room. He received a letter from Venice. It is from Barbara Pace. Giovanni opens the envelope and reads:

Venice, April 10

35 Dear Giovanni,

    I wanted to write the day before yesterday but I couldn't because I was too busy. When I arrived in Venice it was two o'clock already because the train was late. My friend, Edith, was waiting for me at the station. When we were children Edith and I used to go to the

40 same school. Edith lived with her aunt then because her parents were in Europe. Then she also went to Europe, and I didn't see her again until a few months ago.

We went immediately to the hotel, by gondola. It was a magnificent afternoon, and the sun was shining on the Grand Canal; it was an enchanting spectacle that I shall always remember. After supper, while we were walking in Piazza San Marco, we met some girl
5 friends of Edith who were going to the Lido. They invited us. To tell the truth I was tired and I wanted to return to the Hotel, but I went to the Lido just the same.

The next day we visited the Church of San Marco and the Doges' Palace. The mosaics of St. Mark's are really marvelous. It was a beau-
10 tiful day and it seemed like summer. Yesterday we went to the island of Murano, renowned for its glass works, and today I spent almost the whole day shopping. Tomorrow I am leaving for Trieste; Edith wanted to go also, but today she received a letter from a lady whom she used to know in America, who will arrive in Venice in two days.
15 Too bad!

What's new in Florence? If you write to me, my address in Trieste will be: c/o Baldini, 25 San Giusto Street.

Cordially yours,

Barbara

17 STATIONERY AND BOOKS

20 *It's four p.m. Anna needs some stationery and goes to a stationery store on Cavour Street. She goes in and goes up to a clerk.*

CLERK: Good afternoon. What would you like?

MISS MANIN: Do you have light-weight air mail stationery?

CLERK: Yes. We have this box with one hundred sheets and
25 fifty envelopes. Is this all right?

MISS MANIN: The sheets are a bit long, but it doesn't matter. And then I want two notebooks.

CLERK: Here are some magnificent notebooks. We got them yesterday.

30 MISS MANIN: Yes, they really are magnificent. As soon as I return home I must not forget to write my name on the cover at once.

CLERK: Do you need anything else?

MISS MANIN: Yes. Do you have a map of the city?

35 CLERK: No, Miss. You must ask at a bookstore.

MISS MANIN: Thank you. How much do I owe you?

CLERK: Just a minute; I don't remember the price of the stationery . . .

Miss Manin pays the clerk, leaves the stationery store, and goes to a bookstore
40 *near Piazza del Duomo, where she has already been before. She arrives, opens the door and goes in.*

ENGLISH EQUIVALENTS

CLERK:	Oh, good evening, Miss Manin. How are you?
MISS MANIN:	Good evening, Mr. Centrone. This morning I received a long letter from Miss Pace. She sends best regards to all her friends and, naturally, to you too.
5 MR. CENTRONE:	Thank you. When is she coming back?
MISS MANIN:	Next week. Mr. Centrone, do you have any catalogues of classical authors?
MR. CENTRONE:	The catalogues are on this table, Miss; and on this one are the latest novels.
10 MISS MANIN:	Oh, here is Mondadori's catalogue; I recognized it at once because I have seen it before (lit. other times). I must say that many Italian catalogues are magnificent. I'll begin with this one. May I?

Anna sits down and leafs through two or three catalogues. After about twenty
15 *minutes she gets up, buys a map of Florence, and leaves.*

18 AT THE UFFIZI

"Miss, you are wanted on the telephone," the maid says to Miss Manin who is in the living room where she is writing some letters.
  "I'll come right away, thank you," Miss Manin answers her. "I'll finish the address on this envelope and I'll come. It's the third letter I have written today,
20 *and that's enough for now."*
  She gets up and goes to the telephone in the dining room.

ANNA:	Hello! Who is speaking?
MARIA:	Hello! Anna? How's everything? This is Maria.
ANNA:	Maria, what a nice surprise! I am fine; how are you?
25 MARIA:	Fine, fine. What are you doing this morning? Are you busy? Today I am going to the Uffizi, do you want to come with me?
ANNA:	Gladly, but I was expecting a friend, Luisa Neroni . . .
MARIA:	I know her. We're old friends, why don't you bring her along?
30	
ANNA:	Fine, I'll bring her along. At what time shall we meet?
MARIA:	About two thirty or three, under the Uffizi's arcade.
ANNA:	Very well, bye-bye.
MARIA:	Bye-bye.

35 *It is now almost three o'clock and Anna and Luisa are looking for Maria under the Uffizi's arcade which is crowded. Luisa explains to Anna why there are so many people, and why there are so many flowers and plants under the arcade.*

LUISA:	This is the flower market, an old Florentine custom; it's held every week, on Thursday, in the open under the
40	Uffizi's arcade.

ANNA: It is a magnificent spectacle; so many plants and so many flowers: carnations, roses, violets . . .

MARIA: (*sees them*) Finally! I have been looking for you for a quarter of an hour.

5 LUISA: Hello, Maria!

ANNA: Hello, Maria!

MARIA: Why don't we start toward the museum? There are too many people here.

ANNA: It's true.

10 MARIA: Naturally we can't see everything at the Uffizi in one afternoon. What would you prefer to see?

ANNA: Botticelli's *Spring* and Michelangelo's *David*.

LUISA: *Spring* yes, but not the *David* because it is at the Fine Arts Academy.

15 ANNA: I did not know it. It will be for another time.

MARIA: Do you have news from Barbara?

ANNA: I received a long letter this morning. It's the fifth letter I have received from her. She will return Wednesday.

While the girls are talking they have arrived at the entrance of the Uffizi and
20 *they enter.*

19 WELCOME BACK!

Yesterday Giovanni received a telegram from Paris: "I'm leaving this evening on the eleven o'clock train. I will arrive tomorrow, Sunday, at five p.m. Barbara." Today is Sunday. It's four-forty p.m., and Giovanni goes to the station to pick Barbara up. When he arrives at the station the large clock indicates four-fifty.
25 *At the station there are many people: in front of the ticket office, in the waiting rooms, everywhere. There are clerks, porters, people leaving, people arriving, suitcases and baggage of all types. Finally Giovanni finds the timetable of arrivals and departures. Barbara's train is on time. In fact, after a few minutes the train arrives, and Giovanni, who sees Barbara in the crowd, calls her out loud:*
30 *"Barbara, Barbara!"*

BARBARA: Oh, Giovanni, you came! How are you?

GIOVANNI: Fine thank you. Welcome back! Did you have a good trip?

BARBARA: Yes. From Paris to Milan I slept almost all the time. In
35 Milan some very charming artists got on, and I had a wonderful time.

A PORTER: Porter, sir?

GIOVANNI: No. (*to Barbara*) I'll carry the suitcase. Well then, did you have a good time these last few days?

40 BARBARA: Very good. I saw many beautiful cities, and I saw my old friend again.

GIOVANNI: What did you see in Venice?

BARBARA:	I saw Saint Mark's Square, the Doges' Palace, the Bridge of Sighs . . . in short so many lovely things, but not everything. I wanted so much to see the Academy Museum which is so important for the history of Venetian art, but it was not possible. I'll do that some other time. Some day I will go back to Venice and I will see what I have not seen this time. How is Anna?
GIOVANNI:	Very well, you will see. She didn't come to the station because she went to Siena with Enzo Falchi who bought a used Fiat. You know him, don't you?
BARBARA:	Yes, of course. I saw him the day before my departure.
GIOVANNI:	You must have bought many things in Paris, this suitcase is heavy!
BARBARA:	Why don't we get a cab?
GIOVANNI:	It's a good idea; there is a stand near here.

The two young people get a taxi and go to Barbara's pension.

20 A FAST TRIP TO PISA

GIOVANNI:	Well, are we ready? It's time to leave.
ENZO:	Are you ready, Barbara?
BARBARA:	Yes, I'm ready but . . .
GIOVANNI:	(*smiles*) Perhaps you're afraid to travel in my old car.
BARBARA:	Nonsense, I'm not afraid; I'm sleepy. I went to bed late last night.
ANNA:	You can sleep tonight; now let's go!

The four young people are in Piazza della Repubblica and they are about to leave for an excursion to Pisa. They will be going in Giovanni's old car. It's nine o'clock; it's a beautiful October morning. Shortly afterwards they leave, and in a few minutes they are speedily traveling on the freeway that goes from Florence to Migliarino. There they will take the road to Pisa.

BARBARA:	Please! Go slowly! Why all this hurry?
GIOVANNI:	Don't be afraid.
BARBARA:	I have already told you that I'm not afraid, but don't forget that your car is old. Furthermore, it's not very comfortable. Anna was right, why didn't we go by train?

After about an hour, the car finally arrives at Migliarino where the freeway ends. The young people stop briefly before continuing for Pisa.

ANNA:	How goes it? Are you still sleepy Barbara?
BARBARA:	No, now I'm awake, but I'm thirsty.
ANNA:	Have one of the orangeades we brought.
BARBARA:	Yes, gladly! When do we eat?
ANNA:	Let's eat now, I'm hungry.

ENGLISH EQUIVALENTS

ENZO:	No, let's wait a while. We'll eat in Pisa.
BARBARA:	Fine, meanwhile, Giovanni, tell us something about Pisa.
GIOVANNI:	Pisa is a very attractive city. All the houses are leaning like the Tower . . .
BARBARA:	Don't be funny.
GIOVANNI:	I was joking. But why don't we get on the road again?
ANNA:	Right; it's useless to waste time.
ENZO:	We'll be in Pisa in half an hour.

10 *And after a few minutes the four young people are once again on their way to Pisa.*

21 CHRISTMAS EVE

It is Christmas Eve, and the streets of Florence are crowded like the streets of all the other Italian cities. But even if the streets, the streetcars and the trackless trolleys are filled with people, they are not as crowded as the stores, especially
15 *the pastry shops. Churches also are filled with people who go from one church to another to visit the Nativity scenes. In order to celebrate Christmas, all churches have a manger which represents the birth of Jesus in a grotto with the Wise Men, the angels, etc. Among the people who are strolling through the city are also Barbara and Anna. We find them in front of the display window of a*
20 *large pastry shop where they are looking at the (sweets) pastries and candy.*

ANNA:	How nice that panettone looks! Have you ever tasted panettone, Barbara?
BARBARA:	Yes, but of all the Italian Christmas sweets I prefer torrone. Panettone looks more beautiful than good to me. And you?
ANNA:	I prefer panforte; I find that panforte is better than torrone.
BARBARA:	They are both good. Why don't we go into this pastry shop and buy some sweets?
ANNA:	No, let's go to another one near here. I know one of the saleswomen.
BARBARA:	Very well. And then let us go to see the manger in Santa Maria Novella, do you want to?
ANNA:	Certainly. Here is the other pastry shop.
SALESWOMAN:	Good morning; good morning, Miss Manin. Did you see all the people?
ANNA:	Yes, it's the same everywhere. Listen, give us two torroni and one large panforte.
BARBARA:	Why not just one torrone and one small panforte?
ANNA:	Because tomorrow our friends are coming over, and one torrone and one small panforte aren't enough.
SALEWOMAN:	Do you want a panforte like this one?

ANNA: No, a little larger; as large as the one I saw in the window.

BARBARA: No, Anna; this one is enough for four people; it's larger than you think.

5 ANNA: All right then. Now give us two torroni, please.

SALESWOMAN: Do you want to sample this candy? It's delicious. Here, taste it!

BARBARA: You taste it too, Anna; it's exquisite. All right, Miss; put some candy with the two torroni and the
10 panforte, and add up the total.

The two friends pay and leave.

BARBARA: Give me the sweets, I'll carry them.

ANNA: No, I'll carry the sweets. Tomorrow we shall eat them together, but I'll carry them now.

15 BARBARA: Do as you please! But do me a favor: walk more slowly, you are always in a hurry.

ANNA: Listen; when you see Giovanni, don't tell him anything. Don't tell him that we bought the sweets. Tomorrow we'll surprise him; all right?

22 *AT THE POST OFFICE*

20 *It is a quarter to six and Barbara is walking hurriedly toward the post office. The post office closes at six o'clock and Barbara has many letters that she wants to mail. She goes in, and while she awaits her turn at the window where they sell stamps, a young man says to her: "How many (What a lot of) letters! You must have many admirers!"*

25 BARBARA: Enzo!

ENZO: I was joking, Barbara, but you have so many letters!

BARBARA: Of course they are many; they are Christmas cards.

ENZO: Ah! Now I understand; did you send one to me too?

BARBARA: No, I won't send you one because I will give you my
30 best wishes personally. Aren't you sending any?

ENZO: No, I'm sorry. It's a fine custom but I don't follow it.

THE CLERK: May I help you, Miss?

BARBARA: Please give me some stamps for the United States.

CLERK: How many do you want?

35 BARBARA: Ninety-five air mail stamps and eighty-four regular mail.

CLERK: Excuse me, did you say you want ninety-five air mail, and eighty-four regular mail?

BARBARA: Yes. (*to Enzo*) Even in Italy you send a lot of cards at
40 Christmas, don't you?

ENZO: Yes, we send more and more every year. But, as I said, it is not a custom that I follow.

BARBARA:	(*to the clerk*) I want to send this letter registered.
CLERK:	Very well. Here are the stamps and here is the receipt.
BARBARA:	Thank you. Enzo, be good, and help me to stick the stamps on the envelopes.
5 ENZO:	Right away; but first I must buy a stamp too.

After a quarter of an hour Barbara and Enzo have finished and go out.

BARBARA:	I forgot to buy a special delivery stamp, but it doesn't matter. I'll buy it later.
ENZO:	Till a short time ago they used to sell stamps, salt and cigarettes in special stores called Sale e Tabacchi.
10 BARBARA:	It's interesting. Why?
ENZO:	(*laughs*) It's very simple. The sale of salt and tobacco was a state monopoly in Italy and so salt and tobacco were sold only in special stores called Sale e Tabacchi.

23 HAPPY NEW YEAR !

15 *Today is the first of January, it's New Year's Day. It is a holiday. It is almost noon, and the streets are crowded. Barbara arrives at Giovanni's house where she has been invited for lunch. She rings the bell and Giovanni comes to open (the door).*

GIOVANNI:	Happy New Year! Come in, make yourself at home.
20	(*Barbara and Giovanni have been addressing each other as "tu" one week already.*) My father and mother have been wanting to meet you for a long time.
BARBARA:	Excuse me for being a little late. I wanted to buy a little calendar for the New Year but all the stores are
25	closed.
GIOVANNI:	This is my mother . . . and this is my father . . . Barbara Pace, the American young lady of whom I have spoken to you many times.
THE PARENTS:	How do you do, Miss Pace!
30 BARBARA:	How do you do!
THE MOTHER:	Have you been in Florence long, Miss Pace?
BARBARA:	Three months. I arrived on October 5th. How time flies!
THE FATHER:	I know your country, Miss Pace. When I was young I
35	took two trips to America: the first time in 1950, and the second with my wife in 1955. The first time I stayed in New York from May to July; and the second we stayed in Boston from February to September.
BARBARA:	Then you speak English?
40 THE FATHER:	Not very well, I get by. Once however my wife and I spoke it fairly well.

ENGLISH EQUIVALENTS

THE MOTHER:	You speak Italian very well, Miss Pace.
BARBARA:	Thank you. I am here to perfect my knowledge of Italian, but I am taking also a course on art history and one on geography.
5 THE FATHER:	Giovanni told us that last night you both went to a dance to celebrate the end of the old year, and the beginning of the new. Did you have a good time?
BARBARA:	Very. There were about one hundred and fifty people and we danced until late.
10 THE MOTHER:	When does the university reopen?
GIOVANNI:	January 7th, the day after the Epiphany. Do you know what the Epiphany is, Barbara?
BARBARA:	No. What is it?
THE MOTHER:	The Epiphany, or as children say, "la Befana," is a kind of second Christmas, and many children receive candies and other presents.
15	
THE FATHER:	"La Befana" is a kind of Italian Santa Claus; but she is a woman, not a man.
GIOVANNI:	When in Rome, do as the Romans do. What's important to children is that they receive presents, it doesn't matter whether on December 25th or January 6th!
20	
THE MAID:	Luncheon is served, madam.
THE MOTHER:	Today, Miss Pace, you will taste a New Year's dish which is traditional in some parts of Italy, "sausages and lentils."
25	

24 THE CHURCH OF SANTA CROCE

The professor of art has taken his students to visit the church of Santa Croce (Holy Cross). The professor and the students are in the large square where the church is, and the professor has just begun to speak.

30 PROFESSOR:	I am certain that many of you have already seen this church, but it does not matter. There are things which deserve a second look. The Church of Santa Croce is a very ancient one. The Florentine poet Dante, whose statue we see in this square, often came to this church where there were some excellent teachers. Naturally the church today is not as it was in Dante's century. Then it was smaller and simpler. The inside of the church of Santa Croce is very beautiful and important, not only artistically, but also because there are the tombs of many great Italians: Michelangelo, Niccolò Machiavelli, Galileo Galilei, Gioacchino Rossini, etc. There is also a cenotaph, namely an empty tomb, in honor of Dante. In
35	
40	

1302, when Dante was thirty-seven years old, he went into exile, and he died in Ravenna, where he is buried. When Dante left Florence he had already written a great deal, but he had not yet finished the *Divine Comedy*. And now let's go into Santa Croce where we will see the tombs of which I spoke to you, and some frescoes by Giotto.

After about an hour, the professor and the students come out of Santa Croce. It is almost noon, and many students return home. Two or three stay on to talk with the professor. Barbara and Anna start out toward Piazza del Duomo. Barbara says to her friend: "Why don't we take the trolley? I'm tired."

ANNA: We'll take it at the stop in Piazza del Duomo. I have a headache and I want to buy some aspirin.

BARBARA: But there must be a pharmacy in this square also.

ANNA: I know, but I always go to the same drugstore.

BARBARA: In that case! . . . Santa Croce is beautiful, isn't it?

ANNA: Yes, I had already seen it before, but I hadn't looked carefully at Giotto's frescoes.

BARBARA: Did you know that Dante died in Ravenna?

ANNA: Yes, the professor of Italian literature spoke to us of it. Apparently he died shortly after he had finished the *Divine Comedy*. Here is the drugstore. Let's go in.

25 A GEOGRAPHY LESSON

Barbara is in bed with an awful cold. Her friend Anna has come to call on her.

ANNA: Good morning, Barbara, how do you feel?

BARBARA: Not so well!

ANNA: I'm sorry! What's the matter?

BARBARA: I have a cold. It's a bore!

ANNA: I know. Look, I brought you the notes you wanted. And now you will have to excuse me if I leave, but as you know in half an hour we have our art history lesson.

BARBARA: Go ahead! Thanks for the notes.

ANNA: Not at all. So long, I'll call you tonight.

Once alone, poor Barbara takes the notes of the geography lesson her friend has brought her and, between sneezes, tries to read them.

"In one of the smallest cities in Italy, in the same day one can ski, swim in the sea, visit an orange grove, eat in a hotel which was once a medieval monastery, or sit in the open and enjoy the view of a famous snow-covered volcano.

This city is Taormina, in Sicily, and it is one of the many Italian cities that give the foreigner an idea of the

ENGLISH EQUIVALENTS

variety of Italian life. This is perhaps the most accurate impression that a foreigner receives in Italy when he arrives there for the first time, and it is this variety which gives Italy such an interesting character.

5   It would be difficult to explain otherwise why every year millions of tourists go to visit it. Was it perhaps its history that gave Italy this variety? It is difficult to explain, but it's true that this is the most unique characteristic of this country.

10   Italy is a peninsula surrounded by the sea and the Alps. The Alps, which are the largest chain of mountains in Europe, separate it from the other countries of Europe, while the Apennines cross it from north to south. The Po is the largest river in Italy . . ."

15 *Barbara continues to read, but she is tired and, little by little, she closes her eyes and falls asleep. What can she possibly have dreamed? Taormina? The sea? The Alps? The Po? Who knows!*

26 SPORTS

Giovanni, Enzo, Barbara and Anna got up early to go to play tennis. Today is Sunday and they have no classes. They did not go together, however, and
20 *Anna and Enzo arrive at the tennis court several minutes before their friends. They sit down on a bench and continue to talk.*

ANNA: Have you been playing tennis for many years?

ENZO: Yes, but I don't play it very well. I would like to play once a week, but it isn't always possible.

25   ANNA: I've noticed that Italians like sports a lot.

ENZO: It's true; they like all sports but especially bicycle, motorcycle and automobile races, and above all soccer. As in other European and South American countries soccer in Italy has more fans than any other sport. I

30   imagine it is the same in France.

ANNA: Yes, it's the way it is. By the way, two weeks ago Barbara and I went to a soccer game.

ENZO: Did you like it?

ANNA: Very much. I would have preferred to go to the movies,

35   but Barbara had never seen a soccer game. As you know, in the United States university students are interested in football, which is quite different from soccer.

ENZO: By the way, Anna, since you're French, I am sure that you like bicycle races too.

40   ANNA: Of course.

ENZO: So do I. During the month of May there will be the most famous bicycle race in Italy, the Giro d'Italia (Tour of Italy) and, if you want, we'll go to see it.

ANNA: Does it go through Florence?

ENZO: Last year it went through Florence, but not this year. It's like the Tour of France; it doesn't always go through the same cities. It always leaves from Milan, and it ends in Milan; in fact it's a tour. But, naturally, it is not a race without stops. This year the racers stop at Viareggio also, and it would be interesting to go and see them arrive.

ANNA: Thank you, I should like to very much. Perhaps Barbara and Giovanni could also come.

GIOVANNI: Certainly! We heard your last words. But why do you still use the *Lei*. Barbara and I use the *tu*. Let's all four of us use the *tu*; we are old friends by now.

ENZO: Yes, it's high time. We would have used the *tu* earlier, but you know how it is. And now let's start the game.

27 CARNIVAL

ANNA: Hurry! Enzo and Giovanni will be here in a little while.

BARBARA: I'll get my gloves and I'll be ready. Are you taking your raincoat?

ANNA: Yes, I think it's a good idea. It's not raining any more now, but it's windy and one never knows.

BARBARA: By the way, what's tonight's dance called?

ANNA: "Veglione"; it will last almost the whole night through. Today is "fat Tuesday," the last day of Carnival.

BARBARA: I have read that in Italy Carnival had a splendid tradition in Venice, Rome, Turin and Florence. In Florence during the Renaissance they held masquerades on floats like the ones held today in Viareggio.

ANNA: Do you think that our friends will like our costumes?

BARBARA: I am sure they will; you will see how surprised they'll be.

ANNA: I wonder what costumes they bought . . .

BARBARA: The bell! It must be they . . .

In fact the maid comes in to call them. Barbara is dressed as Harlequin, and Anna as Columbine. The two girls go into the living room where Enzo and Giovanni are waiting for them.

ENZO: Goodness, how beautiful you look! You look like two characters of the Commedia dell'Arte.

BARBARA: And who are you?

GIOVANNI:	Who are we? Can't you tell? I am Punch and Enzo is Pantaloon.
BARBARA:	To tell you the truth, you look like a clown.
GIOVANNI:	Thanks a lot! Well, it's carnival time and as they say, "at carnival time any joke is permissible."
ENZO:	Shall we go, then?
ANNA:	Yes, let's go! Is it still cold?
ENZO:	Yes, very. I'm sure it's going to snow!
GIOVANNI:	Nonsense! What strange weather! Yesterday it was almost warm.
BARBARA:	It's evident that the weather is also celebrating carnival time, and that it is joking too.
ENZO:	The masks! Let's not forget them!
ANNA:	Don't worry! We can't go to the "Veglione" without a mask.

The four young people go out, arm in arm, and start out toward the hotel where the "Veglione" will be held.

28 EASTER

Today is Easter. Like Christmas, Easter is one of the major religious holidays and it is celebrated throughout the Christian world. Since Easter always comes in the spring, usually during Holy Week the weather is good and the streets are crowded. Today is a special day for Florentines, because on Easter Sunday in Florence one of the major spectacles of the year takes place—the Explosion of the Cart. The Explosion of the Cart is a medieval ceremony which takes place in Piazza del Duomo in front of the Church of Santa Maria del Fiore. At noon sharp in the church they light the "Little Dove," an artificial dove that flies along a wire and goes out of the church to a cart which is in the middle of the square. The cart is decorated with fireworks, and when the "Little Dove" reaches it a loud explosion is heard. The "Little Dove" continues to fly and returns to the church. If all goes well, everyone is happy. Naturally, the square and the church are full of people who have come to see the ceremony.

As we said, today is Easter, and Barbara and Giovanni meet in front of Barbara's pension.

GIOVANNI:	I wanted to phone you to tell you that I would come a little earlier, but your line was busy.
BARBARA:	Yesterday I saw Anna and I told her that I would call this morning before eleven. That's why my line was busy.
GIOVANNI:	Let's take this street on the left, and let's go through Piazza San Lorenzo; there are fewer people.
BARBARA:	Listen, I would prefer going through Piazza della Repubblica. Nearby there is a pastry shop where they have a really beautiful chocolate egg in the window. All right?

ENGLISH EQUIVALENTS

GIOVANNI: Yes, all right. Do you have chocolate eggs for Easter in America, too?

BARBARA: Yes, but they are neither so large nor so beautiful as those that I've seen here; but in Italy you don't have the Easter Bunny.

GIOVANNI: Easter Bunny? What is it?

BARBARA: The Easter Rabbit.

GIOVANNI: Ah! In America you eat rabbit for Easter?

BARBARA: No, no! However, especially for the children, the bunny and the eggs are a symbol of Easter.

GIOVANNI: Not here in Italy. Here, as you may have noticed on some post cards, the symbol of Easter is the lamb, and, naturally, the eggs also. On Easter Sunday everyone eats hard boiled eggs and many eat lamb as well.

BARBARA: When in Rome, do as the Romans do. It's a great world.

GIOVANNI: Here we are in Piazza San Giovanni. Saint John was a great saint! He was the best of all the saints!

BARBARA: Yes, a great saint, certainly. But not all those named John . . .

GIOVANNI: Enough, enough! Let's look for Enzo and Anna.

BARBARA: I don't see them. They probably have not yet arrived. Let's wait at this corner. Have you seen the Explosion of the Cart many times?

GIOVANNI: Yes, I came here the first time with my older brother when I was three years old; and then almost every year. Once the Explosion of the Cart used to take place on Holy Saturday, however. You'll see how beautiful it is!

29 AT THE BEACH

The spring courses had been over a few days, and Barbara and Anna wanted to go to spend a week at the beach. But where? Barbara wanted to go to a beach along the Riviera: Alassio, Portofino, Rapallo, it didn't matter where. Anna, instead, preferred a beach on the Adriatic; Rimini, Riccione, Senigallia. . . . "Why don't we go to the Lido of Venice?" she said one day. But Barbara had already been in Venice, and would have preferred going to a new place. When Enzo asked them where they were planning to go, the girls told him that they hadn't decided anything yet. "Why don't you go to Riccione? It's so beautiful!" said Enzo. "There is a wonderful sea, and a great beach." And so they did. One fine day they bought two second class tickets and went to Riccione. Since they had to go through Bologna, they stopped in that charming city, where there is a university which is famous throughout the world. The University of Bologna is the oldest university in Europe: it was founded in 1076. When they arrived in Riccione it was already late, and they immediately went to a pension which Enzo had recommended to them.

ENGLISH EQUIVALENTS

The following morning the weather was gorgeous; they got up early, and after breakfast they went to the beach. They spoke of many things and they also said what follows.

ANNA: This is a fine place, Barbara. Let's lie down here. At the
5   moment there are no people, but later on you'll see what a large crowd (there'll be). What are you doing?

BARBARA: I'm putting some cream on my face. I like to be tan, "la tintarella," as they say here, but I don't want to burn my skin.

10 ANNA: Speaking of tan, do you tan easily?

BARBARA: Yes. Like many blondes I get tanned in a few days. What about you?

ANNA: Not I. Like some brunettes my skin is so white that I must be careful not to take too much sun.

15 BARBARA: Have you noticed that the sand is getting warm?

ANNA: What time is it? I left my watch at the pension.

BARBARA: Eleven. We have been here two hours. Shall we go in the water?

ANNA: Let's. Then we'll dry ourselves on this beautiful sand.
20   Your bathing suit is really pretty. Did you bring it with you from America?

BARBARA: No, I bought it in Florence. Yours is very pretty too. Is it French?

ANNA: Yes. I bought it last year.

25 BARBARA: Let's go in the water, it's hot on the beach.

30 FAREWELL SUPPER

BARBARA: At what time is the train leaving?

ANNA: I'm not sure, but I think it leaves at twenty minutes after ten.

BARBARA: Good. I still have time to take a bath.

30 ANNA: Yes, but hurry. Meanwhile I'll go to pay the hotel bill and I'll buy a newspaper and a couple of magazines.

The two young ladies are about to leave Riccione. It was a marvelous vacation, a magnificent week; and the girls will not easily forget the blue sky and the
35 *beautiful sea of that beach. But now it is necessary for them to return to Florence to pack and to say good-bye to their friends. Their stay in Italy is about to end, and they have decided to spend the last weeks visiting Rome and some cities of southern Italy. Enzo and Giovanni are waiting for them at the station in Florence.*

ENZO: Welcome back! Did you have a good time?

40 ANNA: Yes, indeed! What a beautiful place—I absolutely want to go back there someday.

410   ENGLISH EQUIVALENTS

GIOVANNI:	I hope you rested.
BARBARA:	Yes, but now there are so many things to do.
ENZO:	Are you going to the pension right away?
5 BARBARA:	Yes, but first I have to stop at the American Express—I have come back without a penny and I have to cash a check. I think the dollar has gone up slightly.
GIOVANNI:	Let's take a taxi then! When have you decided to leave Florence?
10	
BARBARA:	Tomorrow morning. It seems impossible that this is my last day in Florence.
ENZO:	It's better not to think about it.
ANNA:	It's true! By the way, did Professor Bianchi come back?
15	
GIOVANNI:	I don't think he has come back yet.
ENZO:	No, and I'm afraid he won't come back until next week.
ANNA:	What a shame! I would have liked to see him again. At any rate, do me a favor Enzo, I'd like you to say good-bye to him for me.
20	
ENZO:	Don't worry. I'll do it!
ANNA:	And please say good-bye to his wife and to his daughter also. They are so kind!

25 *By this time the taxi has arrived at the American Express.*

GIOVANNI:	We'll leave you here, then—we'll see you tonight at the farewell supper.
BARBARA:	At eight o'clock, right?
GIOVANNI:	Yes, good-bye.
30 ANNA, BARBARA, ENZO:	Good-bye!

31 A BUS TRIP

Early this morning Barbara and Anna left for Rome by bus. It is a rather long trip which will take all day. Last night they said good-bye to all their friends, except Giovanni and Enzo who will join them later in Rome a few days before their departure from Italy.

35   *It is three p.m., and the bus is speeding through the countryside south of Assisi. Before Assisi the bus stopped twice, once in Arezzo and once in Perugia. In Arezzo, which is not very far from Florence, the girls were able to see the beautiful frescoes of Piero della Francesca which are in the church of Saint Francis. In Perugia, where they arrived around noon, they had time to eat*

40   *in a little restaurant, and to take a brief tour of the city. They went to see also the large fountain in the main square, and the large palace where the University for Foreigners is housed, for Perugia also has a well-known center of studies for*

foreigners. In fact, Anna's older sister studied in Perugia. After Perugia the bus stopped for almost an hour in Assisi, and the passengers went to visit the very beautiful church of St. Francis where a guide showed them Giotto's famous frescoes. Now the bus speeds rapidly towards the capital, and the two girls con-
5 *tinue chatting.*

BARBARA: This bus is very comfortable. I believe that in Italy some buses are more comfortable than the trains. This one is even air-conditioned.

ANNA: Yes, but the train is faster. Pardon me, but did you wash
10 your hair yesterday?

BARBARA: No. I could have washed it myself but I had it washed by the hairdresser. The sea water and the sun had ruined it.

ANNA: You are right. I'll have mine washed in Rome. Tell me, did you buy some chocolates in Perugia?

15 BARBARA: Yes. Here they are, do you want some?

ANNA: No. I don't want to eat them now. I wanted to know because I know that they are excellent.

BARBARA: Where shall we stop in Rome? Giovanni gave me the address of two pensions and of a good second class hotel.

20 ANNA: I don't know what to tell you. At any rate, don't worry. We will go to the hotel; it's near Piazza Navona.

BARBARA: We'll take a taxi. I really don't know where Piazza Navona is.

ANNA: Here we are in Rome! Can you see St. Peter's dome
25 through those trees?

BARBARA: Thank heavens! It has been a rather long trip.

32 A TOUR OF ROME

ANNA: Finally, here we are on Via Veneto. I have heard so much about it that it seems that I already know it. How many cafés! How many shops!

30 BARBARA: What do you think of it?

ANNA: It's one of the most interesting streets that I've ever seen. Did you know that the American Embassy is in that palace near the curve?

BARBARA: No. To tell you the truth, I don't even know where the
35 French Embassy is.

The two girls have been in Rome for two days and, although they have little time, they want to visit at least the most important places. They have already seen the Colosseum, Piazza Venezia, the Pantheon, and today they will go to the Catacombs. Now they're walking arm in arm on Via Veneto.

40 ANNA: That must be the park of Villa Borghese.

BARBARA: Yes! Listen, before we go there why don't we stop to have an espresso?

ENGLISH EQUIVALENTS

ANNA: Yes. It's a great idea. Let's stop at this café.

BARBARA: Let's sit here outside. I have to fix the strap on my purse.

ANNA: I always liked that little purse.

5 BARBARA: You mean an old purse—it's old and ugly, but practical.

ANNA: (*sitting down*) Well, let's see what the guide-book says about Villa Borghese. (*reads*): "Built in the XVII century by Cardinal Scipione Borghese, nephew of Paul V."

BARBARA: Enough! Enough! Guide-books don't interest me. Let's
10 go.

The two girls resume their walk and, although the park is very large, they suc-ceed in seeing a good part of it. At about noon they are at the Pincio and they are admiring the view of Rome and of St. Peter's.

BARBARA: I think we'd better go back to the hotel before we go to
15 visit the Catacombs.

ANNA: Yes, yes. I'm very warm and I want to take a shower and then rest for an hour.

BARBARA: As long as the Catacombs are open in the afternoon.

ANNA: Yes! The guide-book says that they are open until five.
20 You see that guide-books are good for something.

BARBARA: Maybe so, but I don't understand how you can carry around a big book like that; it's like a dictionary.

ANNA: It's not really that big; look, I can put it in my purse.

BARBARA: By the way, I want to see the Sistine Chapel again. It's
25 the only important thing that I have already seen in Rome and which I would like to see again.

ANNA: According to our program we should go there when we come back from Naples, in four days.

The two girls start out toward a taxi which has stopped at the corner.

33 IN NAPLES

30 *The gulf of Naples is without doubt one of the most magnificent in Europe and in the world, and it is also one of the most active harbors in the Mediterranean. Naples offers an unforgettable spectacle to those who see it for the first time— with its blue sea, the promenade along the sea, Vesuvius, Capri and the other islands, and its wonderful surroundings.*

35 *Barbara and Anna have been in Naples three days, and have already visited the most interesting places. They have taken a trip to Capri and to the Blue Grotto; they have taken a drive to Amalfi; they have spent several hours in Pompei, and they have visited the very beautiful Arcade, where they had a strawberry ice cream. Their visit to the National Museum was very interesting.*

40 *Now it's one in the afternoon and they are seated at a small table in one of the restaurants along the gulf.*

ANNA: On this menu they have all the Neapolitan specialties.

BARBARA: I'm really not very hungry. I'd be happy with two eggs.

ANNA: You are kidding! We must try their Neapolitan specialty, spaghetti with baby clams. Where did the waiter go?

5 BARBARA: He is that tall young man with the white coat who is talking with one of the musicians. Let him talk all he wants! There is no hurry, I am dead tired; in fact one of my shoes hurts me, and I'd like to sit and rest for about an hour.

10 ANNA: There were so many rooms in that museum that we must have walked at least two miles.

BARBARA: That's true. But think of how many hundreds of things we have seen.

ANNA: We could have seen more, but we didn't have the time.

15 BARBARA: Undoubtedly it's one of the most beautiful museums I have ever seen.

ANNA: Next year I should return to Italy; if I do, I'll come back to Naples.

BARBARA: I'm sorry I was unable to come here sooner. What shall
20 we do after lunch?

ANNA: Once we have finished lunch we shall take a carriage and we shall go for a ride by the seaside.

BARBARA: It's an excellent idea. I wonder if it's very cold here in Naples in the winter?

25 ANNA: I don't know, but I don't believe it is very cold. I believe, however, that fall and spring are the best seasons.

BARBARA: Listen! The musicians have started playing a popular song.

ANNA: Yes. It sure is pretty. Here is the waiter.

30 BARBARA: Thank Heavens! Now I am hungry also!

34 OPERA IN THE OPEN AIR

The two friends, Barbara and Anna, are again in Rome after a visit of three days to Naples and its environs. Day after tomorrow will be their last day in Italy.

BARBARA: Oh! How I would like to stay in Italy two or three more months. If I didn't absolutely have to go back home, I
35 would do it.

ANNA: I too! If I had had the money I would have stayed in Florence another year.

BARBARA: What time is it?

ANNA: It's already ten twenty. Giovanni wrote in his letter that
40 he wanted us to go to meet them at the station. But I don't think we will be able to.

ENGLISH EQUIVALENTS

BARBARA:	Why not?
ANNA:	We have to buy the tickets for the opera, and if we don't go before noon they'll be sold out. If we had bought them last night, now we wouldn't be in such a hurry.
5 BARBARA:	What opera is there tonight?
ANNA:	*Tosca*.
BARBARA:	Are you sure? I thought it was *Aïda*.
ANNA:	Here, look at the program.
BARBARA:	It's true, it really is *Tosca*. By the way, you who are always carrying that guide-book around, what can you tell me about the Baths of Caracalla?
ANNA:	Let's see—here, page 225. Baths of Caracalla—"The baths were large buildings for (public) baths among the ancient Romans. The Baths of Caracalla (186–217 A.D.) were built by this emperor and have remained in a fair state of preservation through the centuries. Today they are used for open air spectacles during the summer." Enough?
BARBARA:	Yes, yes! It's clear enough. What will we do after the opera?
ANNA:	I don't know. I think Enzo said that he wanted to go to a "trattoria" (restaurant) in Trastevere.
BARBARA:	I thought he wanted to take us to Piazza Navona.
ANNA:	No, no, he said Trastevere.
25 BARBARA:	Where is Trastevere? Near St. John's?
ANNA:	No, no. It's near the old center of Rome. Trastevere is a district on the right bank of the Tiber; it's one of the most popular districts of Rome and there are many typical eating places.
30 BARBARA:	Do you know what I want to taste? "Mozzarella in carrozza." I have heard so much about it.
ANNA:	I will try it too. And now we'd better go and get the tickets.

35 *THE SISTINE CHAPEL*

Anna and Barbara are again going around in Rome. Tomorrow they will leave
35 *Italy and today they want to visit the Sistine Chapel. They took the bus and they*
got off in St. Peter's Square. Now they are walking toward the Vatican.

ANNA:	What a beautiful evening last night. I really had a good time.
BARBARA:	I did too. The open air opera is really a fantastic spectacle.
ANNA:	And what a supper. I am beginning to understand why so many people go to eat in the Roman *trattorie*.

BARBARA: I wonder which way you go to the Sistine Chapel.

ANNA: I don't know. Ask that policeman.

The policeman directs them to the right. The young women thank him and after they have walked five more minutes they arrive at the Chapel's entrance. Anna takes out her guide-book and begins to read.

ANNA: Do you want me to tell you what the guide-book says about the Sistine Chapel?

BARBARA: No, thank you—as you know, I have been here once before, and I think I know more or less the important things.

ANNA: Not me! I really must read the guide-book carefully.

BARBARA: Fine, go right ahead. I prefer to contemplate the frescoes on the ceiling and on the walls—Michelangelo's masterpieces.

The two friends separate. Anna stays to read and Barbara starts slowly toward the center of the chapel. There are many people, perhaps three hundred persons, all with their heads (turned) up to admire the frescoes on the ceiling. Another group of people is admiring the large fresco of the Last Judgment which is on the wall behind the altar. Almost an hour goes by until the two friends finally find each other again.

BARBARA: What a grandiose work, what a masterpiece!

ANNA: I feel humble before such a genius.

BARBARA: I like to look particularly at the creation of man and the detail of the hand of God giving life to Adam.

ANNA: Everything is so beautiful. Did you know that they hold the elections for the new popes in this chapel?

BARBARA: Yes, I knew. And now, unfortunately, we must go. What time is it?

ANNA: A quarter to four.

BARBARA: It's late and we still have so many things to do.

ANNA: Shall we return to the hotel?

BARBARA: Yes, but first let's stop at a jewelry shop. I'd like to buy a silver ring for my mother.

ANNA: Let's go, then.

36 GOOD - BYE

Today is the day of Barbara's and Anna's departure. At four in the afternoon, after packing and paying the bill, they telephoned Enzo and Giovanni who came to get them in a taxi in order to take them to the airport. Barbara and Anna will leave on the same airplane for Paris, where Barbara will spend one week at Anna's before going on to San Francisco. After Barbara and Anna leave, Giovanni and Enzo will go straight to the station, where they will try to catch the seven o'clock streamliner for Florence. The four friends are at the airport now, and are waiting for the announcement of the flight to Paris.

ENGLISH EQUIVALENTS

BARBARA:	Anna, you haven't told me yet whether you like this travel bag.
ANNA:	Yes, but as you will remember I wanted you to buy the red one. It looked more solid. And besides, red is fashionable this year.
BARBARA:	What about you, did you buy those sandals you saw at Mario's on Via Nazionale?
ANNA:	No, they didn't fit at all.
BARBARA:	I hope you didn't forget your passport at the hotel. Before they let us board the plane they check the passports and the baggage.
GIOVANNI:	That's right, but for foreigners it's a mere formality.
BARBARA:	In the United States, instead, at the customs they open all the baggage.
ENZO:	It's really a shame that we can't go with you as far as Paris!
ANNA:	Why don't you come along? Flying is so great!
GIOVANNI:	That's easy to say! Who will buy us a ticket?
ENZO:	I certainly would like to take an airplane trip!
GIOVANNI:	Me too! I'd like to fly over the Pole. They say that it's a fantastic trip.
ANNA:	But when the weather is clear it is beautiful to fly over the Alps also, and in order to get to Paris one flies over the Alps.
BARBARA:	How long does it take to go to Paris?
ANNA:	With a jet hardly over one hour.
BARBARA:	Lucky you! Paris is close to Italy . . . San Francisco instead is almost at the antipodes! Between Italy and California there are nine hours difference.
ENZO:	And between Italy and New York six hours.
(Announcer):	Alitalia's flight No. 925 for Paris is ready for boarding.
GIOVANNI:	Well, good-bye, girls. Have a good trip and don't forget to write.
ENZO:	Good-bye Anna. We shall see each other in Paris at Christmas. Bye-bye, Barbara, say hello to the Golden Gate for me!
BARBARA:	Good-bye. Thanks for everything. Who knows? Perhaps next year we'll all meet again.
ANNA:	Why not? Today traveling is so easy.
GIOVANNI:	"All it takes is money," as Barbara taught us!

APPENDICES

AUXILIARY VERBS

Simple Tenses

INFINITIVE	**avere** to have		**essere** to be	
GERUND	avendo		essendo	
PRESENT INDICATIVE	họ	abbiamo	sono	siamo
	hai	avete	sẹi	siete
	ha	hanno	è	sono
IMPERFECT INDICATIVE	avevo	avevamo	ẹro	eravamo
	avevi	avevate	ẹri	eravate
	aveva	avẹvano	ẹra	ẹrano
PAST ABSOLUTE	ẹbbi	avemmo	fui	fummo
	avesti	aveste	fosti	foste
	ẹbbe	ẹbbero	fu	fụrono
FUTURE	avrọ̀	avremo	sarọ̀	saremo
	avrai	avrete	sarai	sarete
	avrà	avranno	sarà	saranno
PRESENT CONDITIONAL	avrẹi	avremmo	sarẹi	saremmo
	avresti	avreste	saresti	sareste
	avrẹbbe	avrẹbbero	sarẹbbe	sarẹbbero
IMPERATIVE	——	abbiamo	——	siamo
	abbi	abbiate	sii	siate
	ạbbia	ạbbiano	sia	sịano
PRESENT SUBJUNCTIVE	ạbbia	abbiamo	sia	siamo
	ạbbia	abbiate	sia	siate
	ạbbia	ạbbiano	sia	sịano
IMPERFECT SUBJUNCTIVE	avessi	avẹssimo	fossi	fọssimo
	avessi	aveste	fossi	foste
	avesse	avẹssero	fosse	fọssero

Compound Tenses		
PAST PAR.	**avuto**	**stato (-a, -i, -e)**
PERFECT INF.	**avere avuto**	**ẹssere stato (-a, -i, -e)**
PAST GERUND	**avẹndo avuto**	**essẹndo stato (-a, -i, -e)**
PRESENT PERFECT INDICATIVE	họ hai ha ⎱ **avuto** abbiamo avete hanno ⎰	sono sẹi ⎱ **stato (-a)** è siamo siete ⎱ **stati (-e)** sono ⎰
PAST PERFECT INDICATIVE I	avevo avevi aveva ⎱ **avuto** avevamo avevate avẹvano ⎰	ẹro ẹri ⎱ **stato (-a)** ẹra eravamo eravate ⎱ **stati (-e)** ẹrano ⎰
PAST PERFECT INDICATIVE II	ẹbbi avesti ẹbbe ⎱ **avuto** avemmo aveste ẹbbero ⎰	fui fosti ⎱ **stato (-a)** fu fummo foste ⎱ **stati (-e)** fụrono ⎰

FUTURE PERFECT	avrò avrai avrà avremo avrete avranno	**avuto**	sarò sarai sarà saremo sarete saranno	**stato (-a)** **stati (-e)**
PERFECT CONDITIONAL	avrẹi avresti avrẹbbe avremmo avreste avrẹbbero	**avuto**	sarẹi saresti sarẹbbe saremmo sareste sarẹbbero	**stato (-a)** **stati (-e)**
PRESENT PERFECT SUBJUNCTIVE	ạbbia ạbbia ạbbia abbiamo abbiate ạbbiano	**avuto**	sia sia sia siamo siate sịano	**stato (-a)** **stati (-e)**
PAST PERFECT SUBJUNCTIVE	avessi avessi avesse avẹssimo aveste avẹssero	**avuto**	fossi fossi fosse fọssimo foste fọssero	**stato (-a)** **stati (-e)**

REGULAR VERBS

Simple Tenses

INFINITIVES

1st conjugation	2nd conjugation	3rd conjugation			
parl **are**	ripẹt **ere**	cap **ire**		dorm **ire**	

GERUNDS

parl **ando**	ripet **ẹndo**	cap **ẹndo**		dorm **ẹndo**	

PRESENT INDICATIVE

parl **o**	ripẹt **o**	cap **isc o**		dọrm **o**	
parl **i**	ripẹt **i**	cap **isc i**		dọrm **i**	
parl **a**	ripẹt **e**	cap **isc e**		dọrm **e**	
parl **iamo**	ripet **iamo**	cap **iamo**		dorm **iamo**	
parl **ate**	ripet **ete**	cap **ite**		dorm **ite**	
pạrl **ano**	ripẹt **ono**	cap **isc ono**		dọrm **ono**	

IMPERFECT INDICATIVE

parl **avo**	ripet **evo**	cap **ivo**		dorm **ivo**	
parl **avi**	ripet **evi**	cap **ivi**		dorm **ivi**	
parl **ava**	ripet **eva**	cap **iva**		dorm **iva**	
parl **avamo**	ripet **evamo**	cap **ivamo**		dorm **ivamo**	
parl **avate**	ripet **evate**	cap **ivate**		dorm **ivate**	
parl **ạvano**	ripet **ẹvano**	cap **ịvano**		dorm **ịvano**	

PAST ABSOLUTE

parl **ai**	ripet **ei**	cap **ii**		dorm **ii**	
parl **asti**	ripet **esti**	cap **isti**		dorm **isti**	
parl **ọ**	ripet **è**	cap **ì**		dorm **ì**	
parl **ammo**	ripet **emmo**	cap **immo**		dorm **immo**	
parl **aste**	ripet **este**	cap **iste**		dorm **iste**	
parl **ạrono**	ripet **ẹrono**	cap **ịrono**		dorm **ịrono**	

FUTURE			
parler ò	ripeter ò	capir ò	dormir ò
parler ai	ripeter ai	capir ai	dormir ai
parler à	ripeter à	capir à	dormir à
parler emo	ripeter emo	capir emo	dormir emo
parler ete	ripeter ete	capir ete	dormir ete
parler anno	ripeter anno	capir anno	dormir anno

PRESENT CONDITIONAL			
parler ęi	ripeter ęi	capir ęi	dormir ęi
parler esti	ripeter esti	capir esti	dormir esti
parler ębbe	ripeter ębbe	capir ębbe	dormir ębbe
parler emmo	ripeter emmo	capir emmo	dormir emmo
parler este	ripeter este	capir este	dormir este
parler ębbero	ripeter ębbero	capir ębbero	dormir ębbero

IMPERATIVE			
———	———	———	———
parl a	ripęt i	cap isc i	dọrm i
parl i	ripęt a	cap isc a	dọrm a
parl iamo	ripet iamo	cap iamo	dorm iamo
parl ate	ripet ete	cap ite	dorm ite
pạrl ino	ripęt ano	cap isc ano	dọrm ano

PRESENT SUBJUNCTIVE			
parl i	ripęt a	cap isc a	dọrm a
parl i	ripęt a	cap isc a	dọrm a
parl i	ripęt a	cap isc a	dọrm a
parl iamo	ripet iamo	cap iamo	dorm iamo
parl iate	ripet iate	cap iate	dorm iate
pạrl ino	ripęt ano	cap isc ano	dọrm ano

IMPERFECT SUBJUNCTIVE			
parl assi	ripet essi	cap issi	dorm issi
parl assi	ripet essi	cap issi	dorm issi
parl asse	ripet esse	cap isse	dorm isse
parl ạssimo	ripet ęssimo	cap ịssimo	dorm ịssimo
parl aste	ripet este	cap iste	dorm iste
parl ạssero	ripet ęssero	cap ịssero	dorm ịssero

REGULAR VERBS

Compound Tenses

parl **ato**	ripet **uto**	cap **ito**	dorm **ito**

PERFECT INFINITIVES

avere parlato	avere ripetuto	avere capito	avere dormito

PAST GERUNDS

avẹndo parlato	avẹndo ripetuto	avẹndo capito	avẹndo dormito

PRESENT PERFECT INDICATIVE

họ hai ha abbiamo avete hanno } parlato	ripetuto	capito	dormito

PAST PERFECT INDICATIVE I

avevo avevi aveva avevamo avevate avẹvano } parlato	ripetuto	capito	dormito

PAST PERFECT INDICATIVE II

ẹbbi avesti ẹbbe avemmo aveste ẹbbero } parlato	ripetuto	capito	dormito

FUTURE PERFECT				
avrò avrai avrà avremo avrete avranno	parlato	ripetuto	capito	dormito

PERFECT CONDITIONAL				
avrei avresti avrebbe avremmo avreste avrebbero	parlato	ripetuto	capito	dormito

PRESENT PERFECT SUBJUNCTIVE				
abbia abbia abbia abbiamo abbiate abbiano	parlato	ripetuto	capito	dormito

PAST PERFECT SUBJUNCTIVE				
avessi avessi avesse avessimo aveste avessero	parlato	ripetuto	capito	dormito

IRREGULAR VERBS

NOTES ON THE IRREGULAR VERBS

1. An asterisk (*) indicates that the verb is conjugated with **ẹssere.**
2. A dagger (†) indicates that the verb is sometimes conjugated with **ẹssere,** sometimes with **avere.** In general, the verbs marked with a dagger are conjugated with **avere** when they take a direct object. For special cases, see Lesson 27, section III and Lesson 33, section III.
3. The following verbs are conjugated on the charts:

accendere	dire	perdere	riscuotere	sorridere
andare	dirigere	piacere	rispondere	spendere
bere	dovere	potere	riuscire	stare
chiedere	fare	prendere	rivedere	tenere
chiudere	giungere	raggiungere	salire	uscire
conoscere	leggere	richiedere	sapere	valere
correre	mettere	riconoscere	scegliere	vedere
corrispondere	morire	ridere	scendere	venire
dare	nascere	rimanere	scrivere	vivere
decidere	parere	riprendere	sedere	volere

INFINITIVE	GERUND AND PAST PARTICIPLE	PRESENT INDICATIVE	IMPERFECT INDICATIVE	PAST ABSOLUTE
accęndere *to light*	accendęndo acceso	accęndo accęndi accęnde accendiamo accendete accęndono	accendevo accendevi accendeva accendevamo accendevate accendęvano	accesi accendesti accese accendemmo accendeste accęsero
andare* *to go*	andando andato	vado vai va andiamo andate vanno	andavo andavi andava andavamo andavate andạvano	andai andasti andǫ andammo andaste andạrono
bere *to drink*	bevęndo bevuto	bevo bevi beve beviamo bevete bęvono	bevevo bevevi beveva bevevamo bevevate bevęvano	bevvi bevesti bevve bevemmo beveste bęvvero
chiędere *to ask*	chiedęndo chięsto	chiędo chiędi chięde chiediamo chiedete chiędono	chiedevo chiedevi chiedeva chiedevamo chiedevate chiedęvano	chięsi chiedesti chięse chiedemmo chiedeste chięsero
chiụdere *to close*	chiudęndo chiuso	chiudo chiudi chiude chiudiamo chiudete chiụdono	chiudevo chiudevi chiudeva chiudevamo chiudevate chiudęvano	chiusi chiudesti chiuse chiudemmo chiudeste chiụsero
conǫscere *to know*	conoscęndo conosciuto	conosco conosci conosce conosciamo conoscete conǫscono	conoscevo conoscevi conosceva conoscevamo conoscevate conoscęvano	conobbi conoscesti conobbe conoscemmo conosceste conǫbbero
cǫrrere† *to run*	corręndo corso	corro corri corre corriamo correte cǫrrono	correvo correvi correva correvamo correvate corręvano	corsi corresti corse corremmo correste cǫrsero

corrispǫndere *see* **rispǫndere**
to correspond

FUTURE	PRESENT CONDITIONAL	IMPERATIVE	PRESENT SUBJUNCTIVE	IMPERFECT SUBJUNCTIVE
accenderò	accenderei	———	accęnda	accendessi
accenderai	accenderesti	accęndi	accęnda	accendessi
accenderà	accenderębbe	accęnda	accęnda	accendesse
accenderemo	accenderemmo	accendiamo	accendiamo	accendęssimo
accenderete	accendereste	accendete	accendiate	accendeste
accenderanno	accenderębbero	accęndano	accęndano	accendęssero
andrò	andręi	———	vada	andassi
andrai	andresti	va'	vada	andassi
andrà	andrębbe	vada	vada	andasse
andremo	andremmo	andiamo	andiamo	andąssimo
andrete	andreste	andate	andiate	andaste
andranno	andrębbero	vądano	vądano	andąssero
berrò	berręi	———	beva	bevessi
berrai	berresti	bevi	beva	bevessi
berrà	berrębbe	beva	beva	bevesse
berremo	berremmo	beviamo	beviamo	bevęssimo
berrete	berreste	bevete	beviate	beveste
berranno	berrębbero	bęvano	bęvano	bevęssero
chiederò	chiederei	———	chięda	chiedessi
chiederai	chiederesti	chiędi	chięda	chiedessi
chiederà	chiederębbe	chięda	chięda	chiedesse
chiederemo	chiederemmo	chiediamo	chiediamo	chiedęssimo
chiederete	chiedereste	chiedete	chiediate	chiedeste
chiederanno	chiederębbero	chiędano	chiędano	chiedęssero
chiuderò	chiuderei	———	chiuda	chiudessi
chiuderai	chiuderesti	chiudi	chiuda	chiudessi
chiuderà	chiuderębbe	chiuda	chiuda	chiudesse
chiuderemo	chiuderemmo	chiudiamo	chiudiamo	chiudęssimo
chiuderete	chiudereste	chiudete	chiudiate	chiudeste
chiuderanno	chiuderębbero	chiųdano	chiųdano	chiudęssero
conoscerò	conoscerei	———	conosca	conoscessi
onoscerai	conosceresti	conosci	conosca	conoscessi
conoscerà	conoscerębbe	conosca	conosca	conoscesse
conosceremo	conosceremmo	conosciamo	conosciamo	conoscęssimo
conoscerete	conoscereste	conoscete	conosciate	conosceste
conosceranno	conoscerębbero	conǫscano	conǫscano	conoscęssero
correrò	correrei	———	corra	corressi
correrai	correresti	corri	corra	corressi
correrà	correrębbe	corra	corra	corresse
correremo	correremmo	corriamo	corriamo	corręssimo
correrete	correreste	correte	corriate	correste
correranno	correrębbero	cǫrrano	cǫrrano	corręssero

INFINITIVE	GERUND AND PAST PARTICIPLE	PRESENT INDICATIVE	IMPERFECT INDICATIVE	PAST ABSOLUTE
dare *to give*	dando dato	do dai dà diamo date danno	davo davi dava davamo davate davano	diedi desti diede demmo deste diedero
decidere *to decide*	decidendo deciso	decido decidi decide decidiamo decidete decidono	decidevo decidevi decideva decidevamo decidevate decidevano	decisi decidesti decise decidemmo decideste decisero
dire *to say,* *to tell*	dicendo detto	dico dici dice diciamo dite dicono	dicevo dicevi diceva dicevamo dicevate dicevano	dissi dicesti disse dicemmo diceste dissero
dirigere *to direct*	dirigendo diretto	dirigo dirigi dirige dirigiamo dirigete dirigono	dirigevo dirigevi dirigeva dirigevamo dirigevate dirigevano	diressi dirigesti diresse dirigemmo dirigeste diressero
dovere† *to have to,* *must*	dovendo dovuto	devo devi deve dobbiamo dovete devono	dovevo dovevi doveva dovevamo dovevate dovevano	dovei dovesti dovè dovemmo doveste doverono
fare *to do,* *to make*	facendo fatto	faccio (fo) fai fa facciamo fate fanno	facevo facevi faceva facevamo facevate facevano	feci facesti fece facemmo faceste fecero
giungere† *to arrive,* *to join*	giungendo giunto	giungo giungi giunge giungiamo giungete giungono	giungevo giungevi giungeva giungevamo giungevate giungevano	giunsi giungesti giunse giungemmo giungeste giunsero

FUTURE	PRESENT CONDITIONAL	IMPERATIVE	PRESENT SUBJUNCTIVE	IMPERFECT SUBJUNCTIVE
darò	darei	———	dia	dessi
darai	daresti	da'	dia	dessi
darà	darebbe	dia	dia	desse
daremo	daremmo	diamo	diamo	dessimo
darete	dareste	date	diate	deste
daranno	darebbero	diano	diano	dessero
deciderò	deciderei	———	decida	decidessi
deciderai	decideresti	decidi	decida	decidessi
deciderà	deciderebbe	decida	decida	decidesse
decideremo	decideremmo	decidiamo	decidiamo	decidessimo
deciderete	decidereste	decidete	decidiate	decideste
decideranno	deciderebbero	decidano	decidano	decidessero
dirò	direi	———	dica	dicessi
dirai	diresti	di'	dica	dicessi
dirà	direbbe	dica	dica	dicesse
diremo	diremmo	diciamo	diciamo	dicessimo
direte	direste	dite	diciate	diceste
diranno	direbbero	dicano	dicano	dicessero
dirigerò	dirigerei	———	diriga	dirigessi
dirigerai	dirigeresti	dirigi	diriga	dirigessi
dirigerà	dirigerebbe	diriga	diriga	dirigesse
dirigeremo	dirigeremmo	dirigiamo	dirigiamo	dirigessimo
dirigerete	dirigereste	dirigete	dirigiamo	dirigeste
dirigeranno	dirigerebbero	dirigano	dirigano	dirigessero
dovrò	dovrei	———	deva	dovessi
dovrai	dovresti	———	deva	dovessi
dovrà	dovrebbe	———	deva	dovesse
dovremo	dovremmo	———	dobbiamo	dovessimo
dovrete	dovreste	———	dobbiate	doveste
dovranno	dovrebbero	———	devano	dovessero
farò	farei	———	faccia	facessi
farai	faresti	fa'	faccia	facessi
farà	farebbe	faccia	faccia	facesse
faremo	faremmo	facciamo	facciamo	facessimo
farete	fareste	fate	facciate	faceste
faranno	farebbero	facciano	facciano	facessero
giungerò	giungerei	———	giunga	giungessi
giungerai	giungeresti	giungi	giunga	giungessi
giungerà	giungerebbe	giunga	giunga	giungesse
giungeremo	giungeremmo	giungiamo	giungiamo	giungessimo
giungerete	giungereste	giungete	giungiate	giungeste
giungeranno	giungerebbero	giungano	giungano	giungessero

431

INFINITIVE	GERUND AND PAST PARTICIPLE	PRESENT INDICATIVE	IMPERFECT INDICATIVE	PAST ABSOLUTE
lęggere *to read*	leggęndo lętto	lęggo lęggi lęgge leggiamo leggete lęggono	leggevo leggevi leggeva leggevamo leggevate leggęvano	lęssi leggesti lęsse leggemmo leggeste lęssero
męttere *to put*	mettęndo messo	metto metti mette mettiamo mettete męttono	mettevo mettevi metteva mettevamo mettevate mettęvano	misi mettesti mise mettemmo metteste misero
morire* *to die*	moręndo mọrto	muọio muọri muọre moriamo morite muọiono	morivo morivi moriva morivamo morivate morivano	morii moristi morì morimmo moriste morirono
nạscere* *to be born*	nascęndo nato	nasco nasci nasce nasciamo nascete nạscono	nascevo nascevi nasceva nascevamo nascevate nascęvano	nạcqui nascesti nạcque nascemmo nasceste nạcquero
parere* *to seem*	paręndo parso	pạio pari pare paiamo parete pạiono	parivo parivi pariva parivamo parivate parivano	parvi paresti parve paremmo pareste pạrvero
pęrdere* *to lose*	perdęndo pęrso	pęrdo pęrdi pęrde perdiamo perdete pęrdono	perdevo perdevi perdeva perdevamo perdevate perdęvano	pęrsi perdesti pęrse perdemmo perdeste pęrsero
piacere* *to be pleasing*	piacęndo piaciuto	piạccio piaci piace piacciamo piacete piạcciono	piacevo piacevi piaceva piacevamo piacevate piacęvano	piạcqui piacesti piạcque piacemmo piaceste piạcquero

FUTURE	PRESENT CONDITIONAL	IMPERATIVE	PRESENT SUBJUNCTIVE	IMPERFECT SUBJUNCTIVE
leggerò	leggerei	———	legga	leggessi
leggerai	leggeresti	leggi	legga	leggessi
leggerà	leggerebbe	legga	legga	leggesse
leggeremo	leggeremmo	leggiamo	leggiamo	leggessimo
leggerete	leggereste	leggete	leggiate	leggeste
leggeranno	leggerebbero	leggano	leggano	leggessero
metterò	metterei	———	metta	mettessi
metterai	metteresti	metti	metta	mettessi
metterà	metterebbe	metta	metta	mettesse
metteremo	metteremmo	mettiamo	mettiamo	mettessimo
metterete	mettereste	mettete	mettiate	metteste
metteranno	metterebbero	mettano	mettano	mettessero
morrò	morrei	———	muoia	morissi
morrai	morresti	muori	muoia	morissi
morrà	morrebbe	muoia	muoia	morisse
morremo	morremmo	moriamo	moriamo	morissimo
morrete	morreste	morite	moriate	moriste
morranno	morrebbero	muoiano	muoiano	morissero
nascerò	nascerei	———	nasca	nascessi
nascerai	nasceresti	nasci	nasca	nascessi
nascerà	nascerebbe	nasca	nasca	nascesse
nasceremo	nasceremmo	nasciamo	nasciamo	nascessimo
nascerete	nascereste	nascete	nasciate	nasceste
nasceranno	nascerebbero	nascano	nascano	nascessero
parrò	parrei	———	paia	paressi
parrai	parresti	———	paia	paressi
parrà	parrebbe	———	paia	paresse
parremo	parremmo	———	paiamo	paressimo
parrete	parreste	———	paiate	pareste
parranno	parrebbero	———	paiano	paressero
perderò	perderei	———	perda	perdessi
perderai	perderesti	perdi	perda	perdessi
perderà	perderebbe	perda	perda	perdesse
perderemo	perderemmo	perdiamo	perdiamo	perdessimo
perderete	perdereste	perdete	perdiate	perdestero
perderanno	perderebbero	perdano	perdano	perdessero
piacerò	piacerei	———	piaccia	piacessi
piacerai	piaceresti	piaci	piaccia	piacessi
piacerà	piacerebbe	piaccia	piaccia	piacesse
piaceremo	piaceremmo	piacciamo	piacciamo	piacessimo
piacerete	piacereste	piacete	piacciate	piaceste
piaceranno	piacerebbero	piacciano	piacciano	piacessero

INFINITIVE	GERUND AND PAST PARTICIPLE	PRESENT INDICATIVE	IMPERFECT INDICATIVE	PAST ABSOLUTE
potere† *to be able*	potęndo potuto	pǫsso puǫi puǫ̀ possiamo potete pǫssono	potevo potevi poteva potevamo potevate potęvano	potei potesti poté potemmo poteste potęrono
pręndere *to take*	prendęndo preso	pręndo pręndi pręnde prendiamo prendete pręndono	prendevo prendevi prendeva prendevamo prendevate prendęvano	presi prendesti prese prendemmo prendeste pręsero

raggiụngere *see* **giụngere**
to join, to reach

richiędere *see* **chiędere**
to request,
to require

riconǫscere *see* **conǫscere**
to recognize

INFINITIVE	GERUND AND PAST PARTICIPLE	PRESENT INDICATIVE	IMPERFECT INDICATIVE	PAST ABSOLUTE
rịdere *to laugh*	ridęndo riso	rido ridi ride ridiamo ridete rịdono	ridevo ridevi rideva ridevamo ridevate ridęvano	risi ridesti rise ridemmo rideste rịsero
rimanere* *to remain*	rimanęndo rimasto	rimango rimani rimane rimaniamo rimanete rimạngono	rimanevo rimanevi rimaneva rimanevamo rimanevate rimanęvano	rimasi rimanesti rimase rimanemmo rimaneste rimạsero

ripręndere *see* **pręndere**
to take again, to resume

INFINITIVE	GERUND AND PAST PARTICIPLE	PRESENT INDICATIVE	IMPERFECT INDICATIVE	PAST ABSOLUTE
riscuǫtere *to cash*	riscuotęndo riscǫsso	riscuǫto riscuǫti riscuǫte riscuotiamo riscuotete riscuǫtono	riscuotevo riscuotevi riscuoteva riscuotevamo riscuotevate riscuotęvano	riscǫssi riscuotesti riscǫsse riscuotemmo riscuoteste riscǫssero

FUTURE	PRESENT CONDITIONAL	IMPERATIVE	PRESENT SUBJUNCTIVE	IMPERFECT SUBJUNCTIVE
potrò	potrei	———	possa	potessi
potrai	potresti	———	possa	potessi
potrà	potrebbe	———	possa	potesse
potremo	potremmo	———	possiamo	potessimo
potrete	potreste	———	possiate	poteste
potranno	potrebbero	———	possano	potessero
prenderò	prenderei	———	prenda	prendessi
prenderai	prenderesti	prendi	prenda	prendessi
prenderà	prenderebbe	prenda	prenda	prendesse
prenderemo	prenderemmo	prendiamo	prendiamo	prendessimo
prenderete	prendereste	prendete	prendiate	prendeste
prenderanno	prenderebbero	prendano	prendano	prendessero
riderò	riderei	———	rida	ridessi
riderai	rideresti	ridi	rida	ridessi
riderà	riberebbe	rida	rida	ridesse
rideremo	rideremmo	ridiamo	ridiamo	ridessimo
riderete	ridereste	ridete	ridiate	rideste
rideranno	riderebbero	ridano	ridano	ridessero
rimarrò	rimarrei	———	rimanga	rimanessi
rimarrai	rimarresti	rimani	rimanga	rimanessi
rimarrà	rimarrebbe	rimanga	rimanga	rimanesse
rimarremo	rimarremmo	rimaniamo	rimaniamo	rimanessimo
rimarrete	rimarreste	rimanete	rimaniate	rimaneste
rimarranno	rimarrebbero	rimangano	rimangano	rimanessero
riscuoterò	riscuoterei	———	riscuota	riscuotessi
riscuoterai	riscuoteresti	riscuoti	riscuota	riscuotessi
riscuoterà	riscuoterebbe	riscuota	riscuota	riscuotesse
riscuoteremo	riscuoteremmo	riscuotiamo	riscuotiamo	riscuotessimo
riscuoterete	riscuotereste	riscuotete	riscuotiate	riscuoteste
riscuoteranno	riscuoterebbero	riscuotano	riscuotano	riscuotessero

INFINITIVE	GERUND AND PAST PARTICIPLE	PRESENT INDICATIVE	IMPERFECT INDICATIVE	PAST ABSOLUTE
rispondere *to answer*	rispondendo risposto	rispondo rispondi risponde rispondiamo rispondete rispondono	rispondevo rispondevi rispondeva rispondevamo rispondevate rispondevano	risposi rispondesti rispose rispondemmo rispondeste risposero

riuscire* *see* **uscire**
  to succeed

rivedere *see* **vedere**
  to see again

INFINITIVE	GERUND AND PAST PARTICIPLE	PRESENT INDICATIVE	IMPERFECT INDICATIVE	PAST ABSOLUTE
salire† *to go up*	salendo salito	salgo sali sale saliamo salite salgono	salivo salivi saliva salivamo salivate salivano	salii salisti salì salimmo saliste salirono
sapere *to know*	sapendo saputo	so sai sa sappiamo sapete sanno	sapevo sapevi sapeva sapevamo sapevate sapevano	seppi sapesti seppe sapemmo sapeste seppero
scegliere *to choose*	scegliendo scelto	scelgo scegli sceglie scegliamo scegliete scelgono	sceglievo sceglievi sceglieva sceglievamo sceglievate sceglievano	scelsi scegliesti scelse scegliemmo sceglieste scelsero
scendere† *to go down*	scendendo sceso	scendo scendi scende scendiamo scendete scendono	scendevo scendevi scendeva scendevamo scendevate scendevano	scesi scendesti scese scendemmo scendeste scesero
scrivere *to write*	scrivendo scritto	scrivo scrivi scrive scriviamo scrivete scrivono	scrivevo scrivevi scriveva scrivevamo scrivevate scrivevano	scrissi scrivesti scrisse scrivemmo scriveste scrissero

FUTURE	PRESENT CONDITIONAL	IMPERATIVE	PRESENT SUBJUNCTIVE	IMPERFECT SUBJUNCTIVE
risponderò	risponderęi	——	risponda	rispondessi
risponderai	risponderesti	rispondi	risponda	rispondessi
risponderà	risponderębbe	risponda	risponda	rispondesse
risponderemo	risponderemmo	rispondiamo	rispondiamo	rispondęssimo
risponderete	rispondereste	rispondete	rispondiate	rispondeste
risponderanno	risponderębbero	rispǫndano	rispǫndano	rispondęssero

salirò	saliręi	——	salga	salissi
salirai	saliresti	sali	salga	salissi
salirà	salirębbe	salga	salga	salisse
saliremo	saliremmo	saliamo	saliamo	salịssimo
salirete	salireste	salite	saliate	saliste
saliranno	salirębbero	sạlgano	sạlgano	salịssero
saprò	sapręi	——	sạppia	sapessi
saprai	sapresti	sappi	sạppia	sapessi
saprà	saprębbe	sạppia	sạppia	sapesse
sapremo	sapremmo	sappiamo	sappiamo	sapęssimo
saprete	sapreste	sappiate	sappiate	sapeste
sapranno	saprębbero	sạppiano	sạppiano	sapęssero
sceglierò	sceglieręi	——	scelga	scegliessi
sceglierai	sceglieresti	scegli	scelga	scegliessi
sceglierà	sceglierębbe	scelga	scelga	scegliesse
sceglieremo	sceglieremmo	scegliamo	scegliamo	sceglięssimo
sceglierete	scegliereste	scegliete	scegliate	sceglieste
sceglieranno	sceglierębbero	scẹlgano	scẹlgano	sceglięssero
scenderò	scenderęi	——	scenda	scendessi
scenderai	scenderesti	scendi	scenda	scendessi
scenderà	scenderębbe	scenda	scenda	scendesse
scenderemo	scenderemmo	scendiamo	scendiamo	scendęssimo
scenderete	scendereste	scendete	scendiate	scendeste
scenderanno	scenderębbero	scẹndano	scẹndano	scendęssero
scriverò	scriveręi	——	scriva	scrivessi
scriverai	scriveresti	scrivi	scriva	scrivessi
scriverà	scriverębbe	scriva	scriva	scrivesse
scriveremo	scriveremmo	scriviamo	scriviamo	scrivęssimo
scriverete	scrivereste	scrivete	scriviate	scriveste
scriveranno	scriverębbero	scrịvano	scrịvano	scrivęssero

INFINITIVE	GERUND AND PAST PARTICIPLE	PRESENT INDICATIVE	IMPERFECT INDICATIVE	PAST ABSOLUTE
sedere *to sit down*	sedęndo seduto	siędo siędi sięde sediamo sedete siędono	sedevo sedevi sedeva sedevamo sedevate sedęvano	sedei sedesti sedé sedemmo sedeste sedęrono

sorrìdere *see* **rìdere**
 to smile

INFINITIVE	GERUND AND PAST PARTICIPLE	PRESENT INDICATIVE	IMPERFECT INDICATIVE	PAST ABSOLUTE
spęndere *to spend*	spendęndo speso	spęndo spęndi spęnde spendiamo spendete spęndono	spendevo spendevi spendeva spendevamo spendevate spendęvano	spesi spendesti spese spendemmo spendeste spęsero
stare* *to stay*	stando stato	stǫ stai sta stiamo state stanno	stavo stavi stava stavamo stavate stàvano	stetti stesti stette stemmo steste stęttero
tenere *to keep*	tenęndo tenuto	tęngo tięni tięne teniamo tenete tęngono	tenevo tenevi teneva tenevamo tenevate tenęvano	tenni tenesti tenne tenemmo teneste tęnnero
uscire* *to go out*	uscęndo uscito	ęsco ęsci ęsce usciamo uscite ęscono	uscivo uscivi usciva usciamo uscivate uscìvano	uscii uscisti uscì uscimmo usciste uscìrono
valere* *to be worth*	valęndo valso	valgo vali vale valiamo valete vàlgono	valevo valevi valeva valevamo valevate valęvano	valsi valesti valse valemmo valeste vàlsero
vedere *to see*	vedęndo veduto (visto)	vedo vedi vede vediamo vedete vędono	vedevo vedevi vedeva vedevamo vedevate vedęvano	vidi vedesti vide vedemmo vedeste vìdero

FUTURE	PRESENT CONDITIONAL	IMPERATIVE	PRESENT SUBJUNCTIVE	IMPERFECT SUBJUNCTIVE
sederò	sederẹi	———	sięda	sedessi
sederai	sederesti	siędi	sięda	sedessi
sederà	sederẹbbe	sięda	sięda	sedesse
sederemo	sederemmo	sediamo	sediamo	sedẹssimo
sederete	sedereste	sedete	sediate	sedeste
sederanno	sederẹbbero	siędano	siędano	sedẹssero

spenderò	spenderẹi	———	spęnda	spendessi
spenderai	spenderesti	spęndi	spęnda	spendessi
spenderà	spenderẹbbe	spęnda	spęnda	spendesse
spenderemo	spenderemmo	spendiamo	spendiamo	spendẹssimo
spenderete	spendereste	spendete	spendiate	spendeste
spenderanno	spenderẹbbero	spęndano	spęndano	spendẹssero
starò	starẹi	———	stia	stessi
starai	staresti	sta' ✗	stia	stessi
starà	starẹbbe	stia ✗	stia	stesse
staremo	staremmo	stiamo	stiamo	stẹssimo
starete	stareste	state	stiate	steste
staranno	starẹbbero	stịano ✗	stịano	stẹssero
terrò	terrẹi	———	tęnga	tenessi
terrai	terresti	tięni	tęnga	tenessi
terrà	terrẹbbe	tęnga	tęnga	tenesse
terremo	terremmo	teniamo	teniamo	tenẹssimo
terrete	terreste	tenete	teniate	teneste
terranno	terrẹbbero	tęngano	tęngano	tenẹssero
uscirò	uscirẹi	———	ęsca	uscissi
uscirai	usciresti	ęsci	ęsca	uscissi
uscirà	uscirẹbbe	ęsca	ęsca	uscisse
usciremo	usciremmo	usciamo	usciamo	uscịssimo
uscirete	uscireste	uscite	usciate	usciste
usciranno	uscirẹbbero	ęscano	ęscano	uscịssero
varrò	varrẹi	———	valga	valessi
varrai	varresti	vali	valga	valessi
varrà	varrẹbbe	valga	valga	valesse
varremo	varremmo	valiamo	valiamo	valẹssimo
varrete	varreste	valete	valiate	valeste
varranno	varrẹbbero	vạlgano	vạlgano	valẹssero
vedrò	vedrẹi	———	veda	vedessi
vedrai	vedresti	vedi	veda	vedessi
vedrà	vedrẹbbe	veda	veda	vedesse
vedremo	vedremmo	vediamo	vediamo	vedẹssimo
vedrete	vedreste	vedete	vediate	vedeste
vedranno	vedrẹbbero	vẹdano	vẹdano	vedẹssero

INFINITIVE	GERUND AND PAST PARTICIPLE	PRESENT INDICATIVE	IMPERFECT INDICATIVE	PAST ABSOLUTE
venire* *to come*	venęndo venuto	vęngo vięni vięne veniamo venite vęngono	venivo venivi veniva venivamo venivate venivano	venni venisti venne venimmo veniste vęnnero
vivere† *to live*	vivęndo vissuto	vivo vivi vive viviamo vivete vivono	vivevo vivevi viveva vivevamo vivevate vivęvano	vissi vivesti visse vivemmo viveste vissero
volere† *to want*	volęndo voluto	vǫglio vuǫi vuǫle vogliamo volete vǫgliono	volevo volevi voleva volevamo volevate volęvano	vǫlli volesti vǫlle volemmo voleste vǫllero

FUTURE	PRESENT CONDITIONAL	IMPERATIVE	PRESENT SUBJUNCTIVE	IMPERFECT SUBJUNCTIVE
verrò	verrẹi	———	vẹnga	venissi
verrai	verresti	viẹni	vẹnga	venissi
verrà	verrẹbbe	vẹnga	vẹnga	venisse
verremo	verremmo	veniamo	veniamo	venịssimo
verrete	verreste	venite	veniate	veniste
verranno	verrẹbbero	vẹngano	vẹngano	venịssero
vivrò	vivrẹi	———	viva	vivessi
vivrai	vivresti	vivi	viva	vivessi
vivrà	vivrẹbbe	viva	viva	vivesse
vivremo	vivremmo	viviamo	viviamo	vivẹssimo
vivrete	vivreste	vivete	viviate	viveste
vivranno	vivrẹbbero	vịvano	vịvano	vivẹssero
vorrò	vorrẹi	———	vọglia	volessi
vorrai	vorresti	vọgli	vọglia	volessi
vorrà	vorrẹbbe	vọglia	vọglia	volesse
vorremo	vorremmo	vogliamo	vogliamo	volẹssimo
vorrete	vorreste	vogliate	vogliate	voleste
vorranno	vorrẹbbero	vọgliano	vọgliano	volẹssero

441

VOCABULARIES

For the meaning of the inferior dots and hooks that accompany some vowels and the underlined s̲ and z̲ in certain words, see INSTRUCTIONS TO THE STUDENT on page xxv preceding *Lesson 1*.

A preposition in parentheses after a verb indicates that the verb requires that preposition before a dependent infinitive. An asterisk (*) is used to mark verbs that are conjugated with **ẹssere.** A dagger (†) after a verb means that the verb in question may be conjugated either with **avere** or **ẹssere.** In general, the verbs which are accompanied by a dagger are conjugated with **avere** when they have a direct object. For special cases, see Lesson 27, section III and Lesson 33, section III.

— A —

a at, in, to

abbastanza enough

abbronzare to tan

abitare to live, dwell

abito suit (*of clothes*)

accaldato warm, hot

accendere to light

accomodarsi* to make oneself comfortable; **s'accomodi** please come in, make yourself comfortable

accompagnare to accompany

acqua water; **andare in acqua** to go in the water

Adamo Adam

addio good-bye

addormentarsi* to fall asleep

adesso now

Adriatico Adriatic

aereo airplane

aeroplano airplane

aeroporto airport

affatto: niente affatto not at all

affollato crowded

affresco fresco painting

aggiustare to fix

agnello lamb

agosto August

aiutare (a) to help

albergo hotel; **in albergo** at (in) the hotel

albero tree

alcuni some, a few

allora then

almeno at least

Alpi *f.pl.* Alps

altare *m.* altar

alto tall, high; **in alto** above; **dall'alto** from above

altrimenti otherwise

altro other; **ieri l'altro** day before yesterday; **altro che!** I should say! **altro?** anything else?

alzare to lift; **alzarsi*** to get up, rise

Amalfi *f.* a little town on the rugged coast south of Naples

ambasciata embassy

America America

americano American

amico, amica friend

ammirare to admire

ammiratore *m.* admirer

anche also, too; **anche se** even if

ancora yet, still

andare* to go; **andranno** they will go

anello ring

angelo angel

angolo corner

anno year; **Buon Anno!** Happy New Year!

annunziare to announce, call

antico ancient, old

antipasto hors d'oeuvres

antipodi *m.pl.* antipodes

anzi rather, on the contrary

aperitivo apéritif

aperto open; **all'aperto** in the open air, outdoors

apparecchio telephone (instrument)

appena just; **appena** as soon as

Appennini *m.pl.* Apennines

appuntamento appointment, date

appunto note

aprile *m.* April

aprire to open

aranceto orange grove

aranciata orangeade

Arezzo *f.* a city east of Florence

argento silver

aria air; **la l'aria condizionata** is air conditioned

Arlecchino Harlequin

Arno river flowing through Florence

arrangiarsi to manage, to get by

arrivare* to arrive

arrivederci, arrivederla good-bye; till we meet again

arrivo arrival

arte *f.* art

articolo article

artificiale artificial

artista *m.* or *f.* artist

artistico artistic

asciugare to dry

ascoltare to listen, to listen to

aspettare to wait, wait for

aspetto appearance, "look"

aspirina aspirin

assaggiare to taste

assai very (much), quite a bit

assegno check; **assegno per viaggiatori** traveller's check

Assisi *f.* a town in central Italy, birthplace of Saint Francis

assolutamente absolutely

attaccare to attach, to put

attentamente attentively

attento attentive; **stare attento a** to be careful to

attirare to attract

attivo active

attraverso across

auguri *m.pl.* best wishes; **fare gli auguri** to offer best wishes

autobus *m.* bus

automobile *f.* automobile, car; **in automobile** by car

autore *m.* author

autostrada freeway, highway

autunno fall, autumn

avanti ahead; **andare avanti** to go ahead

avere to have

aviogetto jet (plane)

avviarsi* to start out

avvicinarsi* (a) to come near, approach

azzurro blue

— B —

bagaglio baggage

bagno bath; **fare il bagno** to take a bath

baia bay

ballare to dance

ballo dance, ball

bambino child, baby

banca bank

bar *m.* coffee shop

basilica basilica, cathedral

basso: in basso below

bassorilievo basrelief

basta enough

bastare* to be enough

battistero baptistry

be'! (*abbreviation of* **bene**) well!

beato lucky

Bellagio *f.* a town on Lake Como

bellezza beauty

bello beautiful

bene well; va bene? is that all right?

benedire to bless

benissimo very well, fine

benvenuto! welcome! dare il benvenuto to extend one's welcome

bere to drink

bianco white

bibita drink; beverage

biblioteca library; in biblioteca in the library

bicchiere m. (drinking) glass

bicicletta bicycle

biglietteria ticket office

biglietto ticket; fare il biglietto (di prima, di seconda) to get a (first, second) class ticket

bionda blonde (woman)

bisogna it is necessary to, one must

bisogno need; avere bisogno di to need

bistecca beefsteak

borsa purse, handbag

braccetto: a braccetto arm-in-arm

braccio (pl. le braccia) arm

bravo fine, good, skillful

breve short, brief

bruciare to burn

bruna brunette (woman)

brutto ugly

bugiardo (a) liar

buono good; buon divertimento! have a good time!

burro butter

bussare to knock

busta envelope

— C —

cabina (telefonica) telephone booth, cabin, cabana

caffè m. coffee, coffee shop, café, cup of coffee

calcio soccer

caldo warm; fare caldo to be warm (weather)

calendario calendar

cambiare to change; to exchange; cambiarsi* to change one's clothes

cambio exchange; ufficio di cambio money exchange office

camera bedroom, room

cameriera waitress, maid

cameriere m. waiter

camicia shirt

camminare to walk

campagna country, countryside

campanello bell (of door, office)

campanile m. belltower

campo field; campo di tennis tennis court

Canal Grande m. Grand Canal, the largest canal in Venice

cantare to sing

cantoria choir, chorus

canzone f. song

capello hair (one); capelli hair

capire (isc) to understand

capitale f. capital

Capodanno New Year's Day

capolavoro masterpiece

cappella chapel

cappello hat

cappuccino espresso coffee with milk

Capri f. island off Naples

caramella (hard) candy

carattere m. character

cardinale m. cardinal

carino pretty

Carlo Charles

carne f. meat

Carnevale m. Carnival-time

carnevalesco (pertaining to) Carnival

caro dear

carro cart; float; carretto cart

carrozza carriage

carta paper; carta da lettere stationery; carta d'identità identification card

cartoleria stationery store

cartolina postcard

casa house; a casa at home; home; a casa mia (tua, etc) at (to, in) my (your, etc.) house

Cascine f.pl. park in Florence

caspita! goodness!

castello castle

Catacombe f.pl. Catacombs

catalogo catalogue

categoria category, class

catena chain

cattedrale f. cathedral

cattivo bad

cena supper; cena d'addio farewell supper

cenotafio cenotaph

centinaio (pl. le centinaia) about one hundred

cento one hundred

centrale elettrica f. power house

centro center; downtown

cercare to look for; to seek; cercare di to try

cerimonia ceremony

certamente certainly

certo certain, sure; certo (che) certainly, of course

cervello brain

che that; than; who, whom, which; che...! what a...!; che? what?; che cosa? what?

chi who, whom, he who, him who; di chi? whose?

chiamare to call; to call on; chiamarsi* to be named, be called

chiedere to ask

chiesa church

chiudere to close; p.p. chiuso

chiuso closed

ci here, there; c'è there is; ci sono there are

ciao hello, good-bye (colloquial)

cielo sky

cinema (cinematografo) m. movies

cinghia belt

cioccolatino chocolate candy

cioccolato chocolate

cioè that is, namely

circa about, approximately

circondato surrounded

città city; Città del Vaticano Vatican City; in città in town, downtown, into town, in the city

classe f. class, classroom

classico classic

cognome m. surname

colazione f. lunch, breakfast; fare colazione to have lunch, breakfast; prima colazione breakfast

collina hill

colomba, colombina dove

colore m. color

Colosseo Colosseum

come how, as; **come sta?** how are you? (*polite singular*); **come stanno?** how are you? (*polite plural*); **come va?** how goes it?; **così . . . come** as (so) . . . as

Commedia dell'Arte improvised comedy, an Italian genre of the Renaissance

commerciale commercial

commesso (-a) clerk, salesperson

comodo comfortable; **poco comodo** not very comfortable

compagno companion; **compagno di scuola** school friend

comprare to buy

comunicazione *f.* communication

con with

conferenza lecture; **fare una conferenza** to give a lecture

coniglio rabbit

conoscenza acquaintance; **fare la conoscenza (di)** to meet, to make the acquaintance (of)

conoscere to know, be acquainted with

consegna delivery

conservazione *f.* conservation, preservation

consistere to consist

contare (di) to plan to

contemplare to contemplate

continuare (a) to continue

conto bill, check; **fare il conto** to add up (*the bill*); **conto corrente** checking account

contrasto contrast

controllo control, check

convento monastery, convent

conversare to converse, chat

copertina cover (*of a book*)

coperto (di) covered (with)

coraggio courage; **farsi* coraggio** to take courage, cheer up

cordiale cordial, polite

correre† to run; to speed

corretto correct

corridore *m.* racer

corrispondere to correspond

corsa race, fast trip

corsivo italic

corso course

cosa thing; **ogni cosa** everything; **qualche altra cosa** something else; **qualche cosa** something, anything; **che cosa?** what? **cosa?** what?

così thus, so; **se è così** in that case; **così . . . come** as (so) . . . as

costare* to cost

costruire (isc) to build

costume *m.* costume; **costume da bagno** bathing suit

cravatta necktie

creazione *f.* creation

credere to believe, think

crema cream, lotion

cristiano Christian

Cristoforo Colombo Christopher Columbus

cugina, cugino cousin

cui whom, which

cupola dome

curva curve

— D —

da from, by; at (to) the house (shop, *etc.*) of

dappertutto everywhere

dare to give; **dare del Lei (tu, voi)** to address as **Lei, (tu, voi)**

dato che since

davanti (a) before, in front (of)

davvero truly; indeed

decidere (di) to decide; *p.p.* **deciso**

decorato decorated

delizioso delicious

denaro money

depositare deposit

desiderare [di] to wish, desire

destro right; **a destra** to the right

dettaglio detail

detto (*p.p. of* **dire**) said

deve you must

devo I must

di of, than, from

dice says

dicembre *m.* December

dietro behind

differenza difference

difficile difficult, hard

dimenticare (di) to forget

dintorni *m.pl.* surroundings

Dio God

dire to tell, say; *p.p.* **detto; volere dire** to mean, signify

direttamente directly

diretto express train

dirigere to direct

dispiacere* to be sorry; **mi dispiace** I am sorry; **Le dispiace?** do you mind?

disposizione; a disposizione di available to

dito (*pl.* **le dita**) finger

diverso different; **diversi** various, several

divertimento amusement; **buon divertimento!** have a good time!

divertirsi* to amuse oneself, have a good time; **divertirsi un mondo** to have a great time

divin(o) divine

Divina Commedia Divine Comedy, Dante's (1265–1321) main work

dizionario dictionary

documentario travelogue, documentary

dogana customs house; **in dogana** at the customs

Doge *m.* Doge, title of the head of the old Venetian Republic

dolce *m.* sweet, dessert

dollaro dollar

dolore *m.* ache, pain; **dolor di testa** headache

domanda question

domandare to ask; **domandare a** to ask of (*a person*)

domani tomorrow

domenica Sunday

donna woman

dopo after, afterwards; **dopo che** after; **poco dopo** or **dopo poco** a little later, shortly afterward

dormire to sleep

dottore *m.* doctor

dove where; **dov'è?** where is?

dovere to have to, must; to owe; **il dovere** duty

dubbio doubt

dubitare to doubt

due two

dunque   well then
duomo   cathedral
durante   during
durare*   to last

— E —

e   and
è   is; c'è   there is
eccellente   excellent
eccetera   et cetera
eccetto   except
eccezione f.   exception
ecco   here is, here are, there is,
   there are; ecco fatto!   there!
ed   and
edificio   building
effetto   effect
elezione f.   election
entrare*   to enter; entrare in
   classe   to enter the class,
   come (go) into the classroom
entrata   entrance
Enzo   masculine proper name
Epifania   Epiphany
erbaggi m.pl.   vegetables
esame m.   examination
esaurito   sold out, finished,
   exhausted
esclamazione f.   exclamation
esempio   example
esilio   exile; andare in esilio
   to go into exile
espresso   special delivery
   letter; black Italian coffee
essere*   to be
estate f.   summer
Etna   Aetna, a volcano in Sicily
etrusco   Etruscan
Europa   Europe
europeo   European
evviva   long live, hurray

— F —

fa   ago; molto tempo fa   a
   long time ago
fabbrica   factory
facchino   porter
facile   easy
facilmente   easily
fame f.   hunger; avere fame
   to be hungry
famiglia   family
famoso   famous
fantastico   fantastic, great

fare   to do, make; p.p. fatto;
   fare vedere   to show
farmacia   pharmacy, drugstore
fauno   faun
favore m.   favor; per favore
   please
favorevole   favorable
fazzoletto   handkerchief
febbraio   February
felice   happy
fermarsi*   to stop
fermata   stop
festa   festivity; è festa   it is a
   holiday
festeggiare   to celebrate
fettuccine f.pl.   egg noodles;
   fettuccine al burro   egg
   noodles with butter
fiera   fair
Fiesole f.   a town overlooking
   Florence
figlia   daughter
figlio   son
filo   wire
filobus m.   trackless trolley
finalmente   finally
fine f.   end
finestra   window
finire (isc) (di)   to finish
fino: fino a   until; as far as
fiore m.   flower
fiorentino   Florentine
Firenze f.   Florence
fiume m.   river
foglio   sheet (of paper)
folla   crowd
fondare   to found
fontana   fountain
formalità   formality
foro   forum
forse   perhaps
forte   strong; loudly; più forte
   louder
fra   between, among, in,
   within (time)
fragola   strawberry
Francesco   Francis
francese   French; il francese
   the French language
Francia   France
francobollo   stamp; francobollo espresso   special
   delivery stamp
fratello   brother
frattempo: nel frattempo   in
   the meantime

freddo   cold; avere freddo
   to be cold (person); fare
   freddo   to be cold (weather)
fresco   cool; fare fresco   to be
   cool (weather)
fretta   haste; avere fretta   to be
   in a hurry; in fretta   in a
   hurry, in haste
fritto misto   mixed fry
frutta   fruit
fuga   fugue
fuoco   fire; fuochi artificiali
   fireworks
fuori   out, outside

— G —

galleria   gallery, arcade
garofano   carnation
gelato   ice cream
generale   general
genio   genius
genitore m.   parent
gennaio   January
Genova   Genoa, a large city in
   northern Italy
gente f.   people
gentile   kind, polite, friendly
geografia   geography
Gesù   Jesus
gettare   to throw
gettone m.   token
già   already; già!   yes, of
   course!
giacca   coat, jacket
Gianicolo   one of the hills of
   Rome
giardino   garden; in giardino
   in (to) the garden
Gina   Jean
giocare   to play; giocare a
   tennis   to play tennis
gioielleria   jewelry shop
Giorgio   George
giornale m.   newspaper
giornaliero   daily
giornata   day
giorno   day; buon giorno
   good morning, good day;
   il giorno dopo   the next day
Giotto   (1266–1337) Florentine
   artist
giovane   young; m. young man
giovanotto   young man
Giovanni   John
giovedì m.   Thursday
giro   tour; andare (essere) in

447

giro to wander; **fare il giro** to make the tour, the rounds; **fare un giro** to go around, take a tour

gita excursion

giudizio judgment

giugno June

godere to enjoy

golfo gulf

gondola gondola

gran, grande large, big, great

grandioso grandiose

granita di caffè coffee ice

grazie thank you; **grazie lo stesso** thank you just the same; **grazie di tutto** thanks for everything

greco Greek

grido (*pl.* **le grida**) scream

grotta grotto, cave

gruppo group

guanto glove

guardare to look, look at

guardia policeman, guard; **guardia svizzera** Swiss Guard

guida guide; guidebook

— H —

ha has

hanno they have

— I —

idea idea

ieri yesterday; **ieri sera** last night; **ieri l'altro, l'altro ieri** day before yesterday

imparare (a) to learn

imperatore *m.* emperor

impermeabile *m.* raincoat

impiegata, impiegato clerk

importante important

importare* to matter; **non importa** it does not matter

impossibile impossible

impostare to mail

impressione *f.* impression

in in, into, within

incantevole enchanting

inchiostro ink

incominciare (a) to begin

incontrare to meet

incontro meeting

indimenticabile unforgettable

indirizzo address

industria industry

infatti in fact

informato informed

informazione *f.* information

Inghilterra England

inglese English; **l'inglese** *m.* the English language

insalata salad

insegnare (a) to teach

insieme together

insomma in short

interessante interesting

interessare to interest

interno interior; **all'interno** inside

inutile useless

invece instead

invernale *adj.* winter, of the winter

inverno winter; **d'inverno** in the winter

invitare to invite

invitato guest

iscritto enrolled

isola island

istituzione *f.* institution

Italia Italy

italiano Italian; **l'italiano** the Italian language

— L —

là there

labbro (*pl.* **le labbra**) lip

lago lake; **Lago di Como** Lake Como, a lake in northern Italy

laguna lagoon

largo wide

lasciare to leave; let, allow

laurearsi* to graduate (*university*)

lavarsi* to wash oneself

leggere to read; *p.p.* **letto**

leggero light (*in weight*)

lentamente slowly

lenticchia lentil

lettera letter

letteratura literature

letto bed

lettura reading

Levante *m.* Near East

lezione *f.* lesson; **non avere lezione (-i)** to have no classes

lì there

libreria bookstore

libro book

Lido beach resort in Venice

linea line

lira *lira*, the monetary unit of Italy

lista menu

Londra London

lontano far, far away

luglio July

Luisa Louise

lunedì *m.* Monday

lungo long; along

luogo place; **avere luogo** to take place

— M —

ma but, however

macché! nonsense!

macchina car, automobile

macedonia di frutta fruit cocktail

madre *f.* mother

maestro teacher

magari I wish it were so

maggio May

maggiore greater, greatest, old, oldest

maglia sweater

magnifico magnificent

mah! who knows!

mai never, ever

male badly; **fare male** to hurt, ache; **meno male!** it's a good thing!

maledetto cursed

mancare to lack

mandare to send

mangiare to eat

mano *f.* hand (*pl.* **le mani**); **dare la mano a** to shake hands with; **in mano** in one's hand

mare *m.* sea

Maria Mary

marina beach, seaside

Mario masculine proper name

marito husband

martedì *m.* Tuesday; **martedì grasso** Shrove Tuesday, last day of Carnival

marzo March

maschera mask

mascherata masquerade

massimo: al massimo at the most

matita pencil

mattina morning; **di mattina** in the morning

mattinata morning (*descriptive*)

medioevale medieval

Mediterraneo Mediterranean (Sea)

meglio better, best

meno less; **a meno che . . . non** unless; **il meno** the least

mentre while

meraviglioso wonderful, marvelous

mercato market; **mercato all'aperto** open-air market; **mercato dei fiori** flower market

mercoledì *m.* Wednesday

meridionale southern

mese *m.* month

metropolitana subway

mettere to put, place

mezzanotte *f.* midnight

mezzo middle; **in mezzo a** in the middle of

mica at all

migliaio (*pl.* **le migliaia**) about a thousand

miglio (*pl.* **le miglia**) mile; **fare due (tre,** *etc.***) miglia** to walk two (three, *etc.*) miles

migliore better, best

Milano *f.* Milan

minestra soup

minore smaller, smallest, younger, youngest

minuto minute

mitragliatrice *f.* machine gun

moda fashion; **Alta Moda** High Fashion; **di moda** fashionable

moderno modern

modo manner; **ad ogni modo** at any rate

moglie *f.* wife

molto much; very

momento moment; **un momento** just a minute

mondo world

moneta coin

monopolio monopoly

monte *m.* mountain

Montecatini *f.* a town near Florence (famous for its water springs)

monumento monument

morire* to die, *p.p.* **morto** dead

mosaico mosaic

Murano *f.* an island near Venice

museo museum

musica music

musicista *m. and f.* musician

— N —

nacque past absolute of **nascere** to be born

napoletano Neapolitan

Napoli *f.* Naples

nascita birth

Natale *m.* Christmas

nato *p.p of* **nascere** to be born

naturalmente naturally

nazionale national

né . . . né neither . . . nor

neanche not even

necessario necessary

negozio store, shop

nemmeno not even

nero black

nessuno no one

neve *f.* snow

nevicare† to snow

niente nothing

nipote *m. and f.* nephew, niece

no no

nome *m.* name

non not

nonno grandfather

nord *m.* north

notare to notice, note

notizia news (news item)

noto known

novembre *m.* November

nulla nothing

numero number; **formare un numero** to dial a number

nuotare to swim

nuovo new; **di nuovo** again; **cosa c'è di nuovo?** what's new?

— O —

o or

occhio eye

occupato busy

offrire to offer

oggi today

ogni each, every; **ogni tanto** once in a while

ognuno each one

oltre a besides

onore *m.* honor

opera opera

ora hour; now; **da ora in poi** from now on; **per ora** for the time being; **sarebbe l'ora** it is high time; **è l'ora (di)** it is time (to)

orario timetable; **in orario** on schedule, on time

ordinare to order

oretta: un'oretta about an hour

originale original

origine *f.* origin

ormai now, by now

orologio watch, clock

osso (*pl.* **le ossa**) bone

ottimo excellent, very good

ottobre *m.* October

— P —

padre *m.* father

paesaggio landscape

paese *m.* country; **paese che vai, usanza che trovi** when in Rome, do as the Romans do

pagare to pay, pay for

pagina page

paglia straw

pagliaccio clown

paio (*pl.* **le paia**) pair

palazzo palace

Palio a horse race run in Siena twice a year

panchina bench

pane *m.* bread

panettone *m.* an Italian cake

panforte *m.* an Italian sweet

panna cream, whipped cream

paradiso paradise

parcheggio (taxi) stand, parking

parco park

parere* to seem; **a quanto pare** apparently; **Le pare (ti pare,** *etc.***)!** don't mention it! not at all!

parete *f.* wall

Parigi *f.* Paris

parlare to speak

parola word

parrucchiere *m.* hairdresser, barber

parte *f.* part; **da parte mia** on my behalf; **da che parte**

which way; **da queste parti** in this neighborhood

partenza departure; **essere in partenza** to be leaving, be ready to leave

particolarmente especially

partire* to leave, depart

partita match, game; **partita di calcio** soccer match

Pasqua Easter

passaporto passport

passare† to pass, spend (*time*); to go by

passeggiata walk, promenade; **fare una passeggiata** to take a walk, *also* to take a ride

passeggiero passenger

pasticceria pastry shop

patria country; **in patria** in one's country, to one's country

paura fear; **avere paura** to be afraid

pazienza patience

peccato! too bad!

peggio worse, worst

peggiore worse, worst

pelle *f.* skin

pendente leaning

penisola peninsula

penna pen

pensare (di) to think; **pensare a** to think of (*a person or thing*)

pensione *f.* pension, boarding house

per for; in order to; through

perché why, because

perdere to lose

perfezionare to perfect

però but, however

persona person

personalmente personally

Perugia a city in central Italy

pesante heavy

pesce *m.* fish

pessimo very bad

piacere *m.* pleasure; **piacere*** to be pleasing; **piacere!** pleased to meet you! **per piacere** please

piano slowly

pianoforte *m.* piano

pianta map (of a city); plant

piatto dish

piazza square

Piazzale Michelangelo *m.* a large open terrace overlooking Florence

piazzetta little square

piccolo small, little

piede *m.* foot; **a piedi** on foot

pieno (di) full (of), filled (with)

Piero della Francesca a fifteenth century Italian painter

Pietro Peter

Pincio a hill in Rome, part of the Borghese Gardens

pino pine

piovere† to rain

Pisa a city in Tuscany

piscina swimming pool

pisello pea

pista track; **pista di collaudo** proving ground (*for autos*)

più more; **sempre più** more and more; **il più** the most; **per di più** furthermore; **del più e del meno** of this and that

piuttosto rather

po' shortened form of **poco**

poco little; **a poco a poco** little by little; **fra poco** in a little while

podere *m.* farm

poeta *m.* poet

poi after, then

poiché since

polo pole

pollo chicken

pomeriggio afternoon

Pompei *f.* Pompeii

ponte *m.* bridge

pontefice *m.* pontiff, pope

popolare popular

porcellino little pig

porta door

portare to carry, bring, take; to wear (*clothes*); **portarsi*** **dietro** to carry around

portico arcade

porto port, harbor

possibile possible

posta mail, post office; **posta aerea** air mail

posteggio (taxi) stand

posto place, spot

potere† to be able, can, may

povero poor

pranzare to dine

pranzo dinner

prato meadow, park

preciso precise, exactly, on the dot (*in time expressions*)

preferire (isc) to prefer

preferito favorite

prego you're welcome; please! I beg you!

prendere to take; to get; to meet; *p.p.* **preso**

preoccuparsi to worry

preparare to prepare

presentare to present, introduce

presente present

presepio manger, Nativity Scene

preso taken

presso near, among; in care of

presto early, soon

prezzo price

prima before, first; **prima di +** *noun =* before + *noun*

primavera spring

primo first

principale main

principio beginning

professore *m.* professor

programma *m.* plan, program

pronto ready; **pronto!** hello (*over the telephone*)

proposito: a proposito by the way

proprio really, indeed, truly

proseguire to continue

provare to try

pulire (isc) to clean

punto point; **punto di vista** point of view; **in punto** exactly (*of time*)

purché provided

pure: entra pure come right in; **va pure** go ahead; **fai pure** go (right) ahead

purtroppo unfortunately

— Q —

qua here

quaderno notebook

qualche some, a few, any

qualcuno someone

quale which, which one, what; **il quale** who, whom, that, which

qualsiasi any

quando when

qualcosa something

quanto how much; **a quanto pare** apparently; **tanto . . . quanto** as (so) . . . as
quartiere m. district
quasi almost
quello that, that one; **quello che** what; **di quel che** than
qui here; **qui vicino** near here

— R —

raccomandarsi* to beg; **mi raccomando** I beg you, please
raccomandato registered (*mail*)
raffreddato: essere raffreddato to have a cold
raffreddore m. head cold
ragazza girl
ragazzo boy
raggiungere to join, reach
ragione f. reason; **avere ragione** to be right
rapido streamliner
rappresentare to represent
raramente rarely
Ravenna a city in Northern Italy
re m. king; **Re Magi** Three Wise Men
regalo present, gift
regista m. director
regolare regular
religioso religious
restare* to remain
rettore m. president (*of a university*)
riaprire to re-open
ricevere to receive
ricevimento reception
ricevitore m. receiver
ricevuta receipt
richiedere to require
riconoscere to recognize
ricordare (di) to remember
ricordo souvenir
ridere to laugh
riempire to fill; *gerund* **riempiendo**
rimanere* to remain
rimasto *p.p. of* **rimanere** to remain
Rinascimento Renaissance
rinfresco refreshment
ringraziare to thank

ripartire to leave again, to continue on one's way
ripassare to come back
ripetere to repeat
riportare to take back, bring back
riposare, riposarsi* to rest
riprendere to take again; **riprendere il cammino** to continue on one's way
riscaldare to warm (up)
riscuotere to cash
rispondere to answer; *p.p.* **risposto**
ristorante m. restaurant
ritardo delay; **essere in ritardo** to be late
ritornare* to return
ritratto portrait
riuscire* (a) to succeed
riva bank (of a river)
rivedere to see again
Riviera di Levante Eastern Riviera
rivista magazine
Roma Rome
romano Roman
romanzo novel
rosa rose
rosso red
rovina ruin
rovinare to ruin

— S —

sabato Saturday
sabbia sand
sala hall; **sala d'aspetto** waiting room; **sala da pranzo** dining room
sale m. salt
salire† to go up, climb, get on (*train*)
salone m. large hall, reception hall
salotto living room
salutare to greet, say good-bye; *adj.* beneficial, welcome; **salutarsi** to greet one another
saluto greeting
sandalo sandal
santo saint, holy
sapere to know, know how
sarta dressmaker
sbrigarsi* to hurry
scalinata flight of steps

scarpa shoe
scatola box
scegliere to choose
scena scene
scendere to descend, go down; get off
scherzare to joke
scherzo joke, prank
sciare to ski
sciocco silly
scoppio explosion
scorso last; **l'anno scorso** last year
scritto written
scrivere to write; *p.p.* **scritto**
scuola school
scusare to excuse, to pardon; **scusarsi*** to excuse oneself, apologize; **scusi** pardon me (*polite singular*)
sdraiarsi* to lie down, stretch out
se if, whether
sebbene although
seccatura: è una seccatura it's a bore
secolo century
secondo *n.* second; according to
sedersi* to sit down
seduto seated
segnare to say (time), to indicate
segreto secret
seguente following
seguire to follow, take (*a course*)
sembrare* to seem
semplice simple
sempre always
sentire to hear; to listen; **sentire parlare di** to hear about; **sentirsi*** to feel
senza without
separare to separate
sepolto buried
sera evening; **buona sera** good afternoon, good evening; **di sera, la sera** in the evening
serata evening (*descript.*)
servire to serve
servizio service; **il servizio è compreso** service included
sete thirst; **avere sete** to be thirsty

451

settembre m.   September
settimana   week; **la settimana ventura**   next week
sfogliare   to leaf through
sfortunatamente   unfortunately
sì   yes; **eh sì!**   oh yes! that's right!
siamo   we are
Sibilla Cumana   Cumaean Sibyl
Sicilia   Sicily; **siciliano**   Sicilian
sicuro   sure, certain; safe
Siena   a city in Tuscany
sigaretta   cigarette
significare   to mean
signora   Mrs., lady, woman
signore m.   Mr., sir, gentleman
signorina   Miss, young lady
silenzio   silence
simbolo   symbol
simpatico   charming, pleasant
sinistro   left; **a sinistra**   to the left
situato   situated
sodo   hard-boiled
soffiatore m.   blower
soggiorno   sojourn, stay
sognare   to dream
solamente   only
soldo   penny; pl. money
sole m.   sun
solido   sturdy
solito: di solito   usually
solo   alone, only
sono   they are
sonno   sleep; **avere sonno**   to be sleepy
soprattutto   above all, especially
sorpresa   surprise; **fare una sorpresa**   to surprise
sorridere   to smile
sorvolare   to fly over
sospirare   to sigh; **sospiro** sigh
sosta   stop, pause
sotto   under
spaghetti alle vongole   spaghetti with clams
Spagna   Spain
speciale   special
specialità   specialty
specialmente   especially
specie f.   kind
sperare (di)   to hope

spese: fare le spese   to shop
spesso   often
spettacolo   spectacle, performance
spiaggia   beach
spiegare   to explain
spiritoso   witty; **fare lo spiritoso**   to clown, to try to be funny
splendere   to shine
splendido   splendid
sport m.   sport
sportello   teller's (clerk's) window
squisito   exquisite
stabilirsi* (isc)   to settle (down)
stadio   stadium, field (sports)
stagione f.   season
stamani   this morning
stanco   tired; **stanco morto** dead tired
stanza   room
stazione ferroviaria   station, depot
stare*   to be; **come sta?**   how are you? (polite singular); **come stanno?**   how are you? (polite plural); **stare per**   to be about to
starnuto   sneeze
stasera   this evening, tonight
Stati Uniti   United States
stato   state, condition; p.p. of **essere**
statua   statue
stazione f.   station
stesso   same; **grazie lo stesso** thank you just the same
stoffa   material; **stoffe**   textiles
storia   story, history
strada   street, road
straniero   foreigner
strano   strange, peculiar
studente m.   student
studentessa   girl student
studiare   to study
studio   study; **continuare gli studi**   to continue one's education
su   on, upon, concerning; **su via!**   come now, come on! **in su**   up, upward
subito   immediately
successo   success

sud m.   south; **a sud di**   south of
suonare   to ring, play (an instrument)
sveglio   awake
svizzero   Swiss

— T —

tabacco   tobacco
tagliatelle f.pl.   noodles
tale   such, such a
tanto   much, so much; **tanto . . . quanto**   as(so) . . . as; **ogni tanto**   once in a while
Taormina   a town on the east coast of Sicily
tardi   late; **essere tardi**   to be late (of time)
tassì m.   taxi
tavola (-o)   table
teatro   theater
telefonare (a)   to telephone (someone)
telefonata   telephone call; **telefonata interurbana**   long-distance call; **fare una telefonata**   to make a call
telefono   telephone
telegramma m.   telegram
televisore m.   television set
tempio   temple
tempo   time; weather; **a tempo** on time; **che tempo fa?**   how is the weather? **quanto tempo** how long
tenersi*   to hold, to take place
tennis m.   tennis; **campo di tennis**   tennis court
terme f.pl.   spa, hot springs
terribile   terrible
terzo   third
testa   head; **avere mal di testa** to have a headache
tifoso   sports fan
tintarella   tan; **prendere la tintarella**   to get a tan, to tan
tirare   to pull
tomba   tomb, grave
Torino f.   Turin, a large city in northern Italy
tornato: ben tornato!   welcome back!
torre f.   tower
torrone m.   Italian candy
torta   cake
toscano   Tuscan

tradizionale traditional
tradizione *f.* tradition
tram *m.* streetcar; **in tram** by streetcar
trattarsi* di to be a matter of
trattoria inn, restaurant
traversare to cross
treno train; **in treno** on the (by) train
triste sad
troppo too, too much
trovare to find; to call upon; **trovarsi*** to get along (*in a place*); to be located
tuffarsi* to dive
turista *m. and f.* tourist
turno turn
tutto all; everything; **tutti** everybody; **tutto** + *definite article* the whole; **tutti e due** or **tutt'e due (tre,** *etc.*) both (all three, *etc.*)

— U —

ufficio office; **ufficio di cambio** (money) exchange office; **ufficio telefonico** telephone office
ultimo last, latest
umile humble
unico only, single
universale universal
università university
universitario of the university
uomo (*pl.* **uomini**) man
uovo (*pl.* **le uova**) egg
usanza custom
usare to use
usato used, second hand
uscire* to go out
utile useful

— V —

vacanza vacation
vaglia *m.* money order
valere* to be worth
valigia suitcase; **fare le valige** to pack

vanno they go
varietà variety
Vaticano Vatican
vecchio old
vedere to see; **si vede che** evidently; **si vede che . . . ?** can you tell . . . ?
veduta view, sight
Veglione *m.* all-night dance
veloce fast, speedy; **velocemente** rapidly, fast
vendere to sell
vendita sale
venerdì *m.* Friday
veneto Venetian
Venezia Venice
veneziano Venetian
venire* to come; *p.p.* **venuto**
venti twenty
vento wind; **tirare vento** to be windy
venturo next; **la settimana ventura** next week
veramente truly, as a matter of fact
verde green
Vergine *f.* Virgin
verità truth
vero true; **non è vero?** isn't it, isn't that right; **è vero che?** is it true that?
vero? = non è vero?
verso toward, about
vestirsi* to dress oneself, to get dressed
vestito da dressed as
Vesuvio Vesuvius
vetreria glass factory, glassworks
vetrina display window
vetro glass
vi there
via street; **per le vie** in the streets; **Via Appia** Appian Way, an old Roman road outside Rome; **andar via** to go away; **Via Veneto** a street in Rome
viaggiare to travel
viaggio trip, journey, voyage;

buon viaggio have a good trip, bon voyage; **essere in viaggio** to be traveling, be on one's way; **fare un viaggio** to take a trip; **fare buon viaggio** to have a good trip
Viareggio *f.* a sea-resort in Tuscany
vicino (a) near; **lí vicino** near there; **qui vicino** near here, nearby
vicolo narrow street, alley
vigile urbano *m.* policeman
vigilia eve
villa villa, country home; **Villa Borghese** a large park in Rome
vino wine
violetta violet
visione: è in visione they are showing (a movie)
visita visit
visitare to visit; **fare una visita** to pay a visit
viso face
visto *p.p. of* **vedere**
vita life
vitello veal; **vitello arrosto** roast veal
vivere† to live
voce *f.* voice; **ad alta voce** aloud
volare to fly
volentieri willingly, gladly
volere to want, be willing; **volere dire** to mean, signify; **volerci** to take (*of time*)
volo flight
volta vault, ceiling; time (*turn*); **una volta alla settimana** once a week
vulcano volcano
vuole wants
vuoto empty

— Z —

zampone *m.* large pork sausage
zia aunt
zio uncle

— A —

able: to be able potere†
about circa
above sopra; **above all** soprattutto
absolutely assolutamente
accompany accompagnare
according to secondo
account (checking) conto corrente
acquaintance conoscenza; **to make the acquaintance of** fare la conoscenza di
across attraverso
active attivo
address indirizzo; **to address someome as Lei (tu, voi)** dare del Lei (tu, voi)
admirer ammiratore *m.*
Adriatic Adriatico
afraid: to be afraid avere paura
after dopo, poi; **a little later** poco dopo *or* dopo poco; dopo che (*before an inflected verb*)
afternoon pomeriggio
afterwards dopo
ago fa; **a long time ago** molto tempo fa
ahead avanti; **to go ahead** andare avanti
air aria; **is air conditioned** ha l'aria condizionata
airplane aeroplano, aereo
airport aeroporto
all tutto; **all three (four** etc.**)** tutti e tre (quattro, *ecc.*); **not at all** niente affatto
almost quasi
alone solo
along lungo
aloud ad alta voce, forte
Alps Alpi *f. pl.*
already già
also anche
although sebbene
always sempre
America America
American americano
among fra
amuse oneself divertirsi
ancient antico
and e, ed
angel angelo
another un altro, un'altra

answer rispondere
antipodes antipodi *m. pl.*
anybody (nobody) nessuno
anything (something) qualcosa; **(nothing)** niente
Apennines Appennini *m. pl.*
apéritif aperitivo
apparently a quanto pare
appointment appuntamento
approach avvicinarsi*
approximately circa
April aprile *m.*
arcade galleria
arm braccio (*pl.* le braccia); **arm-in-arm** a braccetto
around: to go around andare in giro
arrival arrivo
arrive arrivare*
art arte *f.*
article articolo
artificial artificiale
artist artista *m. and f.*
artistic artistico
as come; **as . . . as** così . . . come
ask domandare; chiedere
asleep: to fall asleep addormentarsi*
aspirin aspirina
at a, ad
attract attirare
August agosto
aunt zia
author autore *m.*
automobile automobile *f.*, macchina
autumn autunno
awake sveglio
away: to go away andare via

— B —

baby bambino
bad cattivo; **very bad** pessimo; **too bad!** peccato!
badly male
baggage bagaglio
ball ballo
bank banca; **(of a river)** riva
barber parrucchiere *m.*
bath bagno; **to take a bath** fare il bagno
be essere*, stare*; **to be about**

to stare per; **to be located** trovarsi*
beach spiaggia
beautiful bello
beauty bellezza
because perché
bed letto
bedroom camera
beefsteak bistecca
before (in front of) davanti a; (*adverb meaning* **first**) prima; (*referring to time*) prima di
beg raccomandarsi*; **I beg you!** mi raccomando
begin incominciare (a)
behalf: on my behalf da parte mia
believe credere
bell campanello
belt cinghia
bench panchina
beneficial salutare
besides oltre a
best meglio *adv.*; migliore *adj.*
better meglio *adv.*; migliore *adj.*
between fra
bicycle bicicletta
big grande
bill conto
birth nascita
black nero
blue azzurro
bone osso (*pl.* le ossa)
book libro
bookstore libreria
both tutt'e due
box scatola
boy ragazzo
brain cervello
bread pane *m.*
breakfast (prima) colazione *f.*
bridge ponte *m.*
brief breve
bring portare; **bring back** riportare
brother fratello
build costruire (isc)
building edificio
buried sepolto
burn bruciare
bus autobus *m.*
busy occupato
but ma

butter   burro
buy   comprare
by   da

— C —

cabin   cabina
cake   torta
calendar   calendario
call, call on   chiamare
called: to be called   chiamarsi*
can (to be able)   potere†; (to know how)   sapere
candy (hard)   caramella
capital   capitale f.
car   macchina
card: identification card   carta d'identità; (post-) card   cartolina
cardinal   cardinale m.
care: in care of   presso
careful   attento; to be careful to   stare attento a
carnation   garofano
Carnival   Carnevale m.
carriage   carrozza
carry   portare; to carry around   portarsi* dietro
cart   carro
cash   riscuotere
Catacombs   Catacombe f. pl.
catalogue   catalogo
category   categoria
celebrate   festeggiare
cenotaph   cenotafio
center   centro
century   secolo
ceremony   cerimonia
certain   certo; sicuro
certainly   certamente
chain   catena
change   cambiare; to change one's clothes   cambiarsi*
character   carattere m.
Charles   Carlo
charming   simpatico
check   assegno, conto; traveler's check   assegno per viaggiatori
cheer (up)   farsi* coraggio
chicken   pollo
child   bambino
chocolate   cioccolato; chocolate candy   cioccolatino
choose   scegliere
Christian   cristiano

Christmas   Natale m.
church   chiesa
cigarette   sigaretta
city   città
class, classroom   classe f.; to have no classes   non avere lezione (-i)
classic   classico
clean   pulire (isc)
clear   chiaro
clerk   impiegato (a), commesso (a)
clock   orologio
close   chiudere; p.p. chiuso
closed   chiuso
clown   pagliaccio
coin   moneta
coffee   caffè m.; coffee shop   caffè, bar m.; coffee ice   granita di caffè
cold   freddo; to be cold   avere freddo (of a person); fare freddo (of weather); head cold   raffreddore m.; to have a cold   essere raffreddato
color   colore m.
Colosseum   Colosseo
come   venire* (p.p. venuto); come near   avvicinarsi*; come now!   su via!; come back   ripassare
comfortable   comodo; to make oneself comfortable   accomodarsi*
commercial   commerciale
communication   comunicazione f.
companion   compagno
concerning   su
condition   stato
conservation   conservazione f.
consist   consistere
continue   continuare (a), proseguire
converse   conversare
cool   fresco; to be cool   fare fresco (weather)
cordial   cordiale
corner   angolo
correct   corretto
correspond   corrispondere
cost   costare
costume   costume m.
country, countryside   campagna; (fatherland) patria; (nation) paese m.

courage   coraggio; to take courage   farsi* coraggio
course   corso; of course!   certo!; to take a course   seguire un corso
cousin   cugino, cugina
cover (of book)   copertina
covered (with)   coperto (di)
cream (lotion)   crema; (whipped)   panna
cross   traversare
crowd   folla
crowded   affollato
cursed   maledetto
custom   usanza
customs   dogana, customs house   dogana; at the customs   in dogana

— D —

dance   ballo; to dance   ballare; all-night dance   Veglione m.
date   appuntamento
daughter   figlia
day   giorno, giornata; good day   buon giorno; the next day   il giorno dopo
daily   giornaliero
dear   caro
December   dicembre m.
decide   decidere (di)
decided   deciso
decorated   decorato
delicious   delizioso
departure   partenza
deposit   depositare
descend   scendere†
desire   desiderare
dessert   dolce m.
dictionary   dizionario
die   morire*; p.p. morto
difference   differenza
different   diverso
difficult   difficile
dine   pranzare
dinner   pranzo
director (movie)   regista m.
dive   tuffarsi*
do   fare
doctor   dottore m.
dollar   dollaro
dome   cupola
door   porta
doubt   dubbio; to doubt   dubitare
dove   colomba

dream sognare
dress vestirsi*
dressed vesito; **dressed as**
vestito da; **to get dressed**
vestirsi*
dressmaker sarta
drink bere
drugstore farmacia
dry asciugare
during durante

— E —

each ogni; **each one** ognuno
early presto
easily facilmente
Easter Pasqua
easy facile
eat mangiare
egg uovo (*pl.* le uova); **hard-
boiled egg** uovo sodo
embassy ambasciata
emperor imperatore *m.*
empty vuoto
enchanting incantevole
end fine *f.*
England Inghilterra
English inglese; **the English
language** l'inglese
enjoy godere; **to enjoy oneself**
divertirsi*
enough abbastanza; **to be
enough** bastare*; **enough!**
basta!
enrolled iscritto
enter entrare*
entrance entrata
envelope busta
Epiphany Epifania
especially specialmente
et cetera eccetera
Etruscan etrusco
Europe Europa
European europeo
eve vigilia
even: not even neanche,
nemmeno
evening sera; **good evening!**
buona sera! **this evening**
questa sera, stasera; **in the
evening** di sera
ever (*in questions*) mai
every ogni
everybody tutti
everything ogni cosa, tutto
everywhere dappertutto
evidently si vede che

exactly in punto (*in telling
time*)
examination esame *m.*
example esempio
excellent eccellente, ottimo
except eccetto
exception eccezione *f.*
exchange cambio; **to exchange**
cambiare
exclamation esclamazione *f.*
excuse scusare; **(oneself)**
scusarsi*
exhausted esaurito
exile esilio; **to go into exile**
andare in esilio
explain spiegare
exquisite squisito
eye occhio

— F —

face viso
fact fatto; **in fact** infatti; **as a
matter of fact** veramente
fall autunno
family famiglia
famous famoso
fantastic fantastico
far lontano; **as far as** fino a
fashion moda; **fashionable**
di moda
fast veloce; velocemente
father padre *m.*
favorable favorevole
favorite preferito
February febbraio
feel sentirsi
festivity festa
field campo
fill riempire; **to fill with**
riempire di
finally finalmente
find trovare
fine bravo
finger dito (*pl.* le dita)
fire fuoco
fireworks fuochi artificiali
first primo *adj.*, prima *adv.*
fish pesce *m.*
fix aggiustare
flight volo
float carro
Florence Firenze *f.*
Florentine fiorentino
flower fiore *m.*
fly volare; **fly over** sorvolare
follow seguire

following seguente
foot piede *m.*; **on foot** a piedi
for per
foreigner straniero
forget dimenticare (di)
formality formalità
found fondare
France Francia
Francis Francesco
French francese; **the French
language** il francese
fresco affresco
Friday venerdì *m.*
friend amico, amica
front: in front of davanti a
fruit frutta; **fruit cocktail**
macedonia di frutta
full pieno
funny spiritoso; **to try to be
funny** fare lo spiritoso

— G —

game (*match*) partita
garden giardino; **in the garden**
in giardino
general generale
gentleman signore *m.*
geography geografia
George Giorgio
get on salire†
get up alzarsi*
gift regalo
girl ragazza
give dare
gladly volentieri
glass (*drinking*) bicchiere *m.*;
glassworks vetreria
glove guanto
go andare*; **go down** scen-
dere†; **go out** uscire*
gondola gondola
good buono, bravo; **very good**
ottimo
goodness (*exclamation*)
caspita
good-bye addio, arrivederci
(*familiar*), arrivederLa (*polite
singular*), ciao (*colloquial*)
graduate (*from a university*)
laurearsi*
grandfather nonno
grave tomba
great grande; **greater** maggiore; **the greatest** il
maggiore
green verde

greet salutare
greeting saluto
grotto grotta
guest invitato
guide, guidebook guida
gulf golfo

— H —

hair (*one*) capello; **hair** capelli
hairdresser parrucchiere *m.*
hall sala, salone *m.*
hand mano *f.* (*pl.* le mani); **to shake hands with** dare la mano a; **in one's hand** in mano
handkerchief fazzoletto
happy felice
harbor porto
hard-boiled: hard-boiled egg uovo sodo
Harlequin Arlecchino
haste fretta
hat cappello
have avere; **to have to** dovere†
headache mal di testa *m.*
hear sentire; **to hear about** sentire parlare di
heavy pesante
hello ciao (*colloquial*); (*over telephone*) pronto!
help aiuto; **to help** aiutare (a)
here qua, qui; **here is! here are!** ecco!
high alto
highway autostrada
hill collina
history storia
holiday festa; **it's a holiday** è festa
home casa; **at home** a casa
honor onore *m.*
hope sperare (di)
hors d'oeuvres antipasto
hotel albergo, hotel *m.*; **at (in) the hotel** in albergo
hour ora
house casa; **boarding house** pensione *f.*
how come; **how are you?** come sta? (*polite singular*); come stanno (*polite plural*); **how goes it?** come va?
however però

hundred cento; **about one hundred** un centinaio (*pl.* centinaia)
hungry: to be hungry avere fame
hurrah evviva
hurry sbrigarsi*; **to be in a hurry** avere fretta; **in a hurry** in fretta
hurt fare male a
husband marito

— I —

ice cream gelato
idea idea
if se
immediately subito
important importante
impossible impossibile
impression impressione *f.*
in in, a
indeed proprio
indicate segnare
information informazione *f.*
ink inchiostro
instead invece
institution istituzione *f.*
interest interessare
interesting interessante
interior interno
introduce presentare
invite invitare
is è; **there is** c'è
island isola
Italian italiano; **the Italian language** l'italiano
Italy Italia

— J —

jacket giacca
January gennaio
Jean Gina
Jesus Gesù
jet aviogetto
John Giovanni
join raggiungere
joke scherzo; **to joke** scherzare
journey *see* **trip**
July luglio
June giugno
just appena

— K —

kind (*adj.*) gentile; (*noun*) specie *f.*

knock bussare
know (*be acquainted with*) conoscere; **to know** (*a fact*) sapere; **to know how** sapere
known noto

— L —

lack mancare
lady signora; **young lady** signorina
lake lago
lamb agnello
landscape paesaggio
large grande
last ultimo, scorso; **last year** l'anno scorso; **last night** ieri sera; **to last** durare*
late tardi; **to be late** essere in ritardo; (*impersonal*) essere tardi
laugh ridere
leaning pendente
learn imparare (a)
least meno; **at least** almeno
leave (*intrans.*) partire*; (*trans.*) lasciare; **to leave again** ripartire
lecture conferenza; **to give a lecture** fare una conferenza
left sinistro; **to the left** a sinistra
lentil lenticchia
lesson lezione *f.*
let lasciare
letter lettera
liar bugiardo (-a)
library biblioteca; **in the library** in biblioteca
lie (down) sdraiarsi*
life vita
lift alzare
light (*in weight*) leggiero; **to light** accendere
like come; **to like** piacere*; **I like** mi piace
line linea
lip labbro (*pl.* le labbra)
listen, listen to ascoltare
literature letteratura
little piccolo; poco; **little by little** a poco a poco; **in a little while** fra poco; **a little** un poco, un po'
live vivere†, abitare
London Londra

457

long lungo; **how long** quanto tempo
look, look at guardare
look for cercare
lose perdere
loud, loudly forte; **louder** più forte
Louise Luisa
lucky beato
lunch colazione *f.*; **to have lunch** fare colazione

— M —

magazine rivista
magnificent magnifico
mail posta; **air mail** posta aerea; **to mail** impostare
make fare
man uomo (*pl.* uomini)
manage, get by arrangiarsi
manger presepio
March marzo
market mercato; **flower market** mercato dei fiori; **open-air market** mercato all'aperto
marvelous meraviglioso
Mary Maria
mask maschera
masquerade mascherata
match (*game*) partita
material stoffa
matter importare; **it does not matter** non importa; **to be a matter of** trattarsi* di
May maggio
may potere†
mean volere dire, significare
meanwhile nel frattempo
meat carne *f.*
medieval medioevale
Mediterranean Mediterraneo
meet incontrare; fare la conoscenza di; **pleased to meet you!** piacere!
menu lista
middle mezzo; **in the middle of** in mezzo a
midnight mezzanotte *f.*
Milan Milano *f.*
mile miglio (*pl.* le miglia)
minute minuto
miss signorina
moment momento
monastery convento
Monday lunedì *m.*

money denaro, soldi *m. pl.*; **money order** vaglia *m.*
monopoly monopolio
month mese *m.*
more più, **more and more** sempre più
morning mattina, mattinata; **in the morning** di mattina; **this morning** stamani
mosaic mosaico
most più, il più; **at the most** al massimo
mother madre *f.*
mountain monte *m.*
movies cinema *m.*, cinematografo
Mr. signore *m.*
Mrs. signora
much molto; **how much** quanto; **so much** tanto; **too much** troppo
museum museo
music musica
musician musicista *m. and f.*
must dovere†; **I must** devo; **you must** deve

— N —

name nome *m.*; **to be one's name** chiamarsi*
Naples Napoli *f.*
national nazionale
Nativity Scene presepio
naturally naturalmente
Neapolitan napoletano
near vicino (a); **near there** lì vicino; **near here, nearby** qui vicino
necessary necessario; **it is necessary** bisogna
necktie cravatta
need bisogno; **to need** avere bisogno (di)
neighborhood: in this neighborhood da queste parti
neither né; **neither . . . nor** né . . . né
nephew nipote *m.*
never mai
new nuovo; **what's new?** cosa c'è di nuovo?
news notizia
newspaper giornale *m.*
next venturo, prossimo; **next week** la settimana ventura (prossima)

niece nipote *f.*
night notte *f.*; **good night!** buona notte; **tonight** stasera, questa sera; **last night** ieri sera
no no; **no one** nessuno
nonsense! macché!
noodles tagliatelle *f. pl.*; fettuccine *f. pl.*
north nord *m.*
not non; **not even** nemmeno, neanche
note appunto
notebook quaderno
nothing niente, nulla
notice notare
novel romanzo
November novembre *m.*
now ora, adesso; **from now on** da ora in poi; **by now** ormai
number numero; **to dial a number** formare un numero

— O —

October ottobre *m.*
of di
offer offrire
office ufficio; **telephone office** ufficio telefonico; **money exchange office** ufficio di cambio
often spesso
oh yes! eh sì!
old vecchio
on su
once una volta; **once a week** una volta alla settimana
only solo, solamente (*advs.*); solo, unico (*adjs.*)
open aprire (*p.p.* aperto); **in the open air** all'aperto
opera opera
or o
orangeade aranciata
orange grove aranceto
order ordinare; **in order to** per
origin origine *f.*
original originale
other altro
otherwise altrimenti
out, outside fuori
outdoors all'aperto
owe dovere†

— P —

page pagina
palace palazzo
paper carta
pardon scusare; **pardon me!**
  scusi! (polite singular)
parent genitore m.
Paris Parigi f.
park parco
parking parcheggio
pass passare†
passenger passeggiero
passport passaporto
pastry shop pasticceria
patience pazienza
pay, pay for pagare
pea pisello
pen penna
pencil matita
peninsula penisola
penny soldo
pension pensione f.
people gente f. (used in the
  singular)
perfect perfezionare
performance spettacolo
perhaps forse
person persona
personally personalmente
Peter Pietro
pharmacy farmacia
piano pianoforte m.
place posto, luogo; **to take
  place** avere luogo
plan programma m.; **to plan**
  contare (di)
play (an instrument) suonare;
  (a game) giocare; **to play tennis** giocare a tennis
please per favore or per
  piacere
pleasure piacere m.
poet poeta m.
point punto; **point of view**
  punto di vista
poor povero
port porto
porter facchino
possible possibile
postcard cartolina
post office posta
precise preciso
prefer preferire (isc)
prepare preparare
present presente (adj.); regalo
  (noun)

president (of a university)
  rettore m.
pretty carino
price prezzo
professor professore m.
program programma m.
provided purché
purse borsa
put mettere

— Q —

question domanda

— R —

rabbit coniglio
race corsa
racer corridore m.
rain piovere†
raincoat impermeabile m.
rapidly velocemente
rarely raramente
rate: **at any rate** ad ogni modo
rather piuttosto, anzi
read leggere (p.p. letto)
reading lettura
ready pronto
really proprio, davvero
receipt ricevuta
receive ricevere
receiver ricevitore m.
reception ricevimento
recognize riconoscere
red rosso
refreshment rinfresco
registered raccomandato
regular regolare
religious religioso
remain restare*, rimanere*
  (p.p. rimasto)
remember ricordare (di)
Renaissance Rinascimento
repeat ripetere
represent rappresentare
require richiedere
rest riposare
restaurant ristorante m.; **inn**
  trattoria
return ritornare*
ride passeggiata; **to go for a
  ride** fare una passeggiata
right destro; **to the right** a
  destra; **to be right** avere
  ragione; **right away** subito;
  right? is that all right? va
  bene?
ring suonare

river fiume m.
road strada
Roman romano
Rome Roma
room stanza; **dining room**
  sala da pranzo **living room;**
  salotto; **waiting room** sala
  d'aspetto
rose rosa
ruin rovinare
run correre†

— S —

sad triste
saint santo
salad insalata
sale vendita
salt sale m.
same stesso; **thank you just
  the same** grazie lo stesso
sand sabbia
sandal sandalo
Saturday sabato
say dire (p.p. detto); **to say
  good-bye** salutare
says dice
school scuola
scream grido (pl. le grida); **to
  scream** gridare
sea mare m.
season stagione f.
seated seduto
second n. secondo; **second-
  hand** usato
secret segreto
see vedere; **to see again**
  rivedere
seek cercare
seem sembrare*
sell vendere; **sold out** esaurito
send mandare
separate separare
September settembre m.
serve servire
service servizio; **service included** il servizio è compreso
settle down stabilirsi* (isc)
several diversi (-e)
sheet (of paper) foglio
shine splendere
shirt camicia
shoe scarpa
shop negozio; **to shop** fare
  delle spese

short breve; **in short** in-somma

show fare vedere

Sicily Sicilia

sigh sospirare

silence silenzio

silly sciocco

simple semplice

since poiché, dato che

sing cantare

sit sedersi*

situated situato

ski sciare

skin pelle f.

sky cielo

sleep dormire

sleepy: to be sleepy avere sonno

slowly piano

small piccolo

smile sorridere

sneeze starnuto

snow neve f.; **to snow** nevicare†

so così

soccer calcio

sojourn soggiorno

sold out esaurito

some qualche (*takes the singular*); alcuni (*plural*); un po' di

something qualche cosa, qualcosa

son figlio

song canzone f.

soon presto; **as soon as** appena

sorry: to be sorry dispiacere; **I am sorry** mi dispiace

soup minestra

south sud m.

southern meridionale

souvenir ricordo

spa terme f.pl.

speak parlare

special speciale

specialty specialità

spectacle spettacolo

speed correre†

spend (*time*) passare

splendid splendido

sport sport m.; **sports fan** tifoso

spot posto

spring primavera

square piazza

stamp francobollo; **special**

delivery stamp francobollo espresso

start out avviarsi*

state stato

station stazione f.

stationery carta da lettere; **stationery store** cartoleria

statue statua

still ancora

stop fermata; **to stop** fermarsi*

store negozio

story storia

strange strano

strawberry fragola

streamliner rapido

street via; **in the streets** per le vie; **on Dante St.** in Via Dante

streetcar tram m.

strong forte

student studente m.; **girl student** studentessa

study studio; **to study** studiare

sturdy solido

succeed riuscire* (a)

success successo

suit abito; **bathing suit** costume da bagno m.

suitcase valigia

summer estate f.

sun sole m.

Sunday domenica

supper cena; **farewell supper** cena d'addio

sure certo, sicuro

surname cognome m.

surprise sorpresa; **to surprise** fare una sorpresa a

surrounded circondato

surroundings dintorni m.pl.

sweater maglia

swim nuotare; **swimming pool** piscina

symbol simbolo

— T —

table tavola, tavolo

take (*seize*) prendere, (*carry*) portare; **take back** riportare; **take place** avere luogo

tall alto

tan tintarella; **to tan** abbronzarsi, prendere la tintarella

taste assaggiare

taxi tassì m.

teach insegnare (a)

teacher maestro, maestra

telegram telegramma m.

telephone telefonare; **telephone call** telefonata; **long distance telephone call** telefonata interurbana; **to make a telephone call** fare una telefonata; **telephone instrument** apparecchio

television set televisore m.

tell dire (*p.p.* detto); **can you tell?** si vede?

tennis tennis m.; **tennis court** campo di tennis; **to play tennis** giocare a tennis

terrible terribile

than di, che, di quel che

thank ringraziare; **thank you, thanks** grazie; **thank you just the same** grazie lo stesso; **thanks for everything** grazie di tutto

that che; quello; **that is** cioè

theater teatro

then poi (*after*); allora (*at that time*)

there là, lì; ci; **there is** c'è; **there is! there are!** ecco!

thing cosa; **it is a good thing!** meno male!; **everything** ogni cosa; **something else** qualche altra cosa; **something, anything** qualche cosa

think pensare (*to be thinking*); credere (*to have an opinion*)

third terzo

thirst sete; **to be thirsty** avere sete

this questo

thousand mille; **about a thousand** un migliaio (*pl.* le migliaia)

through per, attraverso

Thursday giovedì m.

thus così

ticket biglietto; **ticket office** biglietteria; **to get a (first, second) class ticket** fare il biglietto (di prima, di seconda)

time tempo; volta (*in the sense of "occurrence"*); **to have a good time** divertirsi*; **to have a great time** divertirsi un mondo; **it is time (to)** è l'ora (di); **have a good time!**

buọn divertimento!; **what time is it?** che ora è? *or* che ore sono?

timetable orạrio

tired stanco

to a, in

tobacco tabacco

today ọggi

together insịeme

token gettone *m.*

tomb tomba

tomorrow domani

too anche; **too, too much** trọppo

tour giro; **to make a tour** fare un giro

tourist turista *m. and f.*

toward vẹrso

tower torre *f.;* **belltower** campanile *m.*

town città

tradition tradizione *f.*

traditional tradizionale

train trẹno; **express train** dirẹtto

travel viaggiare

travelogue documentạrio

tree ạlbero

trip viạggio; **have a good trip** buọn viạggio; **to take a trip** fare un viạggio; **fast trip** cọrsa

trolley (*trackless*) fịlobus *m.*

true vero; **is it not true?** non è vero?; **is it true that?** è vero che?

truly veramente

truth verità

try cercare (di)

Tuesday martedì *m.*

turn turno

Tuscan toscano

twenty venti

two due

— U —

ugly brutto

uncle zio

under sotto

understand capire (isc)

unforgettable indimenticạbile

unfortunately sfortunatamente

United States Stati Uniti

university università; **of the university** universitạrio

unless a meno che . . . non

until fino a

use usare

used usato

useful ụtile

useless inụtile

usually di sọlito

— V —

vacation vacanza

variety varietà

various divẹrsi (-e)

veal vitẹllo; **roast veal** vitẹllo arrọsto

Venetian vẹneto, veneziano

Venice Venẹzia

very molto; **very much, quite a bit** assai

Vesuvius Vesụvio

view veduta

violet violetta

visit visịta; **to visit** visịtare; **to pay a visit** fare una visịta

voice voce *f.*

voyage *see* trip

— W —

wait, wait for aspettare; **waiting room** sala d'aspẹtto

waiter camerịere *m.*

waitress camerịera

walk camminare; **to take a walk** fare una passeggiata; **to walk two (three,** *etc.***) miles** fare due (tre, *etc.*) mịglia

want volere†

warm caldo; **to be warm** fare caldo (*of weather*)

wash (oneself) lavarsi*

watch orolọgio

water ạcqua

way: by the way a propọsito; **to continue on one's way** riprẹndere il cammino

wear (clothes) portare

weather tẹmpo; **how's the weather?** che tẹmpo fa?

Wednesday mercoledì *m.*

week settimana; **next week** la settimana ventura *or* prọssima

welcome benvenuto, bẹn tornato!; **to extend one's welcome** dare il benvenuto; **you are welcome!** prẹgo!

well bẹne, bẹ' *abbreviation of* bẹne; **very well** benịssimo; **well then** dụnque

what che, che cọsa, cọsa; =

that which quello che, quẹl che, ciò che

what? che? che cọsa? cọsa?; **what a . . . !** che . . . !

when quando

where dove; **where is?** dov'ẹ?

which che, quale, il quale

while mentre; **once in a while** ogni tanto

white bianco

who, whom che, il quale; **who? whom?** chi?

whose? di chi?

why perché

wife mọglie *f.*

willingly volentịeri

window finẹstra; **display window** vetrina; **teller's (clerk's) window** sportẹllo

windy: to be windy tirare vẹnto

wine vino

winter invẹrno; **in the winter** d'invẹrno

wire filo

wish desiderare; **I wish it were so!** magari!

wishes: best wishes auguri; **to offer best wishes** fare gli auguri

with con

within (*time*) fra, in

without sẹnza

witty spiritoso

woman dọnna

wonderful meraviglioso

word parọla

world mondo

worse pẹggio (*adv.*)., peggiore (*adj.*)

worst pẹggio (*adv.*), peggiore (*adj.*)

worth: to be worth valere*

write scrịvere

written scritto (*p.p. of* scrịvere)

— Y —

year anno; **Happy New Year!** Buọn Anno!

yes sì; **oh yes!** ẹh sì!

yesterday iẹri; **day before yesterday** iẹri l'altro, l'altro iẹri

yet ancora

young giọvane; **young man** giọvane *m.* giovanotto

GETTING AROUND IN ITALIAN

Useful words and phrases

Greetings and general phrases

Good morning *or* Good day.	Buọn giorno.
Good afternoon *or* Good evening.	Buọna sera.
Good night.	Buọna nọtte.
how	come
are you	sta Lẹi
How are you?	Come sta Lẹi?
Well.	Bẹne.
Thank you.	Grạzie.
And you?	E Lẹi?
I am well, thank you.	Stọ bẹne, grạzie.
Sir *or* Mr.	Signore
Madam *or* Mrs.	Signora
Miss	Signorina
Excuse me.	Scusi.
If you please.	Per favore.
Yes	Sí
No	Nọ
You're welcome.	Prẹgo.
Do you understand?	Capisce?
I understand.	Capisco.
I don't understand.	Non capisco.
I'm sorry, but I don't understand.	Mi dispiace, ma non capisco.
Please speak slowly.	Per favore parli adạgio.
Please repeat.	Per favore ripẹta.

Location and directions

Where is it?	Dov'ẹ̀?
Where is the restaurant?	Dov'ẹ̀ il ristorante?
I'm looking for the hotel.	Cerco l'albẹrgo.
the bank	la banca
the barbershop	il barbiẹre
the church	la chiẹsa
the cleaner	la tintoria
the dentist	il dentista
the doctor	il dottore
the drugstore	la farmacia
the filling station	il distributore di benzina
the hairdresser	il parrucchiẹre
the shoemaker	il calzolạio
the hospital	l'ospedale
the house	la casa
the laundry	la lavanderia
the movie theater	il cịnema

the museum	il museo
the office	l'ufficio
the park	il giardino pubblico
the policeman	il vigile
the square	la piazza
the store	il negozio
the street	la via
Where is Columbus Street?	Dov'è Via Colombo?
the tailor shop	la sartoria
the telegraph office	il telegrafo
the telephone	il telefono
the telephone book	l'elenco telefonico
the theater	il teatro
the waiter	il cameriere
Where is the toilet?	Dov'è il gabinetto?
To the right	A destra
To the left	A sinistra
Straight ahead	Diritto
On the corner	All'angolo
Here	Qui
There	Là
Show me the way.	M'indichi la via.
A kilometer	Un chilometro

Numbers

zero	zero
one	uno
two	due
three	tre
four	quattro
five	cinque
six	sei
seven	sette
eight	otto
nine	nove
ten	dieci
eleven	undici
twelve	dodici
thirteen	tredici
fourteen	quattordici
fifteen	quindici
sixteen	sedici
seventeen	diciassette
eighteen	diciotto
nineteen	diciannove
twenty	venti
twenty-one	ventuno
twenty-two	ventidue
twenty-three	ventitré
twenty-eight	ventotto
thirty	trenta
forty	quaranta
fifty	cinquanta
sixty	sessanta
seventy	settanta
eighty	ottanta

ninety	novanta
one hundred	cento
one hundred and one	cento uno
two hundred	duecento
five hundred	cinquecento
seven hundred	settecento
nine hundred	novecento
one thousand	mille
two thousand	due mila
one million	un milione

Asking for what you want

What is it?	Che cos'è?
What is that?	Che cos'è quello?
What do you want?	Che cosa vuole?
I want.	Voglio.

Food

I am hungry.	Ho fame.
It's time for breakfast.	È l'ora di colazione.
for lunch	di pranzo
for dinner, supper	di cena
Here is the menu.	Ecco la lista.
I would like to eat.	Vorrei mangiare.
I would like some bread.	Vorrei del pane.
some butter	del burro
some cheese	del formaggio
some chicken	del pollo
some cream	della panna
some dessert	del dolce
some eggs	delle uova
some fish	del pesce
some fruit	della frutta
some ham	del prosciutto
some ice cream	del gelato
some meat	della carne
some oranges	delle arance
some pepper	del pepe
some potatoes	delle patate
some rice	del riso
some salad	dell'insalata
some salt	del sale
some soup	della minestra
some spaghetti	degli spaghetti
some sugar	dello zucchero
some vegetables	dei legumi
a beefsteak	una bistecca

Drinks

I'm thirsty.	Ho sete.
I would like to drink.	Vorrei bere.
I would like some water.	Vorrei dell'acqua.
some beer	della birra
some brandy	del cognac
some coffee	del caffè
some lemonade	della limonata
some milk	del latte
some soda water	dell'acqua di seltz

	some wine	del vino
	a bottle of wine	una bottiglia di vino
	a cup of coffee	una tazza di caffè
	a glass of milk	un bicchiẹre di latte

Miscellaneous I would like a room.   Vorrẹi una cạmera.

	a single room	una cạmera a un lẹtto
	a double room	una cạmera a due lẹtti
	a double bedroom	una cạmera matrimoniale
	a room with bath	una cạmera con bagno
	some cold water	dell'ạcqua fredda
	some hot water	dell'ạcqua calda
	a book	un libro
	some cigarettes	delle sigarette
	some matches	dei fiammịferi
	some envelopes	delle buste
	a fountain pen	una penna stilogrạfica
	some ink	dell'inchiọstro
	a newspaper	un giornale
	some paper	della carta
	a pen	una penna
	a pencil	un lạpis
	some air mail stamps	dei francobolli per pọsta aẹrea

Please cut my hair.   Per favore mi tagli i capelli.

Shopping How much is this?   Quanto cọsta questo?

	One hundred lire	Cento lire
	It's cheap.	Cọsta pọco.
	It's expensive.	Ẹ caro.
	money	denaro
	Here is the money.	Ẹcco il denaro.
	A hundred lira bill	Un biglietto da cẹnto lire
	A thousand lira bill	Un biglietto da mille lire

At the bank I need money.   Họ bisọgno di denaro.

	a check	un assegno
	Please cash this check for me.	→ Per favore mi cambi questo assegno.
	What is the rate of exchange?	Qual ẹ il cạmbio?
	Please give me fifty dollars' worth of liras.	Per favore mi cambi cinquanta dọllari in lire.

Clothes I would like to buy a hat.   Vorrẹi comprare un cappẹllo.

	a bathing suit	un costume da bagno
	a blouse	una camicetta
	some clothes	dei vestiti
	a dress	un vestito
	some gloves	dei guanti
	a handkerchief	un fazzoletto
	a jacket	una giacca
	an overcoat	un cappọtto
	a raincoat	un impermeạbile
	a shirt	una camịcia
	some shoes	delle scarpe
	a skirt	una gọnna

some socks	dei calzini
a suit	un abito
a tie	una cravatta
some trousers	dei pantaloni
an umbrella	un ombrello
I like it.	Mi piace.
I don't like it.	Non mi piace.

Drug supplies

I want some aspirin.	Voglio dell'aspirina.
some camera film	dei rotoli di pellicola
some face powder	della cipria
some hair pins	delle forcine
some razor blades	delle lamette
some safety pins	delle spille di sicurezza
some shaving cream	della crema per barba
some soap	del sapone
some sunglasses	degli occhiali da sole
a toothbrush	uno spazzolino da denti
some toothpaste	della pasta dentifricia
I don't feel well.	Non mi sento bene.
I'm sick.	Sono ammalato.
I have a headache.	Mi duole la testa.
I have a toothache.	Mi duole un dente.

Transportation

Where is the railroad station?	Dov'è la stazione?
the airplane	l'aeroplano
the airport	l'aeroporto
the car	l'automobile
the baggage	il bagaglio
the baggage room	il deposito di bagagli
the bus	l'autobus
the custom inspection	la dogana
the dining car	il vagone ristorante
the ship	il piroscafo
the sleeping car	il vagone letti
the street car	il tram
the taxi	il tassí
Please call a taxi.	Per favore chiami un tassí.
the ticket	il biglietto
a first class ticket	un biglietto di prima classe
a round trip ticket	un biglietto d'andata e ritorno
I'm going second class.	Vado in seconda classe.
A ticket to Florence	Un biglietto per Firenze

Time

What time is it?	Che ora è?
It's one o'clock.	È l'una.
It's two o'clock.	Sono le due.
It's a quarter after three.	Sono le tre e un quarto.
It's ten after three.	Sono le tre e dieci.
It's four-thirty.	Sono le quattro e mezza.
It's a quarter to five.	Sono le cinque meno un quarto.
at what time	a che ora
leaves	parte
At what times does the train leave?	A che ora parte il treno?
It leaves at ten in the morning.	Parte alle dieci di mattina.
arrives	arriva

It arrives at eleven in the evening.	Arriva alle undici di sera.
starts	incomincia
At what time does the movie start?	A che ora incomincia il film?
today	oggi
tomorrow	domani
yesterday	ieri
next week	la settimana prossima
last week	la settimana scorsa

Days of the week

Sunday	domenica
Monday	lunedí
Tuesday	martedí
Wednesday	mercoledí
Thursday	giovedí
Friday	venerdí
Saturday	sabato

Months of the year

January	gennaio
February	febbraio
March	marzo
April	aprile
May	maggio
June	giugno
July	luglio
August	agosto
September	settembre
October	ottobre
November	novembre
December	dicembre

Meeting people

What is your name?	Come si chiama Lei?
My name is John Hill.	Mi chiamo Giovanni Hill.
I am glad to know you, Mr. Hill.	Piacere di fare la Sua conoscenza, signor Hill.
I should like to introduce Mrs. Hill.	Vorrei presentarLe la signora Hill.
Delighted	Piacere
I am a friend of Charles Rossi.	Sono un amico di Carlo Rossi.
My parents know him well.	I miei genitori lo conoscono bene.
Where are you from?	Di dov'è Lei?
I'm from New York.	Sono di Nuova York.
I'm an American.	Sono americano.

At the filling station

What can I do for you?	Che cosa desidera?
How do you say "gasoline" in Italian?	Come si dice "gasoline" in italiano?
We say "benzina."	Si dice "benzina."
Give me twenty liters of gasoline.	Mi dia venti litri di benzina.
Which is the road to Rome?	Qual è la strada di Roma?
Is it far?	È lontano?
It's fifty kilometers from here.	È a cinquanta chilometri da qui.
It's near.	È vicino.
Thank you very much.	Mille grazie.
Good-bye	Arrivederci
So long	Ciao
Have a nice trip.	Buon viaggio.

INDEX

(Numbers refer to pages.)

a: before infinitives 156, 363
  with names of cities 154
absolute construction 345
absolute superlative 322
address: forms of 16
adjectives: form and agreement
    32
  comparison 221; irregular
    comparison 287
  demonstrative 111
  interrogative 78, 144
  plural of adjectives ending in
    -ca, -ga 120
  plural of adjectives ending in
    -cia, -gia 180
  plural of adjectives ending in
    -co, -go 179, 180
  plural of adjectives ending in
    -io 197
  position 32
  possessive 77, 112
adverbs: formation of
    (in **-mente**) 166
  irregular comparison of 287
  of place 111, 247
  of time 104
age 247
andare: Verb Appendix
any: in interrogative and nega-
    tive sentences 48, 92
articles: definite 6, 7, 34
  definite article in general
    statements 153
  definite article with names of
    countries 153; omitted 153
  definite article with posses-
    sives 77
  definite article with titles 24
  indefinite article 31, 34
  omission of indefinite article
    31

the article followed by an ad-
    jective 34
auxiliaries: in perfect tenses 101,
    102, 103
  with a dependent infinitive
    346
  with reflexive verbs 120
avere: Verb Appendix

bello 48
buono 33

cardinal numerals 91, 237
centuries: idiomatic translation
    of 333
ci *(adverb of place)* 247
che 143
chi 144
come: idiomatic use 104
comparison 221; irregular 287
conditional 269; conditional
    perfect 270
conoscere 239
contractions 47
cui 143

da: before a noun 372
  idiomatic use 372, 373
  with an infinitive 372
dare: Verb Appendix
dates 238
days of the week 188
demonstrative adjectives 111
demonstrative pronouns 111
dependent infinitives 346
di: with infinitive 363
diminutive 332
dire: Verb Appendix
disjunctive pronouns 187
do (auxiliary) 16

dovere: Verb Appendix
  special meaning of 346

ecco: pronouns with 322
essere: Verb Appendix

fare: Verb Appendix
  with a dependent infinitive
    321
future tense 58
  idiomatic use 67
  of probability 67
future perfect 261
  of probability 262

gender 5
gerund 301; uses 301
grande 288

how 104

idiomatic present 154, 302
idiomatic past 302
imperative 205, 206, 219
  irregular 207, 219
  negative 206
  position of conjunctive pro-
    nouns with 219
imperfect indicative: *see* past
    descriptive
impersonal construction 277
indicative: *see* tenses
infinitive: as a noun 364
  position of conjunctive
    pronouns with 263
interrogative adjectives 78
interrogative pronouns 78, 144
interrogative sentences 16
invariable nouns 198

months 238

ne (*conjunctive pronoun*) 229
negatives 24, 92
nouns: gender 5
  plural 5
  plural of nouns ending in -ca
    and -ga 120
  plural of nouns ending in -cia
    and -gia 180
  plural of nouns ending in -co
    and -go 179, 180
  plural of nouns ending in -io
    197
  plural of nouns ending in -ista
    197
  plural of masculine nouns
    ending in -a 197
  invariable nouns 198
  with an irregular plural 346
numerals: cardinal 91, 237
  ordinal 188, 332
  substitutes for certain ordinal
    numerals 333

object: double object of verbs
  230
ordinal numerals 188, 289, 332
  substitutes for certain ordinal
    numerals 333
orthographic changes in verbs
  180

participles: past 101
  present (*gerund*) 301
  special use of past participle
    345
partitive 48, 92
passive 278
  reflexive used instead of 277
past absolute 134
past descriptive (*imperfect indicative*) 163, 164, 302
past perfect 245
past tenses compared 165
piacere: Verb Appendix
  special meaning 136
possession 24
possessive adjectives 77, 112
idiomatic construction with
  possessive adjectives 112
possessive pronouns 77
potere: Verb Appendix
  special meaning of 346
prepositions: with the definite
  article 47
  with the infinitive 156, 363
  idiomatic use of **da** 372, 373 ☞

present indicative tense 13, 14,
  23
  special use of 154, 302
present participle (*gerund*) 301
  used with **stare** 302
present perfect 101
pronouns: conjunctive 219, 229,
  263, 288, 302, 322
  demonstrative 111
  direct object 57
  disjunctive 187
  indirect object 133
  interrogative 78, 144
  position of conjunctive pro-
    nouns with imperatives 219
  position of conjunctive pro-
    nouns with infinitives 263
  possessive 77, 112
  reflexive 119; special use of
    303
  relative 143
  subject 15
  position of conjunctive pro-
    nouns with infinitives
    depending on **dovere,
    potere, sapere, volere** 322
  position of conjunctive pro-
    nouns with gerunds 302
  special use of conjunctive
    pronoun 198
  verbs with two object pro-
    nouns 230

quale 144
quello 111
quello che 144

reciprocal pronouns 120
reciprocal verbs 119
reflexive pronouns 119
  instead of English possessives
    303
reflexive verbs 119
  auxiliaries used with 120
  used in a general sense 277
  used instead of passive 277
relative pronouns 143

santo 288
sapere 239
  Verb Appendix
seasons 239
sedersi: Present Indicative of 121
sequence of tenses 372
some 48, 92
stare: Verb Appendix
  with gerund 302

subject: position of, in emphatic
  statements 198
subjunctive: how formed 311,
  355
  after **affinché, a meno che,
    benché, prima che, purché,**
    etc. 331
  after **desiderare, credere,
    volere,** etc. 314
  after a relative superlative 331
  in principal clauses 345
  with "if clauses" 357
  with impersonal verbs 313
  sequence of tenses 372
suffixes 332
superlative absolute 322
superlative relative 261, 288

tenses: conditional 269
  conditional perfect 270
  future 58; idiomatic use of 67;
    of probability 67
  future perfect 261; of proba-
    bility 262
  idiomatic present 154
  imperfect subjunctive 355
  past absolute 134
  past descriptive (*imperfect
    indicative*) 163, 164; in idio-
    matic past 302
  past perfect 245
  past perfect subjunctive 356
  past tenses compared 165
  present indicative 13, 14, 23;
    special use of 154, 302
  present perfect 101
  present perfect subjunctive
    312
  present subjunctive 311
than 221
time of day 145
titles: definite article with 24;
  ending in -ore 24, note 1

uscire: Verb Appendix

vedere: Verb Appendix
venire: Verb Appendix
verbs: ending in -care, -gare 180
  ending in -cere, -scere 181
  ending in -ciare, -giare 181
vi (*adverb of place*) 247
volere: Verb Appendix

weather 278
what 144
whose 144

ILLUSTRATION CREDITS

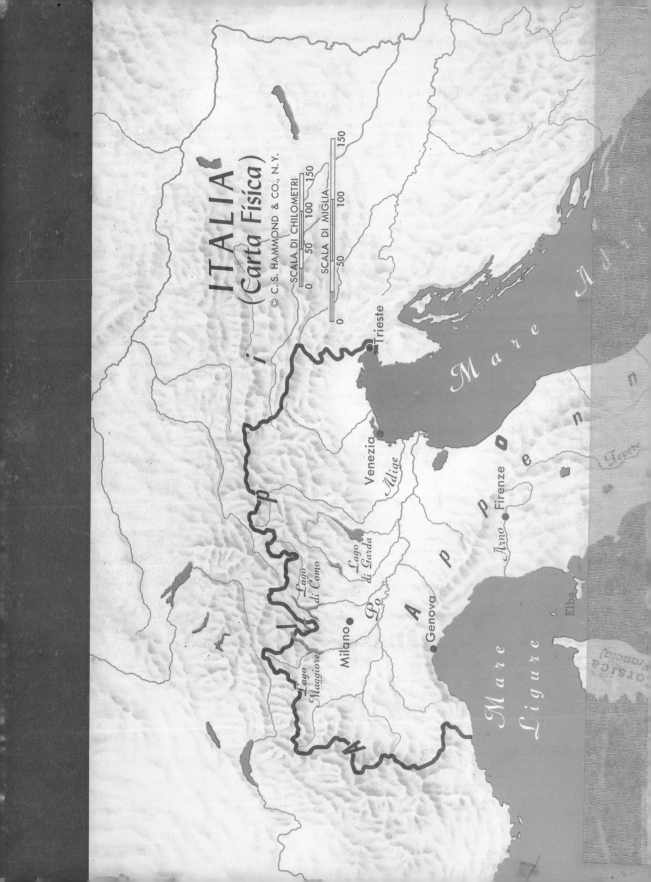